JN270162

TOEFL®テスト
大戦略シリーズ 5

TOEFL®テスト リスニング問題 190 [4訂版]

喜田 慶文 著

Copyright © Educational Testing Service. www.ets.org
The TOEFL iBT® Test Directions are reprinted by permission of Educational Testing Service, the copyright owner. All other information contained within this publication is provided by Obunsha and no endorsement of any kind by Educational Testing Service should be inferred.

著者　喜田　慶文（きた　よしふみ）
東洋大学国際地域学部国際観光学科教授。大学英語教育学会（JACET）SIG 語法研究会委員長。カリフォルニア州立大学大学院（言語学科）修了。著書に『旅行業プロの英語教本』（共著、柴田書店）,『類義語動詞の研究』（共著、大学英語教育学会語法研究会編）,『Phrasal Verbs in Action』（共著、マクミランランゲージハウス）,『なるほど！ English ではそう言うのか！ 日英表現の比較』（共著、成美堂）など。論文に『TOEFL リスニング問題の分析』,『英語リスニング指導法としてディクテーションの有効性に関する一考察−ディクテーションは TOEFL Listening 学習に有効か−』,『英語学習意識と英語能力の相関性に関する調査』,『日本人学生の英語音声認識・意味理解の方法に関する一考察』など、リスニング、ライティング、及び日本語の分析に関する論文多数。

編集	山田弘美
装丁デザイン	内津剛（及川真咲デザイン事務所）
本文デザイン	熊アート
編集協力	株式会社メディアビーコン / 鹿島由紀子
ナレーション	Bill Sullivan / Ann Slater / Michael Rhys
録音	有限会社 スタジオ ユニバーサル
Web 模試制作	有限会社 トピックメーカー
写真提供	©iStock.com/Cimmerian (p. 23, p. 184)
	©iStock.com/AndreasReh (p. 120, p. 242)
	©iStock.com/style-photographs (p. 244)

Preface

　TOEFL リスニングの問題は，日本で受験できる英語試験の中で最も難しいものの1つと考えられています。したがって，ある程度のリスニング力がなければ，TOEFL 形式の問題を解いても，それだけではあまり大きな学習効果は期待できないでしょう。この試験にチャレンジするにはまず，試験そのものの客観的なデータと，日本人学習者の特質を正確に把握し，それに沿った対策と学習計画を立てなければなりません。

　本書は学習者のニーズに留意し，洋書などではあまり取り扱われていない，日本人学習者特有の問題に対処しながら，順を追って学習できるようプログラムされております。

　四訂版では，TOEFL リスニングで要求されるレベル，あるいはそれ以上のリスニング力を身に着けることを目標としました。CHAPTER 2「基礎学習」では，Exercise の難易度を上げました。基礎学習後に CHAPTER 3「実戦練習」という実戦形式の練習問題のパートを新たに設けました。ここでは実際の問題と質，量ともに同レベルのものを用意していますので実戦力を確実に向上させることができます。CHAPTER 4 の Final Test では，テストに自信を持って臨めるように，実際の問題より少し難しいと思われるものも用意してあります。問題を精選，加筆し，また，新たな問題も作成しました。問題量も旧版と比較して増加させ，読者の要望に十分応えられるようにしました。

　本書のプログラム通りに学習を進めていただければ，TOEFL リスニングに少し不安を感じている学習者も，必ず100点レベル以上まで実力を向上させることができると信じています。

　なお，このたびの改訂にあたり，Final Test 問題作成と校正に協力をいただきました，ジェームズ・ウルフ氏，また丁寧な校正にご尽力いただきました旺文社の山田弘美氏に感謝の意を表します。

喜田慶文

Contents

Preface 3

INTRODUCTION

本書の利用法 6
Web 特典について 8
付属 CD について 9
留学準備をはじめよう！ 10
TOEFL® テスト Information 11
TOEFL iBT® 受験ガイド 12

CHAPTER ❶　TOEFL リスニング問題　傾向と対策

TOEFL リスニング問題　傾向と対策 16
リスニング問題操作方法 22

CHAPTER ❷　基礎学習

STEP 1　スペルと発音のギャップ 30
STEP 2　ディクテーション 34
STEP 3　記憶保持 38
STEP 4　ノート・テイキング 42
Column ①　リスニング学習のポイント 46
STEP 5　質問のタイプと形式①　ナレーション 48
STEP 6　質問のタイプと形式②　質問形式 54
STEP 7　会話①　大学スタッフとの会話 60
STEP 8　会話②　オフィス・アワー 66
STEP 9　講義①　レクチャー 72
STEP 10　講義②　ディスカッション 78

Column ② チューター制度／成績評価 …… 84
STEP 11 生物学の講義 …… 86
STEP 12 政治学の講義 …… 92
STEP 13 芸術の講義 …… 98
STEP 14 アメリカ文化の講義 …… 104
STEP 15 心理学の講義 …… 110
Column ③ 数の認識の常識の違い …… 116

CHAPTER ❸ 実戦練習

実戦練習 ① …… 120
実戦練習 ② …… 128
実戦練習 ③ …… 136
実戦練習 ④ …… 144
実戦練習 ⑤ …… 152
実戦練習 ⑥ …… 160
実戦練習 ⑦ …… 168
実戦練習 ⑧ …… 176
実戦練習 ⑨ …… 184

CHAPTER ❹ Final Test

Final Test 1 Questions …… 194
Final Test 1 Answers …… 206
Final Test 2 Questions …… 236
Final Test 2 Answers …… 248

重要単熟語 …… 278

本書の利用法

　本書は，TOEFL 受験に関する Information と，以下の 4 つの CHAPTER から構成されています。付属の CD とともに活用することで，最大限の学習効果が得られるようになっています。

CHAPTER ❶　TOEFL リスニング問題　傾向と対策

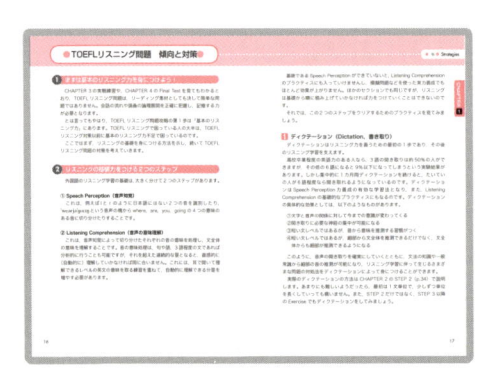

TOEFL リスニング問題の設問形式や，傾向と対策，そしてパソコン画面についてそれぞれ解説してあります。まずはここを読み，リスニングの概要を知ることから始めましょう。

CHAPTER ❷　基礎学習

15 のステップを 1 つ 1 つ進めていくことで，リスニングの基礎学習が完成するようになっています。すべて終わったときには，リスニングの力が確実に身についているはずです。

CHAPTER ❸ 実戦練習

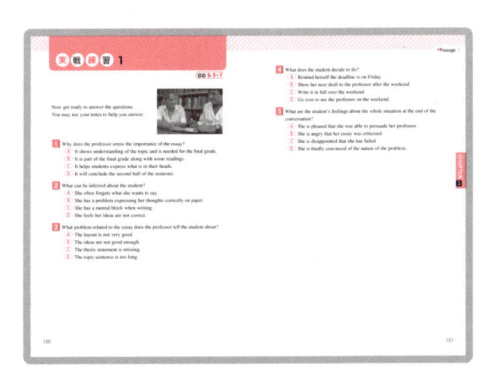

CHAPTER 2で基礎的な力をつけた後は，実戦形式の練習を重ねて，さらに力を伸ばしましょう。

CHAPTER ❹ Final Test

最後に，実際の試験形式の問題を2セット解き，ここまでに自分が身につけた力を確認しましょう。自分の得意なこと，苦手なことを認識し，必要があれば前に戻って復習をして，試験の準備を万端にしておきましょう。

p.278からは，「重要単熟語」が収録されています。音声とあわせて学習しましょう。

Ｗｅｂ特典について

　本書では，Webで模試を受験できる，特典をご利用いただけます。本物のTOEFL iBTに近い操作感で，本書に収録されたFinal Testを受験できます。

Web特典の利用方法

❶ パソコンから下記URLにアクセスしてください。
　　http://www.obunsha.co.jp/service/toefl/
❷ 『TOEFLテスト大戦略シリーズ』一覧から，本書をクリックしてください。
❸ 旺文社IDをお持ちでない方は，「新規登録」ボタンをクリックし，画面の指示に従ってID登録してください。
　※『TOEFLテスト大戦略シリーズ』の他の書籍で，既にID登録をしている方は，❹に進んでください。
❹ 登録したIDでログインしてください。
❺ 表示された「学習メニュー」最下部にある「新規模試追加」ボタンをクリックし，新規教材登録をしてください。画面の指示に従い，以下の模試受験コードを入力し，「送信」ボタンをクリックしてください。

模試受験コード：7946

❻ 画面の指示に従って「学習メニュー」に戻ると，「学習コース」に模試が追加されています。受験したい模試の「START」ボタンをクリックし，模試を開始してください。

■ 推奨動作環境
対応OS：Windows OS および Mac OS
ブラウザ：[Windows OSの場合] Microsoft Internet Explorer 9以上，
　　　　　　　　　　　　　　　最新バージョンのGoogle Chrome および Firefox
　　　　　[Mac OSの場合] 最新バージョンの Safari および Firefox
Adobe Flash Player：最新バージョン
インターネット環境：ブロードバンド
画面解像度：1024×768以上

■ 注意
- ご利用のパソコンの動作や使用方法に関するご質問は，各メーカーまたは販売店様にお問い合わせください。
- このWeb模試サービスの使用により生じた，いかなる事態にも一切責任は負いかねます。
- 本サービスは予告なく終了されることがあります。
- Web模試サービスに関してお困りの点がありましたら，下記メールアドレスまでお問い合わせください。
　お問い合わせ先メールアドレス：moshi@english.obunsha.net

付属CDについて

本書にはCDが3枚ついています。CDのトラック番号を **CD1-2~6** や **CD3-2~7** という形で示しています。収録内容は以下のとおりです。

- **CD1　CHAPTER 2　基礎学習**
  - CDについて ……………………………… トラック　1
  - 基礎学習　1～15 ……………………… トラック　2～87
  - 重要単熟語 ……………………………… トラック88

- **CD2　CHAPTER 3　実戦練習**
  - CDについて ……………………………… トラック　1
  - 実戦練習　1～9 ………………………… トラック　2～61

- **CD3　CHAPTER 4　Final Test**
  - CDについて ……………………………… トラック　1
  - Final Test 1 …………………………… トラック　2～41
  - Final Test 2 …………………………… トラック42～81

　各設問の後に，CD1と2では8秒間の，CD3では2秒間のポーズが設けられています。実際のテストでは，設問ごとではなくパート全体の制限時間が設けられており，自分のペースで解答します。

　また，実際のテストでは北米のアクセントで読まれることがほとんどですが，それ以外のアクセントで読まれることもあります。本書では一部イギリスアクセントを採用しています。

〈ご注意〉ディスクの裏面には，指紋，汚れ，傷などがつかないよう，お取り扱いにはご注意ください。一部の再生機器（パソコン，ゲーム機など）では再生に不具合が生じることがありますのでご承知おきください。

留学準備をはじめよう！

　留学には，いくつも方法があります。大学生で，所属している大学に留学関係の部署がある場合は，まずそこに相談しましょう。交換留学や語学研修のプログラムがあれば，申し込み方法を詳しく教えてもらえます。そういった環境がない場合には，書籍やインターネットを通じて自分で情報収集をしたり，日米教育委員会やBritish Councilといった公的機関，留学予備校などに相談したりするとよいでしょう。英語力の向上をメインとした語学留学には高い語学力は求められませんが，大学への入学やMBA取得などを目指す場合は，SAT，GMATといった他の試験のスコアも必要で，出願書類の作成にも時間がかかります。

　留学を目指すにあたり，まずは必要なスコアを提出しなければならない時期を確認して，それに間に合うようにTOEFLテストを受験する計画を立てましょう。計画の立て方も人それぞれですので，以下の2例を参考にしてください。

Aさん「行きたい大学のスコアが高い！」

　Aさんは必要なスコアが100点と高いので，十分な準備が必要と考え，1年間の準備期間を設定しました。また，1回で必要なスコアが取れない場合を考慮して，2〜3回受験する前提で，できるだけ早めに学習を進めるようにしました。

　まず問題を解いてみて現在の自分の実力を確認し，もう少し語彙力があればより余裕を持って解くことができると考えたので，早い段階で語彙対策を始めました。各セクションの対策では，不安のあるライティングに特に注力しましたが，それ以外のセクションも，できるだけ時間をかけて取り組みました。

　1回目では苦手なライティングが足を引っ張り，わずかに100点に届かず悔しい思いをしましたが，2回目では対策のかいもあって無事に100点を取ることができ，希望の大学に留学することができました。

Bさん「行きたい大学は1つだけではない！」

　Bさんは，いくつか行きたい大学の候補があり，80点で行ける大学もあれば，100点を取らないといけない大学もありました。大学生活が忙しかったこともあり，無理に100点を目指さず，期間は半年間に絞って対策をしました。

　まず試験を解いてみて，80点まではあと少しだと感じたので，得意なリーディングをさらに伸ばすことに特に注力しました。苦手なリスニングやスピーキングは，可能な範囲で学習し，当初よりも少しだけスコアを上げることができたので，それでよしとしました。

　時間的に余裕がなくて1回しか受験ができず，100点は取れませんでしたが，80点はなんとか超えることができました。80点で行ける大学にも行きたい気持ちは強かったので，そこへ留学することができて，満足でした。

TOEFL®テスト Information

❶ TOEFL® テストとは？

TOEFL® テスト（Test of English as a Foreign Language）とは，主に北米の大学で学ぼうとする，英語を母語としない人を対象に実施される英語能力試験のことです。この試験は，アメリカの非営利教育機関である Educational Testing Service（ETS）によって運営されています。現在では，世界約 130 か国，9,000 以上の大学・教育機関などで利用されています。また，試験は主にインターネット上で受験する TOEFL iBT®（Internet-Based Testing）という方式で実施され，日本では 2006 年 7 月より導入されています。

❷ TOEFL iBT® の構成

TOEFL iBT® の構成は以下のようになっています。問題数によって，解答時間（下記の時間は各セクションの所要時間）は変化しますが，その問題数は各セクション開始時にコンピューターの画面上に表示されます。

Reading	3-4 パッセージ	60-80 分
Listening	2-3 会話 / 4-6 講義	60-90 分
Break		10 分
Speaking	6 問	20 分
Writing	2 問	50 分

❸ TOEFL iBT® のスコア

スコアの配点は，右の表のようになっています。また，希望者には，実際のスコアが後日 ETS より送付されますが，受験日の 10 日後からオンラインでも確認できます。なお，TOEFL® テストのスコアは受験日から 2 年間有効とされています。

セクション	配点
Reading	0-30
Listening	0-30
Speaking	0-30
Writing	0-30
TOTAL	0-120

❹ スコアの目安

留学先の大学，大学院で必要とされるスコアのレベルは以下のとおりです。スコアはあくまで目安です。

一般大学レベル	
iBT	61-80 点
CBT	173-213 点
PBT	500-550 点

難関大学，大学院レベル	
iBT	80-100 点
CBT	213-250 点
PBT	550-600 点

超難関校レベル	
iBT	105 点
CBT	260 点
PBT	620 点

TOEFL iBT® 受験ガイド

※すべて 2014 年 1 月現在の情報です。最新の情報は ETS TOEFL® テスト公式ウェブサイト（www.ets.org/toefl）でご確認ください。

❶ 受験申し込みにあたって

まず，TOEFL® Information and Registration Bulletin（受験要綱）を入手しましょう。TOEFL® テストの受験に関する情報が記載されています。こちらは国際教育交換協議会（CIEE）のウェブサイトまたは ETS の TOEFL® テスト公式ウェブサイトからダウンロードすることができます。

❷ 受験日・受験会場

年間 30 〜 40 回，土曜，日曜に試験日が設けられ，受験会場は全国各地に設定されています。複数回受験する場合は，間に 12 日間空けなければなりません。受験日・受験会場の詳細は，ETS の TOEFL® テスト公式ウェブサイト上の My Home Page 内で確認できます。My Home Page とはすべての受験者が作成する必要がある個人専用アカウントページです。

❸ 受験料

Regular registration（試験日の 7 日前までの通常の申し込み）と Late registration（オンラインは試験日の 3 日前まで，電話は試験日の前営業日 17 時までの申し込み）の 2 つの申し込み締切日があり，以下のとおり締切日によって受験料が異なります。ただし，Late registration は，空席がある場合のみ可能です。

　Regular registration：US$225　Late registration：US$260

支払いは，申し込み方法により異なりますが，クレジットカード（日本円支払いは VISA，Master），PayPal アカウント，国際郵便為替，銀行の送金小切手のいずれかの方法になります。詳細は TOEFL® テスト公式ウェブサイトをご覧ください。

❹ 申し込み方法

オンライン，郵送，電話の 3 つの方法があります。オンラインと電話の場合は日本円での申し込みが可能です。

① オンラインで申し込み

ETS の TOEFL® テスト公式ウェブサイト上の My Home Page から登録できます。試験日の 7 日前まで Regular registration，試験日の 3 日前まで Late registration 受付が可能で，受験料支払いはクレジットカードまたは PayPal アカウント。

② 郵送による申し込み

受験要綱内に表示されている URL から登録申込用紙をダウンロードし，必要事項を記入後，受験料とともにプロメトリック株式会社に，第 1 希望試験日の 4 週間前までに必着で送付。受験料支払いはクレジットカード，国際郵便為替または銀行の送金小切手。

③ 電話による申し込み

事前に ETS の TOEFL® テスト公式ウェブサイトで My Home Page を作成し，プロメトリック株式会社に電話で申し込みができます。試験日の 7 日前まで Regular registration，試験日の前営業日 17 時まで Late registration 受付が可能。受験料支払いはクレジットカードのみ。

❺ 受験当日の注意

① 試験開始 30 分前までには，テストセンターに入りましょう。
② 有効な「身分証明書」と申し込み時に伝えられる Registration Number を用意しましょう。「身分証明書」は，原則として，テスト日当日に有効なパスポートです。

規定の時刻に遅れた場合，または必要なものを忘れた場合，受験ができなくなります。

❻ 問い合わせ先

■ TOEFL iBT® 申し込みについて，受験に関わる一般情報について
プロメトリック株式会社
〒 104-0033
東京都中央区新川 1-21-2　茅場町タワー 15F
電話番号：03-5541-4800（土日祝祭日を除く AM 9：00 ～ PM 6：00）
ウェブサイト：http://www.prometric-jp.com

■ TOEFL iBT® スコアレポート発行・発送について
Educational Testing Service（ETS）
TOEFL® テスト公式ウェブサイト：http://www.ets.org/toefl
Customer Support Center in Japan
電話番号：0120-981-925（フリーダイヤル）
（土日祝祭日を除く AM 9：00 ～ PM 5：00）
E メール：TOEFLSupport4Japan@ets.org

■ TOEFL iBT® 一般情報について（ウェブサイト）
国際教育交換協議会（CIEE）日本代表部
ウェブサイト：http://www.cieej.or.jp/toefl

CHAPTER 1 »

TOEFL リスニング問題　傾向と対策

TOEFL リスニング問題　傾向と対策 ……… 16
リスニング問題操作方法 ……… 22

●TOEFLリスニング問題　傾向と対策●

❶ まずは基本のリスニング力を身につけよう！

　CHAPTER 3 の実戦練習や，CHAPTER 4 の Final Test を見てもわかるとおり，TOEFL リスニング問題は，リーディング素材としても決して簡単な問題ではありません。会話の流れや講義の論理展開を正確に把握し，記憶する力が必要となります。

　とは言ってもやはり，TOEFL リスニング問題攻略の第 1 歩は「基本のリスニング力」にあります。TOEFL リスニングで困っている人の大半は，TOEFL リスニング対策以前に基本のリスニング力不足で困っているのです。

　ここではまず，リスニングの基礎を身につける方法を示し，続いて TOEFL リスニング問題の対策を考えていきます。

❷ リスニングの基礎力をつける２つのステップ

　外国語のリスニング学習の基礎は，大きく分けて２つのステップがあります。

① Speech Perception（音声知覚）

　これは，例えば l と r のように日本語にはない２つの音を識別したり，'weərjə'gouɪŋ という音声の塊から where, are, you, going の４つの意味のある音に切り分けたりすることです。

② Listening Comprehension（音声の意味理解）

　これは，音声知覚によって切り分けたそれぞれの音の意味を処理し，文全体の意味を理解することです。音の意味処理は，句や語，３語程度の文であれば分析的に行うことも可能ですが，それを超えた連続的な量となると，直感的に（自動的に）理解していかなければ間に合いません。これには，耳で聞いて理解できるレベルの英文の意味を取る練習を重ねて，自動的に理解できる分量を増やす必要があります。

基礎である Speech Perception ができていないと，Listening Comprehension のプラクティスにも入っていけませんし，模擬問題などを使った実力養成でもほとんど効果が上がりません。ほかのセクションでも同じですが，リスニングは基礎から順に積み上げていかなければ力をつけていくことはできないのです。

それでは，この２つのステップをクリアするためのプラクティスを見てみましょう。

1 ディクテーション（Dictation，書き取り）

ディクテーションはリスニング力を養うための最初の１歩であり，その後のリスニング学習を支えます。

高校卒業程度の英語力のある人なら，３語の聞き取りは約50％の人ができますが，その倍の６語になると９％以下になってしまうという実験結果があります。しかし集中的に１カ月間ディクテーションを続けると，たいていの人が６語程度なら聞き取れるようになっているのです。ディクテーションは Speech Perception 力養成の有効な学習法となり，また，Listening Comprehension の基礎的なプラクティスにもなるのです。ディクテーションの具体的な効果としては，以下のようなものがあります。

①文字と音声の関係に対して今までの意識が変わってくる
②聞き取りに必要な神経の集中が可能になる
③短い文レベルではあるが，音から意味を推測する習慣がつく
④短い文レベルではあるが，細部から文全体を推測できるだけでなく，文全体からも細部が推測できるようになる

このように，音声の聞き取りを確実にしていくとともに，文法の知識や一般常識から細部の音の推測が可能になり，リスニング学習に伴って生じるさまざまな問題の対処法をディクテーションによって身につけることができます。

実際のディクテーションの方法は CHAPTER 2 の STEP 2（p.34）で説明します。あまりにも難しいようだったら，最初は１文単位で，少しずつ単位を長くしていっても構いません。また，STEP 2 だけではなく，STEP 3 以降の Exercise でもディクテーションをしてみましょう。

2 レペティション（Repetition，反復）

　リスニング理解に重要な役割を果たすのは記憶です。聞き取りが長くなればなるほど，意味の流れについていくために表現された内容を記憶しなければならない，と言われることもあるように，音声の意味を理解し，それを Retention（記憶保持）する能力が，リスニング力なのです。このリテンション力をつけるために有効な方法の１つが，シャドウイングと呼ばれる Repetition（反復）です。

　まず，スクリプトを見ながら音声を聞き，意味と音の確認をします。その後，スクリプトを見ないで音声を聞きながら１テンポ遅らせてリピートし，内容・発音ともにスムーズに口をついて出るようになるまで繰り返します。

　これは日本人受験者が最も不安を感じていると思われるスピーキングの勉強にも効果的です。本書のプラクティスと並行して，例えば，５分間のニュースを飛び飛びでも構いませんので，数センテンスを Repetition するようにするとよいでしょう。これを毎回続けているうちに，センテンスが徐々につながっていくはずです。

TIPS

　英文の流れ（構成）の特徴をつかんでおくことで，記憶力の負荷を和らげ，記憶を増強できるでしょう。

　例えば，英語では重要なことは，始めの方に出てくることが多いです。これは全体の論理構成だけではなく，倒置構文などの文単位でも同じです。ですので，始めの方に意識を集中させることにより，より効果的に内容全体の記憶保持がしやすくなります。

　また，並列構文や相関接続詞などを覚えることで，次にどのような内容が続くのか予想できるようになります。例えば，not only A but also B という相関接続詞を覚えていれば，not only size と聞いたら，後に but also ○○という形で，size と対応する何かが続くと予想することができます。このようなことを意識して聞く練習をしていれば，テストで，注意を全体にわたり過度に集中しなくて済みます。

3 TOEFL リスニング問題の対策

1 会話（Conversation）のストラテジー

・10 語程度のディクテーション

　　TOEFL では 2～3 つの Conversation が出題され，それぞれの長さは 12～25 対話（3 分程度）となっています。対話を正確に記憶しておく必要はありませんが，1 対話ごとの理解には文レベルでの記憶保持が不可欠です。10 語程度のディクテーションができるようにしておきましょう。

・アメリカの学生生活に関する知識の習得
・頻度の高い句動詞，イディオムの習得

　　会話では音声の聞き取りや理解よりもむしろ，研究室や事務室・医務室での会話など学内での会話で取り上げられるアメリカの学生生活に関する知識を持つこと，頻繁に使用される表現・語彙などを耳から入れるプラクティスを行うことが重要です。

・提示された写真と，聞き取った語から対話の状況を把握・推測

　　提示された写真や，聞き取れた語から対話の状況を把握し，推測することで，より聞き取りやすくなります。

　　また，言いよどみ，言い直しなどが随所に入ってきますが，音声が不明瞭と感じられる箇所はあまり意味を持たないところですから，惑わされないようにしましょう。

2 講義（Lecture）・ディスカッション（Discussion）のストラテジー

・科目名，科目に関する語彙の習得

　講義とディスカッションでは，まず事前に科目名と科目に関連する語彙を学習しておく必要があります。講義科目のタイトルは一般的ですので難しくありませんが，出題される語彙は学術用語まで含まれますので，学習しておくとリスニングの役に立ちます。

・高校卒業程度の読解問題を一度で理解できる基礎力の養成

　講義はリーディングの題材としても決して易しくはありません。500〜800 語からなる英文を 1 分間に 150 語〜170 語（約 3 分〜5 分）のスピードで，読み返しなしで理解できるだけの基礎力が必要です。これを克服するには，まずリーディングのプラクティスの段階で，英文を前から順次，句，節，または文ごとに，アイディアの単位となるもの（Main Idea）を把握しながら理解するという処理を行っていく練習をしなければなりません。実際のプラクティスでは，英文のスクリプトを音声と同じスピードで追い，意味を把握するようにします。これは講義などの長文の Listening Comprehension に入る前の段階で不可欠なプラクティスです。

・タイトルや冒頭のナレーションから内容を推測
・提示された写真や黒板のキーワードなど，視覚情報と関連付けた内容の聞き取り
・段落の Main Idea を把握
・接続詞など，文接続から文の流れを予測

　次に，長文聞き取りの重要な要素として「予測」があります。文を聞きながら，次にどのようなことが述べられるのか，論の展開はどうなるのか，などの予測ができれば長文を楽に聞き取れるようになります。その際に重要なカギとなるのが文と文，段落と段落をつなぐ接続詞などの文接続です。講義のタイトル，写真などの視覚情報も，内容の予測に役立ちますので大いに活用しましょう。また，ディスカッションの中で教員が学生に質問する内容は注意して聞き取る必要があります。これを聞き逃すと講義の流れを理解するのが難しくなる可能性があります。

・**ノート・テイキングを身に付ける**
　TOEFLではノート・テイキングが許されています。ノートは流れた英文の記憶をたどるための強力なtoolになります。ノート・テイキングがうまくできるかどうかにTOEFLの結果が大きく左右されるだけではなく，実際に大学で講義を受ける際にも不可欠です。ノート・テイキングについてはCHAPTER 2のSTEP 4(p.42)で詳しく説明します。また，実戦練習ではノートに取りたい箇所も明示しますので，参考にしてください。

●リスニング問題操作方法●

（実際の画面とは異なることがあります）

1 準備

　テストを開始する前に音量調節をします。ヘッドホンを装着して，CONTINUE をクリックします。

　VOLUME をクリックすると，つまみが表示されます。聞き取りやすい音量になるよう，つまみを左右にドラッグして調節します。音量の調節が済んだら，CONTINUE をクリックしてテストを開始します。

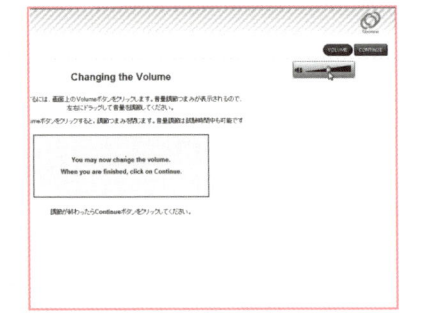

2 音声の再生

　Listen to part of a conversation [lecture] 〜. などという指示文に続いて，会話［講義］の音声が流れます。音声は途中で止めたり，巻き戻したりすることはできません。

　講義形式の問題では，講義の音声が流れる前に，右の画面のように講義の科目名が表示されます。

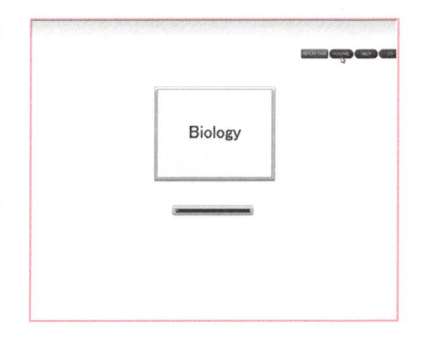

　音声が再生されている時間は，解答時間にカウントされません。写真の下には，再生される音声の長さを示したインジケーターが表示されています。

講義形式の問題ではキーワードが話されると，右の画面のようにスペリングが表示されます。忘れずにメモしておきましょう。

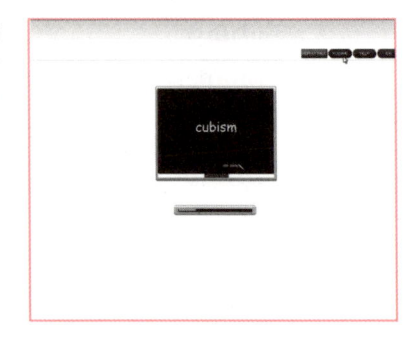

3 解答

音声の再生が終わると，右の画面のように解答の準備を促す指示が表示されます。その後，出題画面に切り替わります。

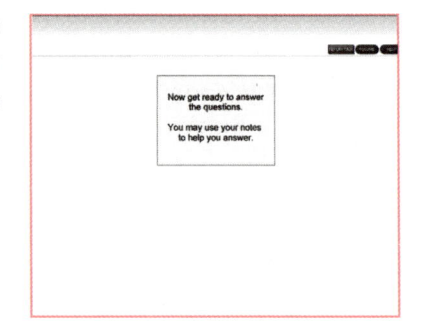

① 四択問題

4つの選択肢の中から正しいものを選ぶ問題です。リスニングセクションで最も多く出題される形式です。質問が読まれた後，選択肢が表示されます。選択肢の○をクリックして解答します。解答を変更したい場合は別の選択肢をクリックします。解答したら **NEXT** → **OK** の順にクリックし，解答を確定して次の問題に進みます。確定の手順は，どの形式の問題でも同じです。

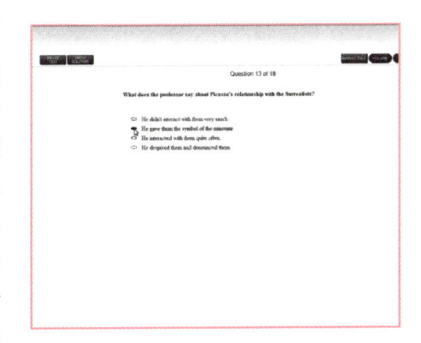

② 答えを2つ以上選ぶ問題

4つ以上の選択肢の中から，正しいと思われるものを複数選びます。**Choose 2 answers.** などの指示がグレーのボックスで表示されますので，よく注意しておきましょう。選択肢をクリックすると，チェックボックスに×印が表示されます。指示されたとおりの数だけ解答を選択しないと，次の問題に進むことはできません。

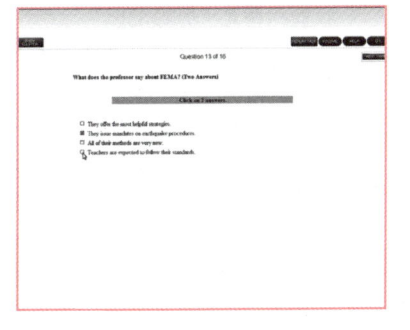

③ 選択肢ごとにチェックマーク（Yes/No など）を入れる問題

　各選択肢について Yes か No かなどを選択する問題です。空欄をクリックし，チェックマークを表示させます。解答を変更するにはもう一方の解答欄をクリックします。

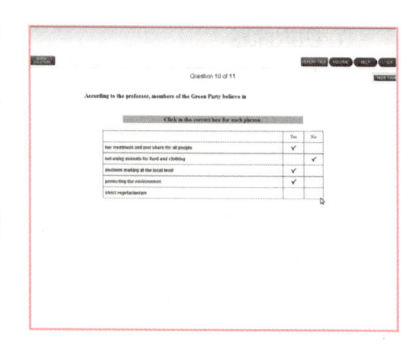

④ 並べ替え・分類問題

　選択肢を順番に並べ替えたり，分類したりする問題です。解答欄に当てはまると思われる選択肢をクリックし，クリックしたままの状態で解答欄まで移動し，マウスのボタンから指を離します（これを「ドラッグ＆ドロップ」と言います）。この動作を解答欄の数だけ繰り返します。解答欄をすべて埋めないと， NEXT をクリックしても先に進むことはできません。

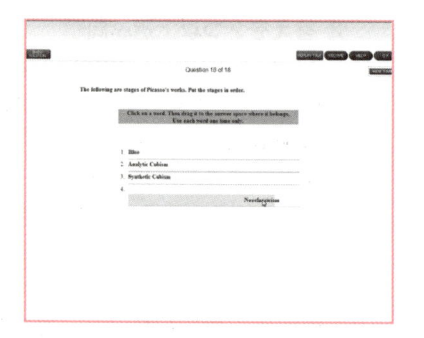

⑤ 音声引用問題

　右のような画面が表示されると，最初に再生された音声の一部がもう1度再生されます。

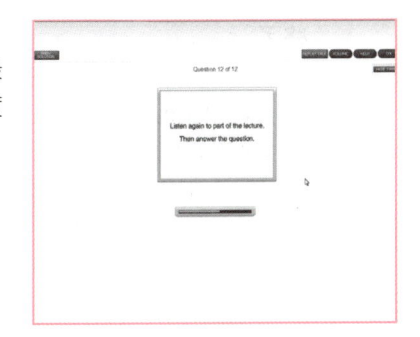

　解答方法は通常の四択形式と同じで，正しいと思われる選択肢をクリックします。

　話者の意図を問うような問題では，引用された音声の一部がもう1度再生されることがあります。その場合は，画面にヘッドホンマークが表示されます。

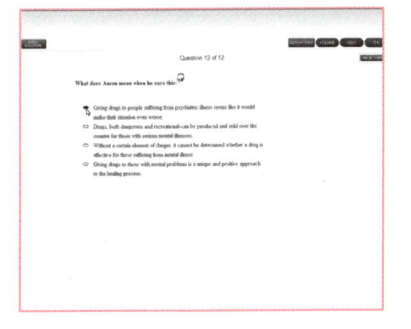

4 終了

　実際の試験では，リスニングセクションのすべての問題が終了すると，休憩を指示する画面が表示されます。ここで 10 分間の休憩を取った後，スピーキング，ライティングの試験が続きます。

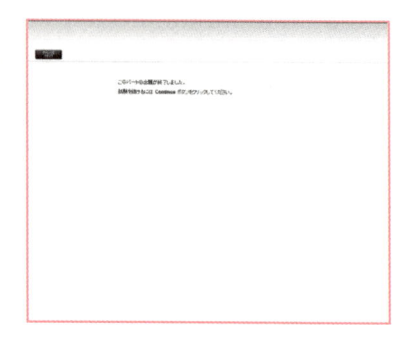

CHAPTER 2 ≫

基礎学習

STEP 1〜15 …… 30〜117

STEP 1 スペルと発音のギャップ

学習目標 スペルと発音のギャップを理解する。

ポイント

　読み書きを中心に英語を学習してきた人の中には，自分流の発音で英語を読む癖をつけてしまっている人が多くいます。said を"セイド"，stir を"スティア"，debt を"デブト"と読んでしまっていないでしょうか。また，energy を"エネルギー"と読むなど，カタカナ語に影響される場合もあります。このような癖をつけてしまっていると，ネイティブの英語を聞き取れず，リスニングの問題にも対応できなくなってしまいます。

　こうした問題を解決するには，音声教材などでスペルと音声の確認をし，実際に発音してみる必要があります。英語を黙読するときも，正しい発音をイメージしながら読むよう習慣づけるとよいでしょう。

　以下に，特に注意したいポイントを挙げておきます。

1. l と r，b と v など，日本人には識別が難しい音を含む語の聞き取り
2. カタカナ語と元の英語との発音・意味の違い
   例えば，cunning を"カンニング"と読んでしまいがちですが，英語の発音は"カニン"，意味は「狡猾な」です。いわゆる不正行為という意味の「カンニング」は英語では cheating です。
3. 否定形の聞き取り
   例えば，can/can't, must/mustn't などは /t/ の聞き取りが重要です。
4. リダクション（音の脱落・弱化）による音の変化
   I want to が I wanna のように，短縮されることがあります。
5. ウィークフォーム (weak form)
   冠詞，前置詞，すでに話題に出ているものを指す代名詞などにはアクセントが置かれず，小さく発音されたり，短縮されたりします。「(無料の) スプーンはありますか」という質問に対して，We sell them.「売っている（ものならある）」と答える場合，them はほとんど m しか発音されず，"ウィセゥエム"としか聞こえません。

● ● STEP 1

Exercise ················ CD1-2~6

Now get ready to answer the questions.
You may use your notes to help you answer.

1 Why does the student go to the financial office?
- Ⓐ To do research for one of his classes
- Ⓑ To find out ways to improve his grades
- Ⓒ To assist a teacher in his department
- Ⓓ To apply for money to go to school

2 When was the closing date for grant applications?
- Ⓐ Yesterday
- Ⓑ The previous month
- Ⓒ Two months ago
- Ⓓ The previous year

3 What type of financial assistance will the student most likely apply for?
- Ⓐ A scholarship
- Ⓑ A grant
- Ⓒ A personal bank loan
- Ⓓ A government loan

Listen again to part of the conversation.
Then answer the question.

4 Why does the staff member ask the student this question?
- Ⓐ To see if he is eligible for a scholarship
- Ⓑ To find out when he has to repay his loan
- Ⓒ To see if he has a valid student ID card
- Ⓓ To find out exactly what he wants

Script　　　　　　　　　　　　　　　　　　CD1-2~6

Listen to part of a conversation between a male student and a female staff member in a financial office.

Staff: Hi, how can I help you?

Student: **1** I'd like to find out^A how to apply for financial aid.

Staff: What did you have in mind?

Student: Well, first of all^B, what are the possibilities?

Staff: Have you thought about a scholarship? **Scholarships are the best because you don't have to pay them back.** What's your GPA?

Student: My what?

Staff: Your grade point average^C.

Student: Oh, it's a strong C, about 2.7, I think.

Staff: **4** You'll need better than that for a scholarship. **2** And the cutoff date for applications on grants (承認) available in all departments (部門、学部) was last month.

Student: So a loan is my only option? **3-1** Where can I get the lowest interest rates?

Staff: Well, **3-2** if you qualify for a U.S. Government loan, it's only 3 percent beginning a year after you graduate.

音声聞き取りのポイント

A find_out：下線部は1音になり，最後の /t/ はウィークフォームなのでほとんど聞こえないため，"ファインダウ" のように聞こえる。

B first_of_all：A同様に下線部は1音となり，"ファース**タバウ**" と聞こえる。

C average：下線部の発音は，"イジ" となる。

訳　男子学生と（大学の）財務会計課の女性職員との会話の一部を聞きなさい。

職員：こんにちは，ご用件は何ですか。
学生：学資援助の申込方法を知りたいのですが。
職員：どのような種類のものをお考えですか。
学生：そうですね，まずどのようなものがあるのか教えていただけませんか。
職員：奨学金について考えたことはありますか。奨学金が一番です，返済しなくてもいいですからね。あなたのGPAはどのくらいですか。
学生：私の何ですか。

● ● STEP 1

> 職員：あなたの成績平均点です。
> 学生：ああ，Cの上です。たぶん 2.7 くらいだったと思います。
> 職員：奨学金にはそれより良い成績が必要です。それに，すべての学部の奨学金申込締め切り日は，先月だったんです。
> 学生：では，ローンしかないということですか。利息が一番低いものはどれですか。
> 職員：そうですね，米国政府ローンに申し込む資格があるならば，返済は卒業の1年後に始まって，利子はたった 3%ですよ。

1 正解 D

設問の訳 学生はなぜ財務会計課へ来ているのか。

下線部 **1** より，正解は D 「通学のための資金を申し込むため」と分かる。

2 正解 B

設問の訳 奨学金の申込の締め切り日はいつだったか。

下線部 **2** で，cutoff date「締め切り日」は last month だったと言っているので，正解は B 「先月」。

3 正解 D ✓

設問の訳 学生はどの種類の学資援助に申し込むと思われるか。

下線部 **3-1** で学生が「利息が一番低いものはどれか」と尋ね，**3-2** で職員が「米国政府ローンに申し込む資格があるならば」と前置きをしたうえで，政府ローンの説明をしている。したがって，学生は D 「政府ローン」に申し込むと考えられる。

会話の一部をもう一度聞き，質問に答えなさい。（スクリプト太字部分参照）

4 正解 A

設問の訳 なぜ職員は学生にこの質問をしているのか。

学生が GPA を答えたあと，下線部 **4** で「奨学金にはそれより良い成績が必要だ」と言っているので，学生が奨学金を受けられるだけの成績を取っているかを確認しようとしたことが分かる。

STEP 2 ディクテーション

> **学習目標** 音声を聞く集中力を身に付ける。

ポイント

　日本で生活している英語学習者の多くは，日常生活の中で英語を聞いたり話したりする機会があまりないと思います。そのため，リスニングを本格的に学習し始めると多くの困難にぶつかってしまいます。STEP 1 で学習したスペルと発音のギャップ以上に困るのは，「聞いているときは一語一語理解できたように感じているが，聞き終わった後に内容をほとんどつかめていないことに気づく」，「集中して聞き続けることができず，大事な文を聞き逃してしまう」という問題です。

　英文を聞き取るためには，細心の注意を払い，神経を集中して聞くことが大切ですが，実際にやってみるとなかなかうまくいかないことが分かります。集中力を養うための最も効果的な方法は，ディクテーション（dictation, 書き取り）です。聞いた英文をそのまま書き取らなくてはならないので，必然的に集中して聞く訓練になるのです。

　ディクテーションの練習は，以下の手順で行います。
1. 5 〜 10 センテンスを 1 単位とする。1 センテンスを聞き，音声を止め，聞き取った内容を書き取るという作業を，最後のセンテンスまで繰り返す。
　　注意点：1 センテンスの途中で音声を止めないこと。
　　　　　　正誤のチェックは行わず，その単位の最後までディクテーションを終えること。
2. 1 単位を聞き終わったら，1 回目に聞き取れなかったところに注意しながらもう一度聞き，書き取る。
　　注意点：この時点ではまだ，スクリプトを見ないこと。
3. スクリプトをチェックする。2 回聞いても分からなかったところ，間違えたところを確認する。その箇所に注意しながらもう一度音声を聞き，それが自分の耳にはどのように聞こえていたかを確かめる。

　ではまず，Exercise を解いてみましょう。解き終わったら，解答をチェックしても構いませんが，スクリプトと解説は読まないでください。

　次に，Exercise の音声を使用し，上記で述べた方法に従って，ディクテーションをしてください。

Exercise ········· CD 1-7~11

Now get ready to answer the questions.
You may use your notes to help you answer.

1 What is the woman's major field of study?
- Ⓐ Psychology
- Ⓑ Cognitive psychology
- Ⓒ Sociology
- Ⓓ Social psychology

2 What is the woman concerned about?
- Ⓐ Whether the man can finish the assignment by the due date
- Ⓑ Whether the man can take some psychology courses next term
- Ⓒ Whether she will have to do her paper again
- Ⓓ Whether the professor will let her hand in her paper late

3 What will the woman probably do next?
- Ⓐ Submit her paper
- Ⓑ Talk with the professor
- Ⓒ Finish her paper
- Ⓓ Ask the man to go to see the professor with her

Listen again to part of the conversation.
Then answer the question.

4 What does the man mean by this statement?
- Ⓐ He thought she was a psychology major.
- Ⓑ He thought she was a sociology major.
- Ⓒ He did not think she was a sociology major.
- Ⓓ He did not think she was a psychology major.

Script

Listen to part of a conversation between two students about their classes.

Woman: Hello, Tom. How do you like our class in cognitive psychology[A] so far?

Man: It's OK. [4] I didn't expect to see you there though. Are you also majoring in psychology?

Woman: No. [1] My major is sociology, but I'm taking some psychology courses to fulfill a requirement for my psychology minor course. I'm also going to take personality psychology and social psychology next term.

Man: Were you able to finish our first assignment?

Woman: Well, I finished it, but I wasn't able to turn it in[B] by the time mentioned by Professor Martin. I'll have to talk with him about it.

Man: [2] Do you think you'll be able to convince him to accept it?

Woman: I'm not sure. [3] But I have to try.

Man: Good luck!

Woman: Thanks. I'll need it![C]

音声聞き取りのポイント

Ⓐ our class in cognitive psychology：cognitive psychology は「認知心理学」。大学の科目に関する語は TOEFL では必須である。ここでの in はウィークフォーム。

Ⓑ wasn't able to turn it in：下線部 it はウィークフォーム。turn in は「提出する」。submit と同じ意味。

Ⓒ Thanks. I'll need it!：試験前などに Good luck! と言われたときに使う表現。自信がなく，「それ（幸運）に頼るしかない」という気持ちを表している。

● ● STEP 2

> 訳 講義に関する2人の学生の会話の一部を聞きなさい。
> 女性：あら，トム。認知心理学のクラスは今のところどう？
> 男性：まあまあだね。あそこで君に会うとは思ってもいなかったけどね。君も心理学を専攻しているの？
> 女性：いいえ，私の専攻は社会学だけど，副専攻の心理学に必要な要件を満たすため心理学の講義をいくつか取っているの。来学期には人格心理学や社会心理学も履修する予定よ。
> 男性：最初の課題は提出できた？
> 女性：そうね，終わらせたのだけれど，マーティン教授が指定した時間までに提出できなかったの。これに関しては教授と話さなければならないわ。
> 男性：教授がそれを受け取ってくれるよう，説得できるかな？
> 女性：分からないけど，やってみるしかないわ。
> 男性：幸運を祈るよ！
> 女性：ありがとう。私には幸運が必要ね！

1 正解 C

設問の訳 女性の専攻分野は何か。

> 下線部❶より，正解は C 「社会学」。

2 正解 D

設問の訳 女性は何を気にしているか。

> 女性は，課題は仕上げたが期限までに提出できなかったので，教授と話さなくてはならないが，下線部❷の「教授がそれを受け取ってくれるよう，説得できるか」という男性の質問に対し「分からない」と答えている。正解は D 「彼女が遅れてレポートを提出することを，教授が許してくれるか」。

3 正解 B

設問の訳 女性はおそらく次に何をするか。

> 男性の「教授がそれを受け取ってくれるよう，説得できるか」という問いかけに対し，女性は下線部❸で But I have to try.「でも，やるしかない」と答えている。したがって正解は，B 「教授と話をする」。

会話の一部をもう一度聞き，質問に答えなさい。（スクリプト太字部分参照）

4 正解 D ✓

設問の訳 男性のこの発言は何を意味しているか。

> 下線部❹の there は our class in cognitive psychology を指している。正解は D 「彼は，彼女が心理学を専攻していると思っていなかった」。

STEP 3 記憶保持

学習目標 リスニング力向上のカギである記憶保持力を高め，リテンションできるチャンク（単位）を長くする訓練をする。

ポイント

　リスニングとは，「発話者の音声を知覚する」→「その意味を理解して，発話の意図をとらえる」という一連の作業です。この時に不可欠なのは，知覚した音声の意味を理解するため，一時的に記憶を保持（retention，リテンション）しておくことです。

　人間が知覚した情報を一時的に保持できるのは，5〜9チャンク程度だと言われています。チャンクとは，記憶する最小単位のことです。もし，ある人がシラブル（音節）をチャンクとして記憶しようとした場合，一度にリテンションできるのは5〜9シラブルが限度となります。しかし訓練すれば，チャンクを語，句，節，あるいは文にすることもできます。例えば，すでに暗記しているストーリーであれば，それを1チャンクとしてとらえられますので，かなり長い文でもリテンションできることになるわけです。

　自分にとっての1チャンクをより長くする方法はいくつかありますが，まずは，使用頻度の高い慣用句，句動詞，定型表現などを自然に口から出てくるまで練習し，暗記するのが効果的でしょう。たとえば，do away with は4シラブル，3単語ですが，これを abolish「〜を廃止する」と言い換えれば，全体を1チャンクとして処理できます。自分にとっての1チャンクをより長くし，リテンション力の向上を常に心がければ，リスニング力は大きく飛躍するはずです。

　ではまず，Exercise を解いてみましょう。解き終わったら，解答をチェックしても構いませんが，スクリプトと解説は読まないでください。

　続いて，以下の2ステップでリテンション・エクササイズを行います。
　1. スクリプトに目を通し，節や文ごとの main idea を読み取ります。その後もう一度，Exercise の音声を流し，音声に合わせてスクリプトを目で追い，意味を取る練習をします。
　2. 次に，スクリプトを見ず，音声だけを聞きながら，節や文の main idea を聞き取ってください。簡単にメモを取りながら行っても構いません。

Exercise CD 1-12~16

Now get ready to answer the questions.
You may use your notes to help you answer.

1 What is the first step in linguistic research?
  (A) The collection of data
  (B) To learn the language being researched
  (C) To find people who speak minor languages
  (D) The collection of data on facial expressions

2 Which of the following is NOT a source of material for a linguist?
  (A) His or her own speech
  (B) The speech of others who speak his or her language
  (C) Social behavior
  (D) Written records

3 What is a "speech community?"
  (A) A body of people who speak foreign languages
  (B) A group of people who speak the same language with minor variations
  (C) A society in which people speak various languages
  (D) A group of linguists who conduct linguistic research

4 According to the professor, why are there minor variations in speech communities?
  Choose 2 answers.
  (A) Because of geographical and social factors
  (B) Because of occupational factors
  (C) Because of written records
  (D) Because of the influence of foreign languages

Script

リテンション・エクササイズのため，句，節，または文ごとに斜線で区切っています。色文字は，意味を理解するための main idea にあたります。その部分を1～2チャンクのかたまりととらえてリテンションする練習をしてみてください。

Listen to part of a lecture in a linguistics class.

1 The first step in any linguistic research / is the actual collection of the data, / which will be subject to analysis and interpretation. / **2** A linguist has four obvious sources of material: / his or her own speech, / the speech of others who speak his or her language, / the speech of people who speak foreign languages, / and written records. / Every speaker or writer / is the product and representative of **3 4** a speech community, / a group of people who speak the same language / with more or less minor variations / that are due to geographical, social, or occupational factors.

訳

〈リテンション・エクササイズ用の訳〉
英文の順序に沿って理解できるように訳しています。日本語としては不自然ですが，聞きながら理解する練習に役立ててください。
言語学の講義の一部を聞きなさい。
言語学のあらゆる研究における最初のステップは，／実際のデータの収集である／それは分析と解釈の対象となる。／言語学者には4つの明らかな情報源がある／つまり，自分自身の言葉づかい，／自分と同じ言語を話す他の人の言葉づかい，／外国語を話す人の言葉づかい，／そして文書記録である。／話す人や書く人は誰もが／言語社会の産物であり，その代表者である，／（言語社会とは）同じ言語を話す人々の集団である，／程度の差はあるが多少の差異がある，／（その差異は）地理的，社会的，あるいは職業的要因によるものである。

（3文目半ばの a speech community, a group of people のコンマは，同格を表しています。「a speech community すなわち a group of people who...」という意味です。）

〈正式な訳〉
言語学の講義の一部を聞きなさい。
言語学のあらゆる研究における最初のステップは，分析と解釈の対象となる実際のデータの収集である。言語学者には4つの明らかな情報源がある。それはつまり，自分自身の言葉づかい，自分と同じ言語を話す他の人の言葉づかい，外国語を話す人の言葉づかい，そして文書記録である。話す人や書く人は誰もが言語社会の産物であり，その代表者である。言語社会とは，地理的，社会的，あるいは職業的要因により，程度の差こそあれ多少の差異がある，同じ言語を話す人々の集団のことである。

● ● STEP 3

1 正解 Ⓐ

設問の訳　言語学の研究における最初のステップは何か。

下線部❶より，正解は Ⓐ「データ収集」。

2 正解 Ⓒ

設問の訳　次の中で言語学者にとって情報源とならないものはどれか。

下線部❷に「自分自身の言葉づかい」，「自分と同じ言語を話す他の人の言葉づかい」，「外国語を話す人の言葉づかい」，「文書記録」が挙げられている。したがって，情報源とならないものは Ⓒ「社会的行動」。

3 正解 Ⓑ

設問の訳　言語社会とは何か。

下線部❸で「(言語社会とは) 地理的，社会的，あるいは職業的な要因により多少の差異がある同じ言語を話す人々の集団である」と言っているので，正解は Ⓑ。

4 正解 Ⓐ Ⓑ

設問の訳　教授によると，なぜ言語社会には多少の差異が存在するのか。
答えを２つ選びなさい。

下線部❹で「地理的」，「社会的」，「職業的」という要因が順に挙げられている。したがって正解は，Ⓐ「地理的,社会的要因のため」と Ⓑ「職業的要因のため」。

STEP 4 ノート・テイキング

> **学習目標** キーワードを簡略化し，矢印・記号などを効果的に使ってノートを取れるようになる。

ポイント

　STEP 3 でリテンションの学習をしましたが，長文で細部まで問われる TOEFL にはリテンションの能力だけでは対応できません。現在行われている iBT 形式の TOEFL テストではノートを取ることが許されていますので，効率よくノートを取る技術が身についているかどうかによって結果が大きく変わってきます。

　ノートを取る際はまず，聞いた文が肯定文か否定文かに注意しましょう。例えば，I don't doubt that many students would agree with this theory. は否定文ですが，「否定(not)」＋「疑う(doubt)」の二重否定なので，センテンス全体の意味は肯定です。したがって，main idea (many students would agree with this theory) は肯定の形で把握しておきましょう。

　次に，文単位で main idea を把握してノートに書き取り，記号などを使ってそれぞれの main idea を論理的につなげます。自分にとって使いやすい記号，矢印，線などを決めておいて日常的に使用し，慣れておくとよいでしょう。

　TOEFL テストでは時間的な余裕がありませんので，文字の簡略化，矢印・記号などの使用は必須です。例えば，上記の例文 I don't doubt that many students would agree with this theory. のコアの部分は many students would agree with this theory ですが，ノートには以下のように記しておけばよいでしょう。

[many stu agre theo]

　ただし，あまり簡略化しすぎたり，多くの記号を使いすぎたりすると意味が分からなくなってしまうので，気を付けましょう。

　リテンションの能力がなければノートを取ることはほとんど不可能ですので，リテンションの練習もしっかり行い，土台を作っておくことが必要です。

　ではまず，Exercise を解いてみましょう。解き終わったら，解答をチェックしても構いませんが，スクリプトと解説は読まないでください。
　続いて，もう一度英文を聞き，main idea をノートに書き取りましょう。

STEP 4

Exercise ..... CD 1-17~21

Now get ready to answer the questions.
You may use your notes to help you answer.

1 According to the lecture, what is true about culture?
- Ⓐ It is a set of learned beliefs, values, and behavior shared by the members of a society.
- Ⓑ It is a group of people who occupy a particular territory.
- Ⓒ It is a common language which is not intelligible to neighboring peoples.
- Ⓓ It means close agreement in the responses to certain phenomena.

2 What may people who share the same culture do?
- Ⓐ Learn individual differences
- Ⓑ Share the same values but not attitudes
- Ⓒ Share the same attitudes but not values
- Ⓓ Speak a common language

3 According to the professor, what is a society?
- Ⓐ A particular territory that has the members of a particular group sharing a certain behavior
- Ⓑ A group of people who share a common language which is generally intelligible to neighboring peoples
- Ⓒ A particular territory that has a group of people speaking the several different languages
- Ⓓ A group of people sharing a particular territory and a common language

Listen again to part of the lecture.
Then answer the question.

4 What does the professor mean by this statement?
- Ⓐ People in a particular society have a particular language for themselves.
- Ⓑ People in a particular society want to communicate only with each other.
- Ⓒ People in a particular society should communicate only with each other.
- Ⓓ The common language used by people in a particular society usually does not have very difficult terms.

Script   CD1-17~21

色文字は main idea にあたります。下のノート・テイキングの例とあわせて見てください。

Listen to part of a lecture in a cultural anthropology class.

Professor: OK. Let's talk about culture^A. In spite of very strong individual differences, most members of a particular society tend to be in close agreement in their responses to certain phenomena^B.

Student A: Why's that?

Professor: Well, it's because they share the attitudes, values, and behavior common in their society^C.

Student B: You mean, uh, those common attitudes, values, and things like that. Is that what we call culture?

Professor: Yes. We can say this, **1** **2-1** culture may be defined as a set of learned beliefs, values, and behavior generally shared by the members of a society^D.

Student A: Then, what is society?

Professor: Uh, what the anthropologist means by **2-2** **3** society is, a group of people who occupy a particular territory and speak a common language^E. **4** This common language is not generally intelligible to neighboring peoples^F.

ノート・テイキングの例

- **A** cultu
- **B** agree in respo pheno
- **C** shr attit val behav in soci
- **D** cult lrn belif val behave shr by memb soci's
- **E** anthrop soci → peop with terito, comn lang
    * with は who occupy の言い換えとして，所有の意味で使用している。
- **F** com lang <u>N</u> know to <u>out</u> peop
    * N は no, not のような否定形や接続詞 and に使用するので，混同しないように自分なりのルールを決めておくこと。
    * out はこの場合「グループ外の」という意味。

● ● STEP 4

> **訳** 文化人類学の講義の一部を聞きなさい。
> 教授：では，文化について話しましょう。非常に大きな個人差があるにもかかわらず，同じ社会の構成員の多くは，ある特定の出来事に対してとても似通った反応を示す傾向にあります。
> 学生A：どうしてですか。
> 教授：そうだね。どうしてかというと，彼らはみな，自分たちの社会における共通の態度や価値観，行動様式を共有しているからです。
> 学生B：つまり，そのような共通の態度や価値観のようなもの，それを文化と呼ぶのだという意味ですか。
> 教授：そうですね。文化とは，ある社会の構成員が一般的に共有している，学習により獲得された一連の信条，価値観，行動様式だと定義できるでしょう。
> 学生A：では，社会とは何ですか。
> 教授：うん，人類学者が意味する社会とは，ある特定の縄張りを持ち，共通の言語を話す人々の集団のことです。この共通の言語はたいていの場合，隣の社会の人々には理解できません。

1 正解 Ⓐ

設問の訳 講義によると，文化に関して正しいものはどれか。

> 下線部 **1** で教授が「文化とは，ある社会の構成員が一般的に共有している，学習により獲得された一連の信条，価値観，行動様式だ」と言っているので，正解は Ⓐ 。

2 正解 Ⓓ

設問の訳 同じ文化を共有している人たちは何をする可能性があるか。

> 下線部 **2-1** で，文化は「社会に共有されているもの」と定義され，下線部 **2-2** で社会は「特定の縄張りを持ち，共通の言語を話す人々の集団」と定義されている。よって，共通の文化を持つ人々は Ⓓ「共通の言語を話す」と考えられる。

3 正解 Ⓓ

設問の訳 教授によると，社会とは何か。

> 下線部 **3** で，「社会とは，ある特定の縄張りを持ち，共通の言語を話す人々の集団だ」と定義されている。「特定の縄張り」と「共通の言語」の両方が入っていなければならないので，正解は Ⓓ「ある特定の縄張りと共通の言語を共有する人々の集団」。

講義の一部をもう一度聞き，質問に答えなさい。（スクリプト太字部分参照）

4 正解 Ⓐ

設問の訳 教授のこの言葉は何を意味するのか。

> 下線部 **4**「この共通の言語はたいていの場合，隣の社会の人々には理解できない」から，正解は Ⓐ「ある特定の社会の人々は彼らの特定の言語を持っている」。

Column ❶ リスニング学習のポイント

　筆者が大学生のころ、当時新しい英語学習法としてオーディオリンガル・メソッドと呼ばれるものがありました。何とか英語をしゃべれるようになりたいと考えていた筆者は、このメソッドの substitution drill（文型の単語や句を置き換えて行う口頭練習）と、ある高名な同時通訳者の提唱する「只管朗読（同じ英文を何百回も音読すること）」にチャレンジしました。スピーキングの基礎に関して言えば効果は抜群で、3ヵ月後には基本的なことが、1年後には基本文型を応用して言いたいことの90%以上が、楽に言えるようになったことを覚えています。

　しかし、英語が完全に聞き取れるようになったという実感はいつまでたってもありませんでした。スピーキングのような情報の発信は、自分の持てる知識、能力の範囲内で行われますが、リスニングのような情報の受信は、時に自分の英語力を超えた能力が要求されるからです。スピーキングの次はリスニングをマスターしたい！　と思った筆者は、リスニング学習法と言われているものを真剣に探しました。その結果を大きくまとめると以下のようになります。

1. 正確な発音をマスターする
2. 英語のリズム、イントネーションを身に付ける
3. シャドウイングをする
4. ネイティブと会話をする
5. 語彙力・読解力をつける
6. 英語の歌（ポップスなど）を聞く
7. 洋画を見る
8. とにかく英語を浴びるほど聞く
9. 全体の意味から推測して聞く（トップダウン）
10. コミュニケーション力をつける

　1～3に関しては、口頭練習ですでにやっていましたし、4のネイティブとの会話も常に機会を逃さないよう心がけていました。また、5の語彙力・読解力はリスニングだけでなく、総合的な英語力に関係するものなのでここでは省略し、6～10の方法のポイントについてまとめます。

6 英語の歌（ポップスなど）を聞く

Point 英語の雰囲気やリズムなどから、より英語に興味が持てるようになります。

ここに注意！ スローテンポで歌詞がはっきりと聞き取れるものを選びましょう。テンポの速いものは普通の会話やスピーチよりも聞き取りがずっと難しいので、注意が必要です。

7 洋画を見る

Point 場面に応じた受け答えの勉強になります。

ここに注意！ 構文、言い回しの多くは難しいものなので、全部を理解する必要はありません。理解できたものだけを拾っていきましょう。

8 とにかく英語を浴びるほど聞く

Point 英語の雰囲気やリズムに慣れていく過程で、短い語句、センテンスなどが耳に残り、自然に覚えられます。

ここに注意！ 長いセンテンスや、まとまった文を聞き取るにはもう一段階上の練習が必要です。

9 全体の意味から推測して聞く（トップダウン）

Point 語句、センテンスの意味は発話の状況、環境に応じて決まり、状況に依存します。正確な意味の把握には、まず発話の状況から全体の意味を把握し、はっきりと聞き取れなかったところは全体の意味から再構築しましょう。

ここに注意！ はっきりと聞き取れない箇所の多い、虫食い状態だと、再構築が困難です。

10 コミュニケーション力をつける

Point コミュニケーション力アップは、より効果的な言語使用への第1歩です。

ここに注意！ コミュニケーション力は、英語に限らずどの言語においても重要です。

リスニング学習は以上の点を理解して行うと、より効果的なものとなるでしょう。

STEP 5 質問のタイプと形式① ナレーション

> **学習目標** 冒頭のナレーションのパターンを知る。

ポイント

　TOEFLのリスニング問題の形式は，「会話」と「講義」に分かれます。さらに「講義」の中には，教授だけが話すレクチャー形式と，教授と学生がやり取りをするディスカッション形式があります。問題文の冒頭のナレーションでは，「会話」か「講義」のどちらなのかや，シチュエーションの説明がされます。ナレーションはパターン化されていますので，事前に学習しておくことで，問題文が聞きやすくなったり，講義や会話の大意を問う問題（一問目で問われることが多い）が解きやすくなったりします。

1. 会話形式の問題では，①学生と大学スタッフ，②学生と教員（オフィス・アワー）などのパターンがあります。
   - Listen to part of a conversation <u>between a student and a school nurse</u>.
     「学生と大学医務室の看護師との会話の一部を聞きなさい」
   - Listen to part of a conversation <u>between a student and a career counselor</u>.
     「学生と就職指導カウンセラーとの会話の一部を聞きなさい」
   - Listen to part of a conversation <u>between a student and a professor</u>.
     「学生と教授との会話の一部を聞きなさい」

   学生と大学スタッフの会話では大学生活や学内手続きや就職の相談などが，また学生と教員の会話ではオフィス・アワーでの質問や相談などが題材となります。

2. 講義形式の問題では，まずナレーションで，どの科目の授業なのかが説明されます。したがって，英語の科目名をなるべく多く覚えておく必要があります。
   - Listen to part of a <u>talk</u> in an <u>ecology</u> class.
     「生態学の講義の一部を聞きなさい」
   - Listen to part of a <u>lecture</u> in a <u>physiology</u> class.
     「生理学の講義の一部を聞きなさい」

● ● STEP 5

Exercise CD 1-22~27

Now get ready to answer the questions.
You may use your notes to help you answer.

1 What is the main topic of the lecture?
   - (A) The weather conditions in Seattle ✓
   - (B) Seattle-Tacoma Airport
   - (C) Rain forests in the U.S.
   - (D) Smog in the city

2 What is Puget Sound?
   - (A) A forest
   - (B) A body of water
   - (C) A city
   - (D) A kind of noise

3 What is the implied reason for Seattle's nickname, the Emerald City?
   - (A) It is expensive to live there.
   - (B) It is like a rain forest.
   - (C) It is as luxurious as a jewel.
   - (D) It is green like the color of the gem.

4 Which scene can most likely be seen in Seattle?
   - (A) A lot of the people using umbrellas when it rains
   - (B) Some people using umbrellas when it rains
   - (C) Very few people carrying umbrellas ✓
   - (D) A lot of people carrying umbrellas but seldom using them

5 What is likely to happen when it doesn't rain in Seattle?
   Choose 2 answers.
   - (A) A smelly cloud develops. ✓
   - (B) A rain forest appears.
   - (C) Cars begin to show dirt.
   - (D) The airport closes. ✓

49

Script

Listen to part of a lecture in a meteorology class.

1 Today I would like to discuss the weather conditions in Seattle.

When one thinks about the meteorological conditions in Seattle, the first thing that comes to mind is the rain.

Actually, during an average year, it rains more days than it doesn't. **2** A short ferry ride across Puget Sound takes you to a peninsula, which has the only true rain forest in the continental United States. **3** The precipitation keeps all the area's vegetation lush, and as you fly into Seattle-Tacoma Airport, nearly anytime of the year you'll see green, in contrast to the browns of most other American airports. So, one of the nicknames of Seattle is the Emerald City. **4** Oddly enough, though, many people in Seattle never carry an umbrella. That's because usually the rain is in the form of a light mist which dries away quickly. The moisture helps to keep the air and streets clean.

5 In fact, during the summer when it doesn't rain for a few weeks, a large, smelly cloud forms over the city, and cars begin to show dirt. So people look forward to the next cloudburst, which will wash the smog out of the sky and the dust from the streets.

訳　気象学の講義の一部を聞きなさい。
　今日はシアトルの気象状況について話したいと思います。
　シアトルの気象状況を考えるときには，最初に頭に浮かぶのは雨のことです。
　実際，平年では，雨が降る日の方が降らない日よりも多いのです。ピュージェット湾をフェリーに少し乗って渡ると半島に着きますが，そこには米国本土で唯一の本物の温帯雨林があります。降水はその地域のあらゆる植物の繁茂を維持していますし，また，飛行機でシアトル・タコマ空港に行けば，アメリカの他のほとんどの空港の茶色っぽさとは対照的に，ほとんど1年中，緑を見ることができます。だから，シアトルのニックネームの1つはエメラルドシティーなのです。しかし，不思議なことに，シアトルの多くの人々はまったく傘を持ち歩きません。これはなぜかと言うと，たいていの場合，薄い霧状の雨なので，すぐに乾いてしまうからです。この湿気は空気と町の通りをきれいにします。
　事実，数週間雨が降らない夏の間には，嫌なにおいのする大きな雲が上空に漂い，車は埃をかぶり始めます。そのため人々は次に土砂降りの雨が降ってくれるのを待ち望むのです。雨は，上空のスモッグや通りの埃を洗い流してくれますからね。

1 正解 Ⓐ

設問の訳 この講義の主題は何か。
選択肢の訳
- Ⓐ シアトルの気象状況
- Ⓑ シアトル・タコマ空港
- Ⓒ アメリカの温帯雨林
- Ⓓ 都市のスモッグ

講義の冒頭の下線部 **1** で Today I would like to discuss the weather conditions in Seattle. と言っている。

2 正解 Ⓑ

設問の訳 Puget Sound とは何か。
選択肢の訳
- Ⓐ 森林
- Ⓑ 水域
- Ⓒ 都市
- Ⓓ 騒音の一種

下線部 **2**「Puget Sound をフェリーに少し乗って渡ると半島に着く」と言っているため、Ⓑ「水域」であると考えられる。ここでの Sound は,「入り江,湾」という意味。

3 正解 Ⓓ

設問の訳 シアトルが「エメラルドシティー」というニックネームを持つ理由は何であると示唆されているか。
選択肢の訳
- Ⓐ そこでの生活はお金がかかる。
- Ⓑ それは温帯雨林のようだ。
- Ⓒ それは宝石のように豪華だ。
- Ⓓ それは宝石のような緑色をしている。

下線部 **3** で「降水はその地域のあらゆる植物の繁茂を維持し, また, 飛行機でシアトル・タコマ空港に行けば, アメリカの他のほとんどの空港の茶色っぽさとは対照的に, ほとんど1年中, 緑を見ることができる」と言っている。つまり, 植物の緑色がエメラルドの緑色を連想させることが, その呼び名の由来であるということなので, 正解は Ⓓ 。

4 正解 Ⓒ

設問の訳 シアトルで最もよく見かけそうな光景はどれか。

選択肢の訳
- Ⓐ 雨が降ると多くの人が傘をさす
- Ⓑ 雨が降ると傘をさす人もいる
- Ⓒ 傘を持ち歩く人は少ない
- Ⓓ 多くの人は傘を持ち歩くが，さすことはほとんどない

下線部❹「不思議なことに，シアトルの多くの人々は傘を持ち歩かない」から，Ⓒ が正解。

5 正解 Ⓐ Ⓒ

設問の訳 シアトルで雨が降らない時は，何が起こる可能性が高いか。答えを2つ選びなさい。

選択肢の訳
- Ⓐ いやな臭いのする雲が発生する。
- Ⓑ 温帯雨林が出現する。
- Ⓒ 車が埃をかぶり始める。
- Ⓓ 空港が閉鎖される。

下線部❺に「事実，数週間雨が降らない夏の間には，嫌なにおいのする大きな雲が上空に漂い，車は埃をかぶり始める」とある。

TIPS 話の流れを示す言葉

コミュニケーションをスムーズに進めるために必要な「ディスコースマーカー」と呼ばれるものがあります。このディスコースマーカーは，聞き手や読み手が話や文章の流れをより良く理解するためのサインとなります。このマーカーはリスニングの場合，話し手の発話の意図や，発話の連続性—これまでの話とこれからの話との間の意味的連続性—を示すヒントですので，このマーカーに注意していれば，次に話される内容を予測しながら聞くことができます。

よく使用されるディスコースマーカーには次のようなものがあります。

1. つなぎ，相槌，強調
well（えーと），that's right（そのとおり），definitely（間違いなく）
例：Well, let's take your temperature and see how that's doing, shall we?
　「えー，では体温を測って（どのくらい熱があるか）みましょうか」

2. 話題の転換
by the way（ところで），listen（聞きなさい），now（では）
例：By the way, do you have any allergies to medicines that you know of?
　「ところで，知っている範囲で何か薬に対するアレルギーはありますか」

3. 逆接，反論
however（しかしながら），but（しかし），on the contrary（反対に）
例：However, chimps and human brains differ in size and anatomy.
　「しかし，チンパンジーと人間は，脳の大きさと構造において異なっている」

4. 言い換え，詳細，追加
in other words（言い換えれば），in addition（それに加えて），furthermore（さらに）
例：In other words, a more advanced technology gives man control over more energy.
　「言い換えれば，より進んだ技術が人間により多くのエネルギーを支配させる」

5. 理由，結果
because（なぜなら），therefore（ゆえに），now that（〜なので）
例：Undoubtedly, the year of 1066 is the most important date in English history, because it was the year in which the Norman invaded England.
　「間違いなく，西暦1066年は英国の歴史上，最も重要な年です，なぜなら，その年にノルマン人が英国に侵略したからです」

6. 列挙，対比
first [primarily], secondly（第一に，第二に），the former, the latter（前者，後者）
例：First, at a father's death all of his property went to the eldest son in Europe.
　「第一に，ヨーロッパでは父が亡くなるとその財産はすべて長男が受け継いでいた」

STEP 6 質問のタイプと形式② 質問形式

学習目標 質問形式に慣れる。

ポイント

　問題を解くためには質問の意味を正確に理解することが不可欠ですが，実際の試験では時間的制約があるため，質問を十分に理解できない場合もあります。TOEFL のリスニング問題では音声を聞く前に設問に目を通すことはできませんが，よくある質問形式に慣れておけば，問題文を聞きながら，問われそうな内容や注意すべきポイントを予測できる可能性が高まります。
　TOEFL の代表的な質問としては，以下の 4 つが挙げられます。

1. 会話や講義の目的を尋ねる質問
　このタイプの質問では，STEP 5 で学習した冒頭のナレーションをヒントにして正答を導けることもあります。
　・<u>What is</u> the professor mainly <u>discussing</u>?
　　「教授は，主に<u>何について話しているのか</u>」
　・<u>Why is the student visiting</u> the career counselor?
　　「<u>なぜ</u>，学生は就職指導カウンセラーのもと<u>を訪れているか</u>」

2. 内容の詳細を尋ねる質問
　このタイプの質問に対応するには，ノート・テイキングが必要です。繰り返されている語句や固有名詞，「なぜ?」という問いかけに対する応答などには特に注意してメモを取りましょう。

3. 話者の発言の意図を尋ねる質問
　なぜそのような発言をしているのかという理由を把握するには，話全体の流れを理解する力，英語特有の論理の運び方や語法など，幅広い知識が必要となります。
　・<u>Why does the professor refer to</u> this?:
　　「<u>なぜ</u>，教授はこのこと<u>に言及しているのか</u>」
　・<u>Why does the counselor say</u> this to the student?:
　　「<u>なぜ，カウンセラー</u>は学生にこのこと<u>を言っているのか</u>」

4. 推論，推察を求める質問
　推論や推察を求める質問には，infer, imply, assume などの語がよく使われます。

STEP 6

Exercise ·· CD 1-28~33

Now get ready to answer the questions.
You may use your notes to help you answer.

1 What is true about fireflies?
Choose 2 answers.
- (A) Different species tend to live and mate in different settings.
- (B) Their glow should always be on.
- (C) They use their flashes to attract mates.
- (D) Their flashing is random.

2 When fireflies mate, where are they likely to be positioned?
- (A) On or near the ground
- (B) High in the air
- (C) Near the water
- (D) In wooded area

3 In the discussion, how male fireflies mate with females is described. Put steps of the mating process in order.
- (A) The male signals to the female while flying.
- (B) The male and female signal back and forth.
- (C) The male locates the female.

4 How do fireflies find one of their own kind to mate with?
- (A) They live in the same setting.
- (B) They flash everywhere until they find one of their own kind.
- (C) They change their flash patterns randomly.
- (D) They have a unique flash pattern.

Listen again to part of the lecture.
Then answer the question.

5 What does the professor refer to in this statement?:
- (A) Fireflies tend to live and mate with their own kind.
- (B) There are many kinds of fireflies.
- (C) Fireflies can be found very easily.
- (D) Some kinds of fireflies can be active anytime and anywhere.

Script

Listen to part of a talk in an entomology class.

Professor: Today, we're going to talk about fireflies. Fireflies use a complex form of flash communication to attract a mate. The glow, which comes from light-producing cells on the firefly's underside, is turned on and off at will. The flashing of fireflies seems random at first. But when you observe more closely, you can detect patterns.

Student A: OK, so what do they do to attract mates?

Professor: Males signal to females while flying. Females respond to these signals from on or near the ground. When a female responds, the male continues to signal and flies closer. The male and female signal back and forth until the male locates the female. Finally, of course, he mates with her. There are a number of different species of fireflies. So, how do they find one of their own kind to mate with?

Student B: I think each species of firefly has a unique flash pattern, right?

Professor: Exactly. The flash signals may vary in a number of ways, such as the color and duration of the flashes, the time between signals, and the number of flashes in a signal.

Student A: Will different species of fireflies also tend to live and mate in different settings?

Professor: That's right. For example, one kind might live in meadows, another in wooded areas. Also, different species are not all active at the same time of night. Interestingly, some species start signaling around sunset, and others may not be active until after dusk. Fireflies make themselves easy to spot. You can see them in fields, meadows, lawns, along hedges, in the woods, at the edge of the woods, and even on some city sidewalks.

● ● STEP 6

訳 昆虫学の講義の一部を聞きなさい。
教授：今日はホタルについて話します。ホタルは交尾する相手を引き付けるために，複雑な形式のフラッシュ・コミュニケーションを使います。フラッシュは，ホタルの体の下部にある発光細胞から放たれており，自らの意思で点滅されます。最初のうちは，ホタルのフラッシングはランダムに行われているように見えるでしょう。しかし，もう少しよく観察すると，パターンがわかってくるのです。
学生A：では，相手を引き付けるためにホタルは何をするのですか。
教授：オスは飛びながらメスへ信号を送ります。メスは地面から，あるいは地面の近くからこの信号に応答します。メスが応答するとオスは信号を送り続け，飛んで近づいていきます。オスがメスの居場所を特定するまで，オスとメスとの信号のやり取りは繰り返されます。そしてもちろん，最終的にオスはメスと交尾します。ホタルには多くの種類があります。では，どのようにして自分と同じ種の相手を見つけるのでしょうか。
学生B：ホタルの種ごとに，独自のフラッシュ・パターンを持っているのではないでしょうか。
教授：そのとおりです。フラッシュ信号は多くの点で異なっています。例えば，フラッシュの色や長さ，信号の間隔，1回の信号の中でのフラッシュの回数などです。
学生A：ホタルは種が異なれば，生息したり交尾したりする環境も異なるのですか。
教授：そうですね。例えば，ある種は草地に，またある種は林に生息しているかもしれません。また，種が異なれば，夜間の活動時間もすべて同じとは限りません。興味深いことに，日没頃から信号を送り始める種もあれば，日が暮れるまで活動しない種もあるのです。ホタルは，自分自身を見つけやすいような状態にします。野原や草地や芝生，生け垣沿い，森の中やはずれ，また街中の歩道でさえもホタルを見ることができるというわけです。

1 正解 Ⓐ Ⓒ

設問の訳 ホタルに関して正しいのはどれか。答えを2つ選びなさい。

選択肢の訳
- Ⓐ 種の異なるものは異なる環境で生息したり交尾したりする。
- Ⓑ フラッシュは常に点灯していなければならない。
- Ⓒ 交尾相手を引き付けるためにフラッシュを使う。
- Ⓓ フラッシュの点滅には規則性がない。

Ⓐ の根拠は下線部 **1-A** のやりとり，Ⓒ の根拠は下線部 **1-C** を参照。

2 正解 Ⓐ

設問の訳 ホタルが交尾するとき，どのあたりに位置することが多いか。

選択肢の訳
- Ⓐ 地面かその近辺
- Ⓑ 空中高く
- Ⓒ 水辺
- Ⓓ 林の中

下線部 **2** に「メスは地面から，あるいは地面の近くからこの信号に応答する」とあり，その後，オスがメスに飛んで近づいていくので，交尾するときはともに地面かその近くにいるということになる。

3 正解 Ⓐ→Ⓑ→Ⓒ

設問の訳　講義では，ホタルのオスがどのようにメスと交尾するかが説明されている。その交尾のプロセスを順番に並べなさい。

選択肢の訳
Ⓐ　オスが飛びながらメスに信号を送る。
Ⓑ　オスとメスが互いに信号のやり取りをする。
Ⓒ　オスがメスの居場所を特定する。

下線部 **3-A** ～ **3-C** を参照。

4 正解 Ⓓ

設問の訳　ホタルはどのようにして同じ種の交尾相手を見つけるのか。

選択肢の訳
Ⓐ　同種のホタルは同じ環境に生息する。
Ⓑ　同種の相手を見つけるまで至るところでフラッシュを点滅させる。
Ⓒ　自分たちのフラッシュ・パターンを不規則に変える。
Ⓓ　独自のフラッシュ・パターンを持っている。

「どのようにして自分と同じ種の相手を見つけるのか」という問いに対し，学生Bは下線部**4**で「独自のフラッシュ・パターンがある（ので自分の種の相手を見つけられる）のではないか」と答えている。教授はこれを肯定しているので，正解は Ⓓ。

講義の一部をもう一度聞き，質問に答えなさい。（スクリプト太字部分参照）

5 正解 Ⓐ

設問の訳　教授の次の発言は何について言及しているのか。（スクリプト破線部参照）

選択肢の訳
Ⓐ　ホタルは同種のものと共に生息し，交尾する傾向がある。
Ⓑ　多種のホタルが存在する。
Ⓒ　ホタルは簡単に見つけることができる。
Ⓓ　いつでもどこでも活動できる種類のホタルもいる。

この部分は，下線部**5**の学生Aによる「ホタルは種が異なれば，生息する環境や交尾する状況も異なるのか」という質問に対する補足情報である。これを言い換えた Ⓐ が正解。

T I P S

詳細を問う質問の中には，少し変わったタイプのものもあります。代表的なものについては，指示文を覚えておきましょう。

- 四者択二問題
  指示文は，Choose 2 answers.「答えを2つ選びなさい」
- 表形式問題（表の適切な欄にチェック☑を入れる）
  指示文は，
  Click in the correct box for each sentence.「各文について適切なボックスをクリックしなさい」
  For each sentence, put a checkmark in the YES or NO column.「各文について，YesまたはNoの列にチェックを入れなさい」
  Place a checkmark in the correct box.「正しいボックスにチェックマークを入れなさい」

	Yes	No
He is a doctor.	✓	
He is Mary's husband.		✓
He bought a house last year.	✓	

- 語句，節，文の選択肢を適切なボックスにドラッグする問題
  指示文は，Click on a word and drag it to the appropriate column.「語をクリックし，適切な欄へドラッグしなさい」
- 出来事，処理の仕方などを順番に並べ替える問題
  指示文は，Click on a word. Then drag it to the appropriate space where it belongs.「語をクリックし，適切な欄にドラッグしなさい」

STEP 7　会話①　大学スタッフとの会話

学習目標　「大学スタッフと学生との会話」の特徴をつかみ，よく使われる表現を身に付ける。

ポイント

　会話形式の問題の中には，大学のサポート部門のスタッフとの会話と，オフィス・アワーの教授との会話があります。今日は，大学スタッフとの会話の特徴と表現に関して学習します。

　大学のサポート部門とは，教務課，学生課，就職課，医務室など，学生の支援をする部門です。必要な手続きの方法，履修登録，カウンセリングなどが題材となります。会話の背景を知り，特有の用語を身に付けておけば，より聞き取りやすくなるでしょう。

1. 奨学金の相談（financial office での会話）
　financial office は学資に関する相談をできる場所です。奨学金の種類や取得の可能性，申請方法などを教えてもらったり，奨学金が受けられない場合に備えた学資ローンの情報やアドバイスを受けたりすることができます。
・I'd like to find out how to apply for financial aid.
　「学資援助の申込方法を知りたいのです」
・Scholarships are the best because you don't have to pay them back.
　「返済の必要がありませんから，奨学金が一番ですよ」
・What's your GPA?　It's a strong C, about 2.7, I think.
　「あなたの成績平均点は？」「C の上で 2.7 くらいだと思います」
　＊GPA については，P.84 参照。

2. 就職指導 (career counselor との会話)
　企業への応募方法，応募書類の書き方，心構えなどについてアドバイスを受けます。
・I've lined up a couple of interviews for next week.
　「来週 2〜3 社の面接があります」
・You know that the résumé and cover letter are the only way of immediately grabbing someone's attention.
　「ご存じでしょうが，履歴書と添え状は，相手の注意を瞬時に引き付ける唯一の手段です」

● ● STEP 7

Exercise ········· CD1-34~39

Now get ready to answer the questions.
You may use your notes to help you answer.

1 Why does the student go to see the advisor?
 A To get her degree
 B To ask for a job recommendation
 C To get advice on how to pass her math class
 D To change her field of study

2 How was the relationship between the student and her instructor?
 A They were not on very friendly terms.
 B They had a normal, productive relationship.
 C They were good friends outside of class.
 D The student got along well with her instructor.

3 What does the advisor suggest she do with her math credits?
 A Apply them to a minor
 B Use them for pursuing a Ph.D.
 C Use them for getting a job
 D Forget about them

4 Who will the student probably contact?
 A The dean of the university
 B The dean of the math department
 C The dean of the psychology department
 D The dean of the sociology department

Listen again to part of the conversation.
Then answer the question.

5 Why does the student make this statement?
 A She is explaining why she wants to change her major.
 B She wants to explain why she made mistakes in the equation.
 C She is making an excuse for her poor score on the exam.
 D She is showing her calculus ability even though she could not get a good score on the test.

Script

Listen to part of a conversation between a female student and a male student advisor.

Student: **1** I'm here to talk to you about changing my major from math to something else**A**.

Advisor: Let's see. You're a sophomore now, aren't you? **5** Why do you want to change majors?

Student: **On the final test in my calculus class, I got a pretty poor score. I know the material, but I made a small mistake early in the equation, so all the rest of the answers were wrong, too.**

Advisor: Didn't you discuss this with your instructor?

Student: I didn't bother. **2** We don't, you know, get along too well. Besides, I really don't want to face that kind of pressure on every test till I graduate.

Advisor: So what do you want to change to?

Student: I love psychology, but you need a Ph.D. to get a good job. So I thought sociology would be the best bet, and there is reasonable employment available for someone with a B.A.

Advisor: Yes, that's true. And **3** your math credits could most probably be applied to a math minor**B**.

Student: So, is it possible to change my major?

Advisor: It seems reasonable to me, **4** but you'll need approval from the department head to get in**C**.

●● STEP 7

音声聞き取りのポイント

問題文では，学生が大学スタッフに専攻の変更に関する相談をしています。転学，専攻の変更，成績，履修についての悩みなど，学業についての相談も多く出題されるので，ここで出てくる語彙を覚えておきましょう。

Ⓐ I'm here to talk to you <u>about changing my major from math to something else</u>.
major「主専攻」(*minor* は「副専攻」)

Ⓑ <u>your math credits</u> could most probably be applied to a math minor.
credit「(認定された) 単位」

Ⓒ But you'll <u>need approval from the department head to get in</u>.
approval「承認」，department head「学部長」

訳 女子学生と男性指導員との会話の一部を聞きなさい。
学生：数学科からの専攻の変更のことでお話がしたいのですが。
指導員：ええと，あなたは今 2 年生ですよね。どうして専攻を変更したいのですか。
学生：微積分学の期末試験でかなり悪い点を取ってしまったのです。正解に必要な要素は分かっていたのですが，方程式を解く最初の段階で小さなミスをして，それ以降の解答がすべて間違ってしまったのです。
指導員：このことについて担当教官とは話し合いましたか。
学生：わざわざそれはしませんでした。どうも先生とは，その，うまくいっていなかったものですから。それに，卒業するまで試験のたびにこのようなプレッシャーを受けるのは，本当にいやなのです。
指導員：それで専攻は何に変更したいのですか。
学生：私は心理学が好きですが，良い仕事に就くには博士号が必要でしょう。ですから，社会学が最善の選択だろうと思います。それなら学士号を持っていれば手頃な就職口があるでしょう。
指導員：その通りですね。それにおそらく，あなたの数学の単位を数学副専攻に適用することもできますよ。
学生：では，専攻の変更はできますか。
指導員：ええ，私は可能だと思います。しかし，受け入れ側の学部長に許可をもらわなければなりませんよ。

1 正解 Ⓓ

設問の訳　学生はなぜ指導員を訪ねたのか。
選択肢の訳　Ⓐ　単位を取るため
　　　　　　Ⓑ　良い仕事を得るため
　　　　　　Ⓒ　数学の単位を取るための助言を得るため
　　　　　　Ⓓ　学問分野を変更するため
下線部❶で，学生は数学から専攻を変更する件について話をしたいと言っている。

2 正解 A

設問の訳 学生と彼女の担当教官の関係はどうであったか。

選択肢の訳
- A あまり友好的な間柄ではなかった。
- B 正常で，生産的な間柄であった。
- C 講義以外の場所で親しい友人だった。
- D 学生は教官たちとうまくやっていた。

専攻の変更について担当教官と話し合ったかという大学スタッフの問いかけに対し，学生はわざわざしなかったと答え，その理由として下線部 2 で「関係がよくなかった」からだと説明している。

3 正解 A

設問の訳 指導員は取得した数学の単位をどうするよう彼女に勧めているか。

選択肢の訳
- A 副専攻に適用する
- B 博士号を取得するのに利用する
- C 就職するのに利用する
- D それについては諦める

下線部 3 で「数学の単位を数学副専攻に適用できる」と言っている。

4 正解 D

設問の訳 学生は誰に連絡を取ると思われるか。

選択肢の訳
- A 大学の学部長
- B 数学部長
- C 心理学部長
- D 社会学部長

下線部 4 で指導員が，「受け入れ先の学部長に許可をもらわなければならない」と注意を促している。また，学生は「心理学が好きだが，就職するのに博士号が必要になる」，「社会学の場合，学士号を持っていればそれなりの就職口がある」と述べているため，D「社会学部」に転入すると考えられる。好きではあるが良い就職には博士号が必要なので候補から外した心理学を選ばないように。

● ● STEP 7

会話の一部をもう一度聞き,質問に答えなさい。(スクリプト太字部分参照)

5 正解 Ⓐ

設問の訳 　なぜ学生はこのように言っているのか。

選択肢の訳　Ⓐ　専攻を変えたい理由を説明している。
　　　　　　Ⓑ　方程式でミスをした理由を説明したがっている。
　　　　　　Ⓒ　試験でのひどい成績の言い訳をしている。
　　　　　　Ⓓ　試験で良い成績は取れなかったが,微積分学の能力はあることを示している。

この発言は,下線部**5**の大学スタッフの「どうして専攻を変更したいのですか」の問いに対する返答になっている。

STEP 8 会話②　オフィス・アワー

学習目標　「オフィス・アワーの会話」の特徴をつかみ，よく使われる表現を身に付ける。

ポイント

　STEP 7では，会話形式の問題のうち，学内サポート部門のスタッフとの会話を学習しましたが，ここでは学生と教授のオフィス・アワーの会話について学習します。

　オフィス・アワーとは，学生からの質問や相談に応じるために，教員が研究室に在室する時間帯のことです。「授業が難しくてよく理解できない」，「課題の提出期限に遅れる」，「成績不振で今後どうすればいいのか」，「提出レポート・論文に不備がある」，「与えられた課題の進め方に行き詰まっている」など，学業上のさまざまな問題がテーマとなります。

　オフィス・アワーの会話でよく使用される表現や会話の流れを理解しておけば，問題文をある程度予測しながら聞くことができ，スムーズに正解できるようになるでしょう。

1. 課題のプレゼンの仕方がよく分からない学生が，教授に相談する。
- I just, you know, I'm just not sure about the presentation itself.
「プレゼンというもの自体がよく分からないんです」
- As I was saying, this presentation should conform to expected business standards.
「以前言ったとおり，このプレゼンは予想されるビジネスの基準に合わせる必要がある」

2. 教授が学生を呼び出し，提出されたレポートの不備について指導する。
- You know why I called you here today, don't you, Sarah?
「今日，なぜ呼び出したか分かるね，サラ」
- Well, I guess my paper failed.
「はい。レポートが不合格だったんだと思います」
- I would like you to redo it and submit it by next week.
「もう一度書き直して来週までに提出しなさい」
- Would it be OK to show you a first draft before I write it out in full?
「完全な形で清書する前に，最初の下書きをお見せしてもいいでしょうか」

STEP 8

Exercise — CD 1-40~45

Now get ready to answer the questions.
You may use your notes to help you answer.

1 Why does the student come to talk with the professor?
- Ⓐ Because she needs the professor's advice about her college major
- Ⓑ Because she is having difficulty following her biology class
- Ⓒ Because she is interested in double coconuts
- Ⓓ Because she wanted to get some information about petunia seeds

2 Why are seeds useful for science projects?
Choose 2 answers.
- Ⓐ They take up limited space.
- Ⓑ They weigh very little.
- Ⓒ They cannot be used for experiments easily.
- Ⓓ They are cheap and easy to obtain.

Listen again to part of the conversation.
Then answer the question.

3 Why does the professor ask this question?
- Ⓐ To make the student write notes
- Ⓑ To make sure of the student's knowledge
- Ⓒ To change the subject of the conversation
- Ⓓ To request an opinion

4 According to the professor, what is true about petunia and begonia seeds?
- Ⓐ They cannot be used for science projects.
- Ⓑ A petunia seed is bigger than a begonia seed.
- Ⓒ There are 70,000 dust-like seeds in one begonia shell.
- Ⓓ A petunia seed capsule weighs seven thousand grams.

5 How did the student feel after talking with the professor?
- Ⓐ She felt more confused.
- Ⓑ She felt more confident.
- Ⓒ She felt inspired.
- Ⓓ She felt more tired.

Script CD1-40~45

Listen to part of a conversation between a female student and a professor.

Professor: Ah, Patricia, come in, please.

Student: Thank you, Dr. Chi.

Professor: So, what can I do for you?

Student: I'm really worried about my studies. I need your help. Yesterday, **1** you explained how wonderful seeds are for science projects in your biology class. I'm not clear about that part**A**.

Professor: Well, you see, **2** seeds are inexpensive, readily available, and take up little space for science projects.

Student: So, they are...good due to their cost, availability, and space needs?

Professor: Yes, they also vary greatly in size and shape, making it possible for us to do various kinds of experiments according to these two characteristics.

Student: **3** Because of their size and shape...

Professor: That's right. **Well, Pat, do you remember our last class discussion on the size and shape of seeds?**

Student: Yes. I think I do.

Professor: What did I say is the largest seed?

Student: Umm, I think, umm, the double coconut?

Professor: That's right. The double coconut weighs up to 30 kg. And as I mentioned in the last class, there are also very small seeds. Orchids, for example, have dust-like seeds with up to four million seeds per capsule. Petunia seeds...

Student: Excuse me. But, er, could you give me some time to take notes? Okay, petunia seeds...?

Professor: Petunia seeds weigh only one seven-thousandth of a gram. **4** But begonia seeds are even smaller — 70,000 begonia seeds together weigh only one gram.

Student: Wow, begonia seeds weigh only one tenth of those of the petunia!

Professor: That's right. Do you follow me?**B**

Student: Yes, I think so...

Professor: If you need further help, do not hesitate to ask me.

Student: Thank you very much, Dr. Chi. Now, **5** I'm starting to feel better.

● ● STEP 8

音声聞き取りのポイント

授業内容をあまりよく理解できなかった学生が，教授を訪問しています。ポイントになる表現を押さえておきましょう。

Ⓐ I need your help. Yesterday, you explained ... I'm not clear about that part.
語句 need your help「助けが必要だ」，I'm not clear about ～「～をあまりよく理解できていない」

Ⓑ That's right. Do you follow me?
学生の意見を肯定したうえで，話を理解できたかどうかを確認している。
よく理解できていない場合は，I'm still a little bit confused, though. I'll have to review it once more.「まだ少し混乱しているのですが。もう一度復習してみます」といった応答も考えられる。

訳 女子学生と教授の会話の一部を聞きなさい。
教授：ああ，パトリシア，どうぞお入りなさい。
学生：ありがとうございます。チー先生。
教授：どうしましたか。
学生：勉強のことで困っています。先生の助けが必要なんです。昨日，先生は生物学の授業で，種子は科学の実習に最適だと説明されました。ここのところが私にはよく理解できないのですが。
教授：なるほどね，種子は安価で，簡単に手に入り，科学の実習のためのスペースもあまり取りません。
学生：つまり種子は…費用，入手のし易さ，場所の必要性などの意味で良いということですか。
教授：そうです，それに種子というのは，大きさと形が大きく異なりますが，この2つの性質によって，いろいろな実験が可能になるのですよ。
学生：種子のサイズと形が理由で…。
教授：そのとおりです。ところでパット，この前の授業で種子のサイズと形について話したことを覚えていますか。
学生：ええ，多分。
教授：最も大きい種子は何だと言いましたか。
学生：えーと，オオミヤシだったと思います。
教授：そうです。オオミヤシの種子は30キロもあります。そして，この前の授業で話したように，非常に小さな種子もあります。例えばランの種子はほこりのように細かく，一つの鞘の中に最大で400万個の種子が入っているのです。ペチュニアの種子は…。
学生：すみません。あの，ノートを取る時間をいただいていいですか。ええと，ペチュニアの種子は…？
教授：ペチュニアの種子は，わずか7000分の1グラムです。しかしベゴニアの種子はもっと小さくて，7万個の種子で1グラムしかありません。
学生：うわー，ベゴニアの種子はペチュニアのたった10分の1の重さなんですね！
教授：そのとおり。分かりましたか。
学生：はい，理解したと思います…。
教授：もっと説明が必要なら，遠慮しないで聞いてください。
学生：本当にありがとうございました，チー先生。なんだか気持ちがすっきりしてきました。

1 正解 Ⓑ

設問の訳 なぜ学生は教授と話しに来たか。

選択肢の訳
- Ⓐ 大学の専攻について教授のアドバイスが必要だから
- Ⓑ 生物学の授業についていくのが難しいから
- Ⓒ オオミヤシに興味があるから
- Ⓓ ペチュニアの種子について情報がほしかったから

下線部❶で，学生は「昨日の生物学の授業で『種子は科学の実習に最適だ』と言った教授の発言が理解できなかった」と述べている。

2 正解 Ⓐ Ⓓ

設問の訳 種子はなぜ科学の実習に向いているのか。
答えを 2 つ選びなさい。

選択肢の訳
- Ⓐ 種子はわずかな場所しかとらない。
- Ⓑ 種子は非常に軽い。
- Ⓒ 種子は簡単に実験に使用することができない。
- Ⓓ 種子は安価で，入手もしやすい。

学生の「種子が科学の実習に最適だという理由が分からない」という疑問に対し，下線部❷で inexpensive, readily available, and take up little space for science projects という種子の利点を挙げている。

会話の一部をもう一度聞き，質問に答えなさい。（スクリプト太字部分参照）

3 正解 Ⓑ

設問の訳 教授はどうしてこの質問をしたか。

選択肢の訳
- Ⓐ 学生にノートを取らせるため
- Ⓑ 学生の知識を確認するため
- Ⓒ 会話の話題を変えるため
- Ⓓ 見解を求めるため

下線部❸で学生が「種子のサイズと形が理由で…」と言いよどんだのを受けて，教授は「この前の授業で種子とサイズについて話し合ったことを覚えているか」と質問したのだから，Ⓑ「学生の知識を確認するため」が正解。その後で，種子について再度説明している。

4 正解 Ⓑ

設問の訳 教授によれば，ペチュニア種子とベゴニア種子について正しいものはどれか。

選択肢の訳
- Ⓐ 科学実習に使用することができない。
- Ⓑ ペチュニア種子はベゴニア種子より大きい。
- Ⓒ ベゴニアの鞘1個に7万個のほこりのような種子が入っている。
- Ⓓ 1個のペチュニア種子の鞘は7,000グラムある。

下線部❹ But begonia seeds are even smaller から，Ⓑ が正解。

5 正解 Ⓑ

設問の訳 教授と話した後，学生はどのような気分になったか。

選択肢の訳
- Ⓐ 学生はさらに混乱した。
- Ⓑ 学生は以前より自信が持てた。
- Ⓒ 学生は奮起した。
- Ⓓ 学生はさらに疲れた。

授業で分からないことがあるという学生に対し，教授はいろいろと説明した後で，Do you follow me? と言って，学生が理解できたかを確認している。それに対して学生は Yes と答え，最後に下線部❺で I'm starting to feel better. と答えている。これは，「自分は（何とか理解できて，ある程度不安が取れたので）大丈夫です」という意味なので，Ⓑ「より自信が持てた」が正解。

STEP 9 講義① レクチャー

学習目標 レクチャーの特徴を知り，正解のコツをつかむ。

ポイント

　講義は，教授と学生のやりとりから成るディスカッション形式と，教授のみが話すレクチャー形式に分類できます。今日は，レクチャーについて学習しましょう。ディスカッションと異なる点は，教授が順を追って講義を進め，学生が途中で立ち止まって深く考える時間をあまり取れないことです。特に一般教養（G.E.＝General Education）科目など，多数の受講者がいるクラスではレクチャー形式で講義が進められる傾向にあります。実際のレクチャー形式の講義では，質問がないかどうか学生に尋ねたり，学生からの質問に答えたりしますが，TOEFL では基本的に教授のみが話す形式となっています。

　レクチャー形式の問題では，内容は簡略化されますが，実際にアメリカの大学のカリキュラムになっている科目が出題されます。科目の種類が多く，それぞれの科目に関係する語彙・表現も多いため，聞き取り能力とともに語彙力が必要になります。

　出題される科目は，文学（literature），言語学（linguistics），政治学（politics），経済学（economics），歴史学（history），教育学（education），数学（math），植物学（botany），生物学（biology），物理学（physics），医学（medicine），天文学（astronomy），環境学（environmental studies）など，多岐にわたります。さらに，iPS 細胞のような最新の科学的トピックも出題される可能性があります。

　このようなレクチャー形式の問題を解くには，問題文を整理して聞き取るテクニックと，それを支える基礎的な知識やスキルが必要です。

　問題文の整理は，下記のポイントを押さえて行いましょう。

1. パラグラフごとの論点を把握する。
2. 講義全体の要旨，目的，結論，解決されていない問題点などを把握する。

　このように問題文を整理するためには，ノート・テイキングのスキルと語彙の知識が必要です。ノート・テイキングに関しては，STEP 4 を参考にして練習してください。語彙の知識に関しては，STEP 11 〜 STEP 15 の Exercise や実戦演習，模擬テストで広範な題材を取り上げていますので，そのつど学習していきます。

● ● STEP 9

Exercise · CD 1-46~51

Now get ready to answer the questions.
You may use your notes to help you answer.

1 What is the most widely accepted hypothesis about the Native Americans?
- (A) They were the first Caucasians to arrive.
- (B) They were hunters rather than farmers.
- (C) They were inhabitants of the Rocky Mountains.
- (D) They were descendants of Asians.

2 Where was the probable crossing point of the first inhabitants?
- (A) The Bering Sea
- (B) Alaska
- (C) Canada
- (D) The Rocky Mountains

3 Put the following groups of people coming to the Northwestern United States in the correct order from first to last.
- (A) Trappers
- (B) Farmers
- (C) Miners
- (D) Native Americans

4 Match each group to what they did.
- (A) Christian missionaries
- (B) The ranchers
- (C) The miners

(1) Very few of them became rich.	
(2) They provided a cultural bridge.	
(3) They often came in wagon trains.	

5 What was required of someone wishing to have a homestead?
- (A) Building a home and staying there for a while
- (B) Purchasing the land, then farming it
- (C) Making good relationships with the Native Americans
- (D) Finding land that had been previously claimed

Script CD 1-46~51

Listen to part of a lecture in a history class.

In the area of the Northwestern United States known as the Rocky Mountains, [3-D] the first inhabitants were the Native Americans. [1] The most widely accepted hypothesis is that they were descendants of Asians [2] who crossed the Bering Sea and migrated down through present-day Alaska and Canada.

[3-A] The first Caucasians to come were trappers and fur traders. For trinkets and beads, they could acquire valuable pelts from the Native Americans. Often they actually lived with the Native Americans, learning the ways of the wild, and even taking Native American wives. The same period marked the arrival of the first Christian missionaries. [4-2] Besides spreading the Gospel, they often helped to educate the Native Americans, and provided an important cultural bridge.

[3-C] Gold fever brought the next group, the miners, [4-1] looking for easy riches. Most could do little more than cover their expenses, and the work was arduous and dirty. With each strike, towns could boom into thriving communities, or go bust, turning into ghost towns.

[3-B] In the next wave came more permanent residents, the farmers, ranchers, and settlers. [4-3] Often coming in wagon trains, they braved the perils of the trail for the promise of a fresh start in a pristine land. If their wagons lasted the distance, and if they could survive Native American attacks, droughts in the deserts, snowstorms in the high mountains and the difficult trip itself, they had the right to a homestead. [5] That is, by building a home on a plot of previously unclaimed ground and staying there for a few years, the property would become legally theirs.

STEP 9

音声聞き取りのポイント

アメリカ先住民はアジアからベーリング海を渡って北米大陸にやって来たと言われていること，19世紀半ばにカリフォルニア州で金が発見されてゴールドラッシュとなったこと，19世紀末に合衆国政府が一定の条件を付けて入植希望者に土地の所有権を与えたことなど，アメリカ史の知識を持っていれば，聞き取りやすいでしょう。

この英文で使用されている語彙を見てみましょう。

the Rocky Mountains「ロッキー山脈」，inhabitant「住民」，the Native Americans「アメリカ先住民」，hypothesis「仮説」，the Bering Sea「ベーリング海」，Caucasians「白色人種」，trinkets「(宝石，指輪などの) 装身具」，Christian missionaries「キリスト教宣教師」，the Gospel「(聖書の) 福音書」，cultural bridge「文化的かけ橋」，permanent residents「永住者」，homestead「農場，家屋敷」，unclaimed ground「所有権を持つ人がいない土地」

TOEFLでは，専門的な知識が問われることはありませんが，教養程度の知識が必要な問題は出題されます。日本語でも構いませんので，幅広い分野の知識を仕入れておくと良いでしょう。

訳 歴史学の講義の一部を聞きなさい。

　ロッキー山脈として知られている米国北西部における最初の住民は，アメリカ先住民でした。最も広く受け入れられている仮説は，彼らはアジア人の子孫であり，ベーリング海を渡り，現在のアラスカとカナダを通って移住してきたというものです。

　最初にやってきた白人は，猟師や毛皮商人でした。彼らは装身具やビーズと引き換えに，価値のある動物の毛皮を先住民から入手しました。彼らはしばしば，実際に先住民と生活を共にし，荒野で生きる術を学び，先住民の女性を妻にすることさえありました。ほぼ同じ時期に，最初のキリスト教宣教師が訪れました。福音を広めるほかに，先住民の教育を支援し，重要な文化的かけ橋となりました。

　ゴールドラッシュによって，次なる集団，すなわち金鉱を掘り当てようとする人々がやって来ました。一攫千金を求めていましたが，出費をまかなうのが精いっぱいという人がほとんどでしたし，きつくて汚い仕事でした。人の波が押し寄せるたびに，町は活気づき豊かになっていくか，さもなければゴースト・タウンと化しました。

　次の波でやって来たのは，それまでより長く定住する人々，つまり農場主，牧場主，入植者などでした。彼らはしばしば幌馬車でやってきて，未開の地での新たな出発を誓い，道中の危険に勇敢に立ち向かいました。幌馬車で長距離を走破し，アメリカ先住民の襲撃を切り抜け，砂漠での渇水，高地での吹雪，辛い旅自体に堪えることができた場合に，彼らは農地に対する権利を得ました。すなわち，それまで所有権を持つ人が誰もいなかった土地に家を建ててそこに何年か住むことにより，その土地の所有権が法的に認められたのです。

1 正解 Ⓓ

設問の訳 アメリカ先住民に関して最も広く受け入れられている仮説は何か。

選択肢の訳
- Ⓐ 彼らは最初にやって来た白人だった。
- Ⓑ 彼らは農民ではなく猟師だった。
- Ⓒ 彼らはロッキー山脈の住民だった。
- Ⓓ 彼らはアジア人の子孫だった。

下線部❶で「最も広く受け入れられている仮説は，彼らはアジア人の子孫であるというものだった」と述べている。

2 正解 Ⓐ

設問の訳 最初の居住者が横断してきた場所はどこだったと思われるか。

選択肢の訳
- Ⓐ ベーリング海
- Ⓑ アラスカ
- Ⓒ カナダ
- Ⓓ ロッキー山脈

最初の居住者，すなわち先住民については，下線部❷で「ベーリング海を渡り，現在のアラスカとカナダを通って移住してきた」と説明されている。

3 正解 Ⓓ→Ⓐ→Ⓒ→Ⓑ

設問の訳 米国北西部にやって来た以下の人々の集団を，時系列順に正しく並べなさい。

選択肢の訳
- Ⓐ 猟師
- Ⓑ 農民
- Ⓒ 鉱山労働者
- Ⓓ アメリカ先住民

下線部 ❸-A ～ ❸-D 参照。順番は注意して聞き取り，メモを取るようにしよう。

4 正解 (1) Ⓒ (2) Ⓐ (3) Ⓑ

設問の訳 それぞれの集団と彼らが行ったことを結びつけなさい。

選択肢の訳
- Ⓐ キリスト教宣教師
- Ⓑ 牧場経営者
- Ⓒ 鉱山労働者

(1) ほんの一握りの人々しかお金持ちになれなかった。
(2) 彼らは文化的橋渡しをした。
(3) 彼らはしばしば幌馬車でやってきた。

Ⓐ は下線部 ❹-2 ，Ⓑ は下線部 ❹-3 ，Ⓒ は下線部 ❹-1 を参照。

STEP 9

5 正解 Ⓐ

設問の訳　農地の所有を望む人々には何が求められたか。

選択肢の訳
Ⓐ　そこに家を建ててしばらく住むこと
Ⓑ　土地を購入し，耕作すること
Ⓒ　アメリカ先住民とよい関係を作ること
Ⓓ　所有権が既に主張されている土地を見つけること

下線部**5**に「所有者のいない土地に家を建て，そこに何年か住むことにより，所有権が法的に認められた」とある。

STEP 10 講義② ディスカッション

学習目標 ディスカッションの進め方や特有の表現に慣れる。

ポイント

　講義の目的とは，学生に知識を与え，思考力を向上させることです。このうち，学生に発言を促しながら進めるディスカッションは，新しい知識を学生自身が吟味し，その本質を考えるのに役立ちます。議論の中で生まれた疑問を解決しようとすることにより，知識がより深まり，思考力も高まります。

　ディスカッションは，以下のようなプロセスに沿って進められます。

1. まず，教授がトピックを簡単に説明し，その講義で学ぶべき具体的な内容を学生に認識させます。
- Today, we will discuss 〜 .「今日は，〜について話します（の授業をします）」
- We are going to turn our attention to 〜 today.
「今日は〜について考えてみましょう」
2. 次に，トピックに関連する簡単な質問を学生に投げかけ，その授業への参加意識を高めます。
- Now, what kind of 〜 ..., Karen?
「では，どのような種類の〜が…でしょうか。カレン，どうですか」
- What do you think about 〜?「〜についてどう思いますか」
3. その後，教授は学生が答えた内容を踏まえて，講義の本題に入ります。必要に応じて，質問と応答を繰り返します。
- That's right. / Exactly.「そのとおりです」
- What is another problem?「他の問題はありますか」
- That is a difficult question.「それは難しい質問ですね」
- Interesting point.「面白い見方ですね」
- That's a really good point.「大変良いところを突いていますね」
4. 教授がその日のトピックの結論をまとめるか，結論に至らない場合は一区切りをつけて，次の講義につなげます。

　ディスカッションをより効率的に理解できるよう，一般的な進め方と，それに伴う表現を学習します。まずは，ディスカッションの流れを意識しながら問題文を聞き，Exercise を解いてみましょう。

Exercise ⚪⚫ STEP 10

CD 1-52~57

Now get ready to answer the questions.
You may use your notes to help you answer.

1 Which source of energy has been newly found?
- Ⓐ New organic materials
- Ⓑ Natural gas
- Ⓒ Shale gas
- Ⓓ Nuclear power

2 Which may we infer is a fossil fuel?
Choose 2 answers.
- Ⓐ Electricity
- Ⓑ Oil
- Ⓒ Wood
- Ⓓ Coal

3 According to the talk, which of these would be on a typical logo of a big oil company?
- Ⓐ A gas pump
- Ⓑ A bear
- Ⓒ A car
- Ⓓ A dinosaur

4 Why does Steven feel there is a finite supply of fossil fuels?
- Ⓐ There are limited numbers of living things.
- Ⓑ There is a serious dependency on them.
- Ⓒ Fossil fuels evolved into pollution.
- Ⓓ Those products leave organic waste.

Listen again to part of the lecture.
Then answer the question.

5 Who does the professor refer to in this statement?
- Ⓐ Those who are responsible for paying the expense of cleaning up
- Ⓑ Travelers who go to the pumps
- Ⓒ Those who do not produce pollution
- Ⓓ Large companies losing a lot of profits

Script CD1-52~57

Listen to part of a talk in an ecology class.

Professor: Presently, I expect most of you know our major sources of power are fossil fuels and nuclear power. **1** Er, there is also another fossil fuel recently discovered, shale gas, which is rapidly being adopted as a source of energy. However, today, we will discuss the problems of fossil fuels(A). Now, what kind of fossil fuels do we use now, Karen?(B)

Student A: **2** The major fossil fuels we use now are, err...coal, gas, petroleum, and, um, natural gas.

Professor: Yes, and they are so-named because they are derived from organic materials originating in prehistoric periods.

Student B: So, **3** that's why you can often see, say, scallop shells or dinosaurs in the logos of large oil corporations.

Professor: That's right. Over time, those dead organisms gradually became combustible materials(C). Now what are the problems with these types of fuels? Steven?(D)

Student B: Our first problem is that **4** the number of fossilized plants and animals is of course limited so the supply of these kinds of fuels is finite(E).

Professor: If our current rate of consumption continues, there will come a day when the oil fields run dry, and the coal fields are depleted. What is another problem? Karen?(F)

Student A: I think another problem is ... um, pollution.

Professor: Exactly.(G) Combustion of any of these materials results in carbon monoxide and carbon dioxide in our air, as well as carbon residues in machinery, and contaminated land and water.

Student A: **5** How can we solve these problems?

Professor: That is a difficult question. Unfortunately, all too often, the major offenders reap tremendous profits, then leave waste and pollution behind for others to bear the expense of cleaning up(H).

● ● STEP 10

音声聞き取りのポイント

① 教授が主な電力源の種類を述べてから，🅐 However, today, we will discuss the problems of fossil fuels. と言って，この日の講義のテーマは化石燃料の問題点であることを明示している。

② 次に，学生を積極的に議論へ参加させるため，🅑で Now, what kind of fossil fuels do we use now, Karen? と質問を投げかけている。

③ 学生の応答を That's right. と肯定した後，🅒 Over time, those dead organisms gradually became combustible materials. でさらに知識を与えている。

④ 🅓で Now what are the problems with these types of fuels? と問いかけ，本題に入っている。指名された学生は🅔で，Our first problem is that the number of fossilized plants and animals is of course limited so the supply of these kinds of fuels is finite. と答えを出す。教授は学生の答えを具体的に補足した後，さらに別の観点を求めるため，🅕で What is another problem? Karen? と他の学生に質問をする。学生の意見に対して🅖で Exactly. と肯定し，これについても補足説明をする。

⑤ 最後に🅗で，学生からの意見と質問に答える形で，化石燃料にまつわる問題の深刻さを説明している。

訳 生態学の講義の一部を聞きなさい。

教授：現在，主な電力源は化石燃料と原子力だということは，ほとんどのみなさんが知っていますよね。新たにシェールガスという化石燃料も発見され，エネルギー源として急速に普及してきています。ですが今日は，化石燃料の問題点について議論しましょう。では現在使われている化石燃料にはどのようなものがありますか，カレン？

学生A：現在私たちが利用している主な化石燃料は，えーと…，石炭，ガス，石油，それから，あの，天然ガスです。

教授：そうですね。化石燃料という名称で呼ばれているのは，先史時代の有機物質から抽出されるからです。

学生B：だから，大きな石油会社のロゴには，例えば，ホタテ貝の殻や恐竜などがあるのですね。

教授：そのとおりです。時が経ち，これらの死んだ有機物は徐々に変質して，可燃性物質になったのです。では，この種の燃料に関する問題点は何でしょうか，スティーブン？

学生B：第1の問題は，化石化した植物や動物の数には限りがあり，そのため，その結果として得られる燃料の供給量も有限だということです。

教授：もし，今のペースのまま消費し続ければ，油田が枯渇し，石炭も掘りつくされる日が来るでしょう。他の問題としては何がありますか，カレン？

学生A：他の問題は，うーん，汚染だと思います。

教授：その通り。どのような化石燃料でも，燃焼すると空気中に一酸化炭素や二酸化炭素を放出し，また，結果として機械類の中の残留炭素や，大地や水の汚染を発生させてしまいます。

学生A：どうすれば，こうした問題を解決できるのですか。

教授：それは難しい質問ですね。残念ながら，巨大な違法集団が莫大な利益を得た末に，廃棄物や汚染物質を放置して，他の人々が除去費用を負担させられることが，頻繁に起こっているのです。

1 正解 Ⓒ

設問の訳 新しく発見されたエネルギー源は何か。

選択肢の訳
- Ⓐ 新有機物
- Ⓑ 天然ガス
- Ⓒ シェールガス
- Ⓓ 原子力

下線部❶で,「新たにシェールガスも発見されエネルギー源として急速に普及してきている」と言っている。

2 正解 Ⓑ Ⓓ

設問の訳 化石燃料であると推測できるのはどれか。
答えを2つ選びなさい。

選択肢の訳
- Ⓐ 電気
- Ⓑ 石油
- Ⓒ 木材
- Ⓓ 石炭

下線部❷で,主な化石燃料は石炭,ガス,石油,天然ガスだとカレンが発言している。Ⓑ の Oil は放送文中では petroleum と表現されている。

3 正解 Ⓓ

設問の訳 講義によれば,大きな石油会社のロゴによく描かれているものは次のうちのどれか。

選択肢の訳
- Ⓐ 給油ポンプ
- Ⓑ 熊
- Ⓒ 車
- Ⓓ 恐竜

下線部❸で「大きな石油会社のロゴには,例えば,ホタテ貝の殻や恐竜などがある」と言っている。

4 正解 Ⓐ

設問の訳 スティーブンはなぜ化石燃料の供給は有限だと考えているのか。

選択肢の訳
- Ⓐ 生物の数には限りがあった。
- Ⓑ 深刻な依存がある。
- Ⓒ それが汚染を進行させた。
- Ⓓ 化石燃料は有機廃棄物を残す。

下線部❹で「化石化した植物や動物の数には限りがあり,そのため,その結果として得られる燃料の供給量も有限だ」と述べている。

● ● STEP 10

講義の一部をもう一度聞き，質問に答えなさい。(スクリプト太字部分参照)

5 正解 Ⓐ

設問の訳 教授はこの発言で誰について言及しているのか。

選択肢の訳
- Ⓐ 除去費用を負担しなければならない人たち
- Ⓑ 給油しに行く旅行者たち
- Ⓒ 汚染を生み出さない人たち
- Ⓓ 莫大な利益を失っている大会社

下線部**5**の，環境汚染の解決方法を尋ねる質問に対し，教授は「莫大な利益を得た後で汚染物質を放置する違反者」と，「それを除去する費用を負担しなくてはいけない人」について言及している。後者が選択肢 Ⓐ に合致する。

Column ❷ チューター制度／成績評価

　留学生活を成功させるにはまず，留学する大学の履修方法から学位取得に必要な要件など，その大学のシステムを熟知しておかなければなりません。大部分はどの大学でも共通していますが，細かい規則やその呼び名などは大学によって異なるのでチェックしておきましょう。システムやサービス，特に成績評価や，学力向上の援助に関する情報は最大限に活用し，快適な留学生活を送りましょう。

■ チューター制度

　教科の学習で困難が生じた場合，学部生（Undergraduate）はまず担当教員に相談に行きます。相談できる時間は原則的には担当教員のオフィス・アワー（office hour）ですが，そこで担当教員が必要と認めればチューター（tutor）に支援を受けるようすすめられ，依頼の手続きを取ってくれます。なお，オフィス・アワーとは教員が学生の相談を受けるために，週に何時間か必ず設定しなければならない時間のことで，大学の規則によって定められています。相談するには事前に申し込みが必要な場合もあります。

　担当教員の紹介をもらってチューター・センター（Tutor Center）に行き，教科専門のチューターに，問題点，自分の希望などを伝えた後，学習方法，期間などを話し合って学習を始めます。たいていの場合，チューターは大学院生で，大学の提供するアルバイトとして，収入を得るために，また自分の専門をより向上させるために働いています。このサービスは無料で提供されているので，最大限活用することをおすすめします。教科学習の向上だけでなく，知的会話の機会が増えるので，留学生ならまさにオーラル・イングリッシュの無料個人レッスンを受けているのと同じです。チューターと話していれば，会話の内容は主に教科のことなので，一般的なオーラルの力が向上するだけでなく，クラスでのディスカッションにもスムーズに入っていくことができるようになるでしょう。

■ 成績評価

　アメリカの大学の成績は，A（優），B（良），C（可），F（不可）の4段階で評価されます。単位が認定されるのはUndergraduate（学部生）であればC以上，Graduate／Postgraduate（大学院生）であればB以上です。この成績を点数化す

るため，A = 4.0，B = 3.0，C = 2.0，F = 0 として，個人の成績の平均点を出します。これを GPA = Grade Point Average（評定平均値）といいます。例えば，English 10 が A 評価，Linguistics 101 が B 評価，Anthropology 3 が A 評価であれば GPA は 3.7 です。

　学期の途中で，登録している科目の内容が難しすぎたり，事情で授業に規定回数出席できなくなったりした場合は，その科目について Withdrawal（登録抹消）の手続きを取らなければなりませんが，Withdrawal は学期が始まって数週間以内しか認められません。もしその期間を過ぎてしまっている場合には，来学期に再度履修し直すように手続きを取り，Incomplete（I 評価）にすれば GPA に影響はありません。しかし，次の学期も続けて Incomplete にはできないので注意が必要です。上記のような手続きを取らず，そのままにしておいた場合，評価は F になり，F も評定平均値に反映されるので，GPA が著しく低い結果になります。

　この GPA は奨学金取得，大学院進学，他大学への転学（Transfer）など，学生生活では非常に重要となってくるので，在学中はできるだけ努力し，少しでも GPA を上げておきたいものです。例えば，大学院に進学するためには GPA 3.0 以上が求められます。また奨学金についても GPA は重視されますので，多くの場合 3.5 以上は必要と考えた方がよいでしょう。成績が著しく悪い場合や，特に留学生で学生ビザを維持するために必要な単位数が取れていない場合には，academic probation（成績不良改善勧告）がきます。次の学期に成績，取得単位数などが改善されなければ，放校処分になりますので注意してください。

STEP 11 生物学の講義

> **学習目標** 生物学の講義を聞き，それに関連する語彙，表現を学習する。

ポイント

生物学の範疇に含まれるものには，botany「植物学 (plants)」，zoology「動物学 (animals)」，ornithology「鳥類学 (birds)」，entomology「昆虫学 (insects)」，mycology「菌類学 (fungi)」，microbiology「微生物学 (microorganisms)」，bacteriology「細菌学 (bacteria)」などがあります。また，関連分野として biochemistry「生化学」や，molecular biology「分子生物学」などがあります。

TOEFL では特別な知識を必要としない話題が選ばれることが前提とはいえ，基礎的な語彙力がなければ十分に内容を理解して聞き取ることができません。リーディングであれば，前後関係や単語の形から意味を推測できますが，リスニングでは，初めて耳にする語，特にギリシャ語を起源とする専門用語などの意味を，音から推測しようとしても難しいはずです。

例えば，上記の中では，ornithology という音を聞いて「鳥の話だな」，entomology と聞いて「どんな昆虫が出てくるのだろうか」と考えられる人は少ないでしょう。

学問分野を表す語については，その関連用語も含めて，意味と発音をまとめて学習しておくとよいでしょう。

Exercise　　　　　　　　　　　　　　CD1-58~63

Now get ready to answer the questions.
You may use your notes to help you answer.

1 Where do poisonous snakebites commonly occur?
- (A) In dark, rocky places
- (B) Near nests of snakes in holes and caves
- (C) In rivers and lakes
- (D) In fields and forests

2 What may we deduce is milking?
- Ⓐ Ejecting venom
- Ⓑ Injecting blood into a horse
- Ⓒ Building resistance in the blood
- Ⓓ Treating the victim

3 According to the lecture, how is antivenin made? Put steps of the process of making it in order.
- Ⓐ The antivenin plasma is separated.
- Ⓑ The venom is injected into horse.
- Ⓒ The snake is milked of its venom.
- Ⓓ The blood is extracted from horse.

4 Which of the following is a reported symptom of poisonous snakebites? Choose 2 answers.
- Ⓐ Swelling
- Ⓑ Unconsciousness
- Ⓒ Uncontrollable shaking
- Ⓓ Dark coloration of the skin

5 What is an elastic wrap used for?
- Ⓐ Immobilizing the limb
- Ⓑ Controlling the spread of the poison
- Ⓒ Stopping the bleeding
- Ⓓ Transporting the victim

Exerciseの語彙・表現

毒ヘビに噛まれて人が死に至る過程や、噛まれたときの対処法を述べている講義です。被害に遭ったときに必要な血清、その血清の作成法、使用法、その効果などに関する単語、表現が出ています。まずは音声を聞いて、理解できなかった語句を以下のリストで確認してください。その後、もう一度音声を聞き、問題を解いてみましょう。

snakebite　毒ヘビに噛まれること、またその傷
dosage　用量
　　＊一般的には薬の投薬量を指す語。放射線の被ばく量という意味もある。この講義の中では、毒の量という意味で用いられている。
antidote　解毒剤
casualties　（事故、事件による）死傷者
antivenin　（ヘビやクモなどの毒に対する）抗毒血清
venom　毒
inject　〜を注入する
resistance to 〜　〜に対する抵抗力
extract　〜を抽出する
antivenin-rich plasma　抗蛇毒素血清が豊富な血しょう
treatment　治療
splint　〜に添え木をあてる
swelling　腫れ

Script　　CD1-58~63

Listen to part of a lecture in biology.

Snakebites are a serious problem in Southeast Asia.

The poison strikes the nervous system, and if the dosage is large enough that the victim's brain cannot adequately send clear signals to various parts of the body, death occurs. Nearly all of these deaths are preventable with antidotes. Unfortunately, **1** most of the casualties are poor farmers, who are bitten while working in the fields and forests.

They lack the technology to prepare antivenin, although the procedure is not so complicated. First, **2** **3-C** the snake is caught, and milked of its venom by placing its fangs over a container. **3-B** Then the venom is injected into a horse in increasingly large amounts so that the horse can gradually build up resistance to the poison. When the horse has acquired a high level of tolerance, **3-D** its blood is extracted by a needle. **3-A** The antivenin-rich plasma is separated, and then stored in refrigerated facilities.

If a snakebite occurs, immediate treatment is essential, even before any symptoms appear, which is usually in about ten minutes. **5** Using an elastic wrap to apply pressure over and around the bite will help to prevent the venom from spreading. Then, splinting the affected limb for immobilization will allow the victim to be transported to a hospital for treatment, and arrive in the best possible condition. **4** Within about thirty minutes of injecting antivenin to the snakebite victim, the swelling subsides, and the dark coloration of the skin begins to return to normal. Complete recovery is usually within a few hours.

訳　生物学の講義の一部を聞きなさい。
　東南アジアにおいて，ヘビに噛まれることは深刻な問題です。
　毒ヘビの毒は神経系統に打撃を与え，毒の量が十分に多く，犠牲者の脳が体の様々な部位に明確な信号を適切に送ることができなくなったときには，死に至ります。血清があれば，こうした死の大半は防ぐことができます。不幸にも，これらの犠牲者のほとんどは貧しい農民で，野原や森で仕事をしているときに噛まれています。
　（血清を）作る方法は複雑ではないのですが，彼らには血清を作る技術が欠けています。まずはヘビを捕獲し，容器の上にその毒牙を当てて毒を抽出します。次にその毒を馬に注入し，その量を次第に増やしていきます。そうすると馬は徐々に毒に対する抗体を作り上げていくことができます。馬に高レベルの耐性ができた時点で，注射針でその血液を抽出します。抗蛇毒素血清が豊富な血しょうを分離し，冷蔵設備で保存します。

> もしヘビに噛まれたら，症状が現れる前に速やかに手当てする必要があります。症状が現れるまでは通常，10分ほどです。伸縮性のあるラップを傷口とその周辺に押し付けてあてがい，毒が広がるのを防ぎます。それから傷口のある手や足に添え木をして固定することで，被害者を最善の状態で医療施設へ移送することができます。血清を投与されると，約30分以内に被害者の腫れは収まり，皮膚の黒ずみは正常に戻り始めます。通常，数時間以内で完全に回復します。

1 正解 Ⓓ

設問の訳 どこで毒ヘビに噛まれることがよくあるか。

選択肢の訳
- Ⓐ 暗くて岩の多いところで
- Ⓑ 穴や洞窟の蛇の巣の近くで
- Ⓒ 川や湖で
- Ⓓ 野原や森で

> 下線部❶で，農民が野原や森で仕事をしているときにヘビに噛まれることが多いと説明されている。よって，Ⓓ が正解。

2 正解 Ⓐ

設問の訳 ミルキングとはどのようなことだと推測されるか。

選択肢の訳
- Ⓐ 毒を抽出する
- Ⓑ 馬に血液を注射する
- Ⓒ 血液中に抗体を作る
- Ⓓ 犠牲者の治療をする

> milk という単語は下線部❷に出てくる。この前の文は「手順は複雑ではないが，抗毒血清を準備する技術がない」なので，下線部❷の「初めにヘビが捕えられて，毒が milk される」は，血清を作る手順の説明と推測できる。続く文は「それから毒が馬に注入される」なので，milk の意味に合うのは Ⓐ 「毒を抽出する」である。

3 正解 Ⓒ→Ⓑ→Ⓓ→Ⓐ

設問の訳 講義によれば，血清はどのようにして作られるか。その手順を正しい順番に並べなさい。

選択肢の訳
- Ⓐ 抗蛇毒素血清を含む血しょうを分離する。
- Ⓑ 毒を馬に注射する。
- Ⓒ ヘビから毒を搾り出す。
- Ⓓ 馬から血液を抽出する。

> 下線部 3-A から 3-D を参照。Ⓒ「ヘビを捕まえて毒を搾り出す」→ Ⓑ「馬に毒を注射する」→ Ⓓ「馬の血液を取り出す」→ Ⓐ「血しょうを分離する」という流れで作られる。

4 正解 Ⓐ Ⓓ

設問の訳 毒ヘビに噛まれた時の症状として報告されているものは以下のうちのどれか。答えを 2 つ選びなさい。

選択肢の訳
- Ⓐ 腫れ
- Ⓑ 意識の消失
- Ⓒ 止まらない震え
- Ⓓ 皮膚の黒ずみ

下線部❹に「血清を投与されると，約 30 分以内に被害者の腫れは収まり，黒ずんだ肌は正常に戻り始める」とあることから，Ⓐ「腫れ」，Ⓓ「皮膚の黒ずみ」が噛まれた後に現れる症状だと考えられる。

5 正解 Ⓑ

設問の訳 伸縮性のあるラップは何のために使われるか。

選択肢の訳
- Ⓐ 手や足を固定する
- Ⓑ 毒の拡散を抑える
- Ⓒ 止血をする
- Ⓓ 患者を搬送する

下線部❺でラップの使い方が説明されている。「伸縮性のあるラップを傷口とその周辺に押し付けてあてがい，毒が広がるのを防ぐ」と言っているので，Ⓑ が正解。

STEP 12 政治学の講義

学習目標　アメリカの民主主義の講義を聞き，それに関連する語彙，表現を学習する。

ポイント

　アメリカの大学では，GE（general education，一般教養科目）のpolitical science（政治学）でAmerican Democracyが必修科目となっており，特に大統領の選出方法は重視されているようです。

　American Democracyは現在，自由主義圏の政治のひな形のようになっていますが，アメリカの大統領は少し変わった方法で選出されており，国民が直接大統領を選ぶ直接選挙は行われていません。国民は選挙人を選び，選挙人が大統領を選ぶ間接選挙が採用されているのです。これを時代遅れの制度と考えている人もいるようです。

　今日は，国民の政治参加に関して19世紀初頭から長きにわたって続いている論争をテーマにした講義の一部を聞いてみましょう。

Exercise　　　　　CD 1-64~69

Now get ready to answer the questions.
You may use your notes to help you answer.

1 When did Jackson and Hamilton probably live?
- (A) In the early seventeenth century
- (B) In the early eighteenth century
- (C) In the early nineteenth century
- (D) In the early twentieth century

2 According to the lecture, what did Hamilton believe?
Choose 2 answers.
- Ⓐ Most laymen were not to be trusted.
- Ⓑ The official representatives should make decisions about governing the people.
- Ⓒ Each common person should be involved in running the government.
- Ⓓ Citizens should vote for members of an electoral college.

3 Who was known as the "People's President"?
- Ⓐ Democratic representatives
- Ⓑ Each common person
- Ⓒ Alexander Hamilton
- Ⓓ Andrew Jackson

4 Who directly chooses the U.S. President now?
- Ⓐ The representatives
- Ⓑ The governors
- Ⓒ The voters
- Ⓓ The electoral college

Listen again to part of the lecture.
Then answer the question.

5 What is the main point of the professor's statement?:
- Ⓐ America's ideals of democracy differed from its roots.
- Ⓑ The concept of democracy originated from ancient Greek city-states.
- Ⓒ In a democratic society like ancient Greece, every person had the right to vote.
- Ⓓ America practiced democracy with a majority decision ruling the issues.

Exerciseの語彙・表現

ハミルトンとジャクソンという2人の人物の，政治参加に対する考え方が紹介されています。それぞれの主張の違いを理解し，それが現在のアメリカ政治にどう影響しているのかを聞き取りましょう。音声を聞いて理解できなかった語句を以下のリストで確認し，その後，もう一度音声を聞いて問題を解いてみましょう。

constitution　憲法
　＊the United States Constitution は世界で初めての成文憲法。
ratify　〜を批准する
　＊憲法案や国の代表者が署名した条約などを，国内で権限を与えられた立場の者が確認し，同意すること。
direct democracy　直接民主制
　＊その社会の構成員（住民，国民等）が代表者を介さずに直接意思決定に参加する制度。民主制発祥の地である古代ギリシャの都市国家で行われていた。
democratic republic　民主共和制
　＊民主的手続きによって選ばれた代表者が，人々のために政治決定を行う制度。
reasoning skills　論理的能力
official representative　公式代表者
electoral college　選挙人団
　＊選挙に参加する権利を持つ集団。この講義の中では，アメリカ大統領，副大統領を選ぶ権利を持つ人たちを指している。国民によって選ばれる。
college　（共通の利害を持つ）団体，協会，選挙民たち
direct election system　直接選挙制
　＊その社会の構成員（住民，国民）が直接代表者を選ぶ選挙制度。

Script　　　　　　　　　　　　　　　　　　　CD1-64~69

Listen to part of a lecture in a political science class.

After the United States Constitution was ratified and became law, it became necessary to put the ideals into practice. You see, ❺ the concept of democracy had its roots in the direct democracy practiced in ancient Greek city-states. There, each free man had the right to vote on issues and majority decision ruled. But America became a democratic republic in which the representatives were elected in a democratic process for the responsibility of decision making.

❶ The amount of power each common person could wield in the governmental process was a major point of contention in the early 1800s. One man, ❷-A Alexander Hamilton, believed that most laymen were not to be trusted because they lacked education, knowledge, and reasoning skills. Imagine saying that kind of thing today. Anyway, ❷-B he thought therefore that decisions about governing the people should be made exclusively by the official representatives, who knew best. In all fairness, at that time there was limited education, literacy, and access to information, even through printed words.

In contrast, Andrew Jackson thought that each common person should be involved in running the government as much as possible. Even though some of his policies were a far cry from what we might expect in this century, ❸ he was known as the "People's President."

Even nearly two centuries later, this conflict of Hamiltonian and Jacksonian democracy has not been resolved. For example, ❹ citizens vote for members of an electoral college that decides who will be President. And some voters think a direct election system would be better.

訳　政治学の講義の一部を聞きなさい。
　合衆国憲法が批准されて法となった後，その理念を実行に移すことが必要となりました。皆さんも知っているでしょうが，民主主義の概念の起源は，古代ギリシャの都市国家における直接民主制にあります。そこでは，個々の自由人が争点に対する投票権を持っており，多数決が原則でした。しかしアメリカは民主共和制になり，民主的手続きによって選ばれた代表者が，国民のために意思決定しました。
　1800年代初期，政治のプロセスにおいて一般の個々人がどこまで権力を行使できるのかが議論の争点となりました。アレキサンダー・ハミルトンという人物は，ほとんどの（政治的）素人は教育，知識，論理的能力に欠けており，信頼できないと考えていました。今日，そのようなことを言ったらどうなるか想像してみてください。ともかく，それゆえ彼は，国民の統治に関する決定は，政治をもっともよく知っている公式代表者のみが行うべきであると考えました。公正を期して言えば，その当時は教育や識字能力が限られており，印刷物を通じてさえ十分な情報を得ることが難しかったのです。

彼とは対照的にアンドリュー・ジャクソンは，個々の一般人はできる限り政府の運営に関わるべきだと考えていました。彼の政策の一部は，今世紀において私たちが期待したであろうものとかなりかけ離れていましたが，彼は「民衆の大統領」として知られていました。
　かれこれ200年たった今でも，このハミルトン派とジャクソン派の民主主義論争は決着していません。例えば，国民は大統領を選ぶ大統領選挙人団を選出します。しかし有権者の中には，直接選挙制の方が良いと考える人もいるのです。

1 正解 C

設問の訳 ジャクソンとハミルトンはどの時代に生きていたと思われるか。

選択肢の訳
- A　17世紀初期
- B　18世紀初期
- C　19世紀初期
- D　20世紀初期

下線部**1**の1800年代初期の話の流れで，ハミルトンが出てくる。また，その後「かれこれ200年たった今でも」とあるので，この二人は今から200年ほど前（19世紀初頭）の人物であったということになる。

2 正解 A B

設問の訳 講義によると，ハミルトンはどのようなことを信じていたか。
答えを2つ選びなさい。

選択肢の訳
- A　素人の大半は信頼すべきではない。
- B　公式代表者が人々の統治に関する決定を下すべきである。
- C　一般の個々人が政府の運営に関与すべきである。
- D　市民が大統領選挙人を選出すべきである。

下線部 **2-A** で，「ハミルトンがほとんどの（政治的）素人は教育，知識，論理的能力に欠けるので信頼できないと信じていた」こと，下線部 **2-B** で，「彼が政治的な決定は公式代表が行うべきであると考えていた」ことが説明されている。

3 正解 D

設問の訳 「民衆の大統領」として知られていたのは誰か。

選択肢の訳
- A　民主党議員
- B　一般の個々人
- C　アレキサンダー・ハミルトン
- D　アンドリュー・ジャクソン

下線部**3**で「彼は『民衆の大統領』として知られている」とあり，ここでのheは前文に登場するジャクソンを指しているので， D が正解。

4 正解 D

設問の訳 今日，直接的に米国大統領を選出しているのは誰か。

選択肢の訳
- A 国会議員
- B 知事
- C 有権者
- D 大統領選挙人団

下線部**4**に，「国民は大統領を選ぶ大統領選挙人団を選出する」とある。

講義の一部をもう一度聞き，質問に答えなさい。（スクリプト太字部分参照）

5 正解 A

設問の訳 教授の次の発言の要点は何か。（スクリプト破線部参照）

選択肢の訳
- A アメリカにおける民主主義の理念は，その起源とは異なるものだった。
- B 民主主義の概念の起源は，古代ギリシャの都市国家にある。
- C 古代ギリシャのような民主主義社会では，すべての人が投票権を持っていた。
- D アメリカは多数決の原理で民主主義を行った。

教授の発言は But で始まっているので，これより前の内容とは違うことが主旨と考えられる。つまり「民主主義の概念の起源は古代ギリシアの直接民主制で，個々が投票権を持っていた」（下線部**5**）のだが，「アメリカは代表者が意思決定をする民主共和制になった」（破線部）ので，発言の要点は「アメリカの民主主義の理念は，その起源と異なる」という A が正解。

STEP 13 芸術の講義

学習目標　芸術の講義を聞き，それに関連する語彙，表現を学習する。

ポイント

「芸術（Arts）」の分野の講義には，この Exercise で取り上げる音楽（Music）のほか，建築（Architecture）などがあります。

TOEFL で扱われるトピックとしては，例えばアーティストの業績があります。もし東洋の，特に日本のアーティストであれば，日本人学習者にとってそれほど難しくないでしょうが，実際には，欧米系のアーティストを扱う問題が大半を占めているようです。しかも，今活躍している人ではなく，歴史的に業績が認められている人の話が出題される可能性が高いのです。ですから，こういった人物についてある程度知識があれば，リスニングの際に役に立つでしょう。全く知らない人物の話が出題された場合は，「どのような理由で有名なのか」「いつ頃，どのような実績をあげたか」などに注意しながら聞くといいでしょう。

Exercise　　　　　　　　　　　　　　　　CD1-70〜75

Now get ready to answer the questions.
You may use your notes to help you answer.

1　What were given as examples of a type of song accompanied by an early guitar?
Choose 2 answers.
- (A) Classical music
- (B) Ballads
- (C) Folk songs
- (D) Tonal songs

2 Which of the following best represents a contribution made by Andres Segovia?
- (A) He modernized guitar music during the 20th century.
- (B) He didn't recognize the lyre as a serious instrument.
- (C) He started his own network of players of his style.
- (D) He transcribed music from his native country.

3 According to the lecture, how long did Segovia perform?
- (A) Nearly a decade
- (B) Nearly twenty years
- (C) Nearly fifty years
- (D) Nearly one hundred years

4 The professor explains a series of events about Segovia. Put the events in order.
- (A) He continued performing even though his fingers began to shake.
- (B) Players of his style formed a worldwide network.
- (C) He rearranged classical music.
- (D) His virtuosity became increasingly popular.

Listen again to part of the lecture.
Then answer the question.

5 What does the professor mean when she says this?
- (A) Segovia is very well known for his excellent performance of the guitar.
- (B) Segovia is still best known for his performances of songs from Spain.
- (C) Segovia played various kinds of classical music.
- (D) Various masters wrote many types of classical music for Segovia.

Exerciseの語彙・表現

弦楽器についての講義で，その優れた演奏技法でギターを世界中に広めたあるスペインの演奏家を取り上げています。英文を聞いてわからなかった語句をチェックしてください。語句の意味を理解した上で，もう一度英文を聞き，問題を解いてみましょう。

the strings　（集合的に）弦楽器，（管弦楽団の）弦楽器パート（の演奏者たち）
stringed instruments　弦楽器
accompany　（歌・楽器）の伴奏をする
transcribe　（楽曲を他の楽器のために）編曲する
tonal range　階調範囲，音調の範囲
frequency range　周波数帯域，周波数の範囲
rendition　演奏，（芸術的な）表現
virtuosity　芸術上（特に音楽）の技巧，妙技

Script

Listen to part of a lecture in a music class.

As we continue our discussion about the strings, today I would like to focus on the guitar as a recognized classical instrument. Last lecture, we made reference to the Greek stringed instruments which have been used for thousands of years in the form of lyres and harps, but guitars as we know them first appeared in the last few hundred years. <u>Early guitars were primarily used to accompany singers of ballads, and by people performing traditional folk songs.</u>

<u>It was not until the twentieth century that the guitar was considered a serious instrument, largely due to the efforts of one man, Andres Segovia.</u> <u>Segovia painstakingly rearranged and transcribed classical music</u> to fit the tonal range, frequency range, and fingering limitations of the guitar. **Although he performed many types of classical music written by various masters, he is probably best remembered for performing his superb renditions of music from his native Spain.** <u>Over the course of his life, he consistently astounded audiences, performing for nearly a century.</u> <u>As his virtuosity became increasingly popular,</u> <u>his students, and their students, and so on, began to form a worldwide network of players of his style.</u>

Naturally, at the top of the pyramid stood Segovia, with others officially ranked lower within the system. <u>In his later years, his hands occasionally trembled during performances,</u> and his speed and technique were not at the caliber of his younger days. But rarely was there ever a disappointed member of the audience. Because even as he aged well beyond the lifespan of most people, he continued to convey his passion for the instrument with each stroke of his fingers.

訳 音楽の講義の一部を聞きなさい。

弦楽器についてディスカッションを続けますが，今日は，クラシック音楽の楽器として広く認められているギターに焦点を当ててみたいと思います。前回の講義では，これまで何千年にもわたってリラ（竪琴）やハープといった形で使用されてきたギリシャの弦楽器について触れました。しかし，我々の知っているギターの誕生はここ数百年の間のできごとです。初期のギターは主にバラードを歌う歌手の伴奏として，また伝統的な民謡を演奏する人々によって使われました。

20世紀になって初めて，ギターは重要な楽器と考えられるようになりましたが，それは主に一人の男性，アンドレス・セゴビアの努力によるものでした。セゴビアは，ギターの階調範囲や周波数帯域，指の動かせる範囲に合うように，苦労を重ねてクラシック音楽を編曲したり再編曲したりしました。彼は様々な巨匠たちが作曲した多様なクラシック音楽を演奏しましたが，生まれ故郷であるスペイン音楽

の卓越した演奏で，おそらく最もよく知られているでしょう。彼は生涯にわたりほぼ一世紀近くもの間，ギターを演奏し，常に聴衆を驚かせ続けました。彼の妙技が有名になるにしたがい，彼の弟子やまたその弟子たちなどが彼の演奏様式を受け継ぐ演奏家のネットワークを世界規模で作り始めました。

　当然，セゴビアはそのピラミッドの頂点に立ち，他の演奏家たちはそのシステムの中で正式に下位に位置づけられていました。晩年には，演奏中にときどき手が震えることがあり，そのスピードやテクニックは若い時の力量には及びませんでした。しかし聴衆をがっかりさせることはめったにありませんでした。それは，彼が多くの人々の寿命をはるかに超えた年齢になってもなお，指のひとつひとつの動きで，ギターに対する情熱を伝え続けたからです。

1 正解 Ⓑ Ⓒ

設問の訳 初期のギターが伴奏に使用された歌の例として何が挙げられているか。答えを2つ選びなさい。

選択肢の訳
- Ⓐ クラシック音楽
- Ⓑ バラード
- Ⓒ 民謡
- Ⓓ 調律のとれた歌

下線部❶に「初期のギターは主にバラードを歌う歌手の伴奏や伝統的な民謡を演奏する人々によって使われた」とある。

2 正解 Ⓐ

設問の訳 アンドレス・セゴビアの貢献を最もよく表しているものはどれか。

選択肢の訳
- Ⓐ 20世紀の間に，ギター音楽を現代化した。
- Ⓑ リラを大事な楽器として認めなかった。
- Ⓒ 自分の演奏様式を受け継ぐ演奏家たちのネットワークを作った。
- Ⓓ 母国の音楽を編曲した。

下線部❷以降より，20世紀に入って彼の功績によってギターが重要な楽器と認められるようになったこと，具体的にはクラシック音楽を編曲・再編曲していったことがわかる。よって，答えはⒶ。

3 正解 Ⓓ

設問の訳 講義によれば，セゴビアはどのくらい演奏を続けたか。

選択肢の訳
- Ⓐ ほぼ10年
- Ⓑ ほぼ20年
- Ⓒ ほぼ50年
- Ⓓ ほぼ100年

下線部❸で「彼は生涯にわたりほぼ一世紀近くもの間，ギターを演奏し」と述べている。nearly a century を nearly one hundred years と言い換えたⒹが正解。

●● STEP 13

4 正解 C → D → B → A

設問の訳　教授はセゴビアにまつわる一連の出来事を説明している。その出来事を年代順に並べなさい。

選択肢の訳
- Ⓐ　指が震えだすようになっても演奏を続けた。
- Ⓑ　彼の演奏様式を受け継ぐ演奏家たちが世界規模のネットワークを構築した。
- Ⓒ　彼はクラシック音楽を編曲した。
- Ⓓ　彼の妙技はますます有名になった。

下線部 4-A ～ 4-D 参照。

講義の一部をもう一度聞き，質問に答えなさい。（太字部分参照）

5 正解 Ⓑ

設問の訳　教授はこのように言って，何を言おうとしているのか。

選択肢の訳
- Ⓐ　セゴビアはその素晴らしいギターの演奏で大変よく知られている。
- Ⓑ　セゴビアは今もなお，スペイン音楽の演奏で最もよく知られている。
- Ⓒ　セゴビアは多様なクラシック音楽を演奏した。
- Ⓓ　セゴビアのために，多くの巨匠がクラシック音楽を作曲した。

教授が言おうとしているのは，Although から始まる従属節で触れている「クラシック音楽」や「巨匠」ではなく，後半の「スペイン音楽の卓越した演奏で最もよく知られている」ということである。

STEP 14 アメリカ文化の講義

学習目標　アメリカ文化の講義を聞き，それに関連する語彙，表現を学習する。

ポイント

TOEFLでは原則として特別な知識を必要としない問題が出題されるため，文化がテーマにされる場合も，アメリカ文化の一般的な話題が扱われています。ですが，やはり日本人からすればアメリカ特有と感じられるテーマもあるようです。

Exercise の題材となっているロデオも，大半の日本人にとってはあまり馴染みのないものでしょう。ロデオは，西部開拓時代のカウボーイの仕事に必要な技術の向上のために生まれた競技です。現在は当時ほど注目度の高い競技ではなくなりましたが，アメリカ人は今でも自分たちの伝統的文化の一つと考えているようです。

Exercise　　CD1-76〜81

Now get ready to answer the questions.
You may use your notes to help you answer.

1 In which event does the rider jump from a horse to a bull?
- (A) Bronco-riding
- (B) Steer-wrestling
- (C) Bull-riding
- (D) Tie-down-roping

2 Based on the information in the lecture, indicate which event below involves horses, bulls, or horses and bulls.

  (A) horses
  (B) bulls
  (C) horses and bulls

(1) Steer-wrestling	
(2) Tie-down-roping	
(3) Bronco-riding	

3 When is tie-down-roping a useful skill?
  (A) Lasso time
  (B) Bareback-riding time
  (C) Branding time
  (D) Saddling time

4 What is so breathtaking about bull-riding?
  (A) The excitement of using a lasso
  (B) The difficulty in breathing
  (C) The difficulty in jumping off a bull
  (D) The danger the bull presents to the thrown rider

5 What improves a rider's safety?
  (A) Clowns to take away the bull's attention
  (B) Safety equipment for chest protection
  (C) Rules which require safety procedures
  (D) Leg armor for protection against goring

Exerciseの語彙・表現

英文にはいくつかのロデオ競技が出てきます。説明されているので，きちんと聞けば理解できるはずですが，イメージしづらい部分もあるかもしれません。何度か聞いてもわかりづらい場合は以下を参考にしてください。

rodeo　ロデオ（荒牛や荒馬を乗り回したり，投げ縄で牛を捕らえたりする競技）
　　＊もともとの意味は「牧牛を収容するための囲い」，「牧牛の駆り集め」。
bronco　ブロンコ（北米西部平原産の放牧野馬）
　　＊ロデオの競技に用いる馬を表す場合は horse ではなく bronco を使う。
saddle bronco-riding　鞍付き荒馬乗り
bareback bronco-riding　裸荒馬乗り
steer-wrestling　ステア・レスリング（馬に乗ったカウボーイが走っている牛に飛び乗り，牛の首をひねって地面に倒す競技）
　　＊牧牛を駆り集める際に，逃げようとする牛を制御するのに必要な技術。
tie-down-roping　タイ・ダウン・ロービング（投げ縄で仔牛を捕え，仔牛の3本の脚を縛る競技）
　　＊新しく生まれた仔牛の所有を示すために烙印（branding）を押すときなどに必要な技術。
lasso　投げ縄，（家畜を）投げ縄で捕まえる
providing　〜を条件に　＊provided も同じ意味で使われる。
brand　烙印，烙印を押す

〈注意の必要な語彙・発音〉
cowboy　アメリカ英語では /キャゥボォイ/ と発音される場合がある。
rein　手綱，制御手段　＊rain と同じ発音。

Script

Listen to part of a lecture in an American culture studies class.

Like many other sports, the rodeo is a competition using skills that were important in daily life or work. A cowboy had to be able to tame a wild horse. This is represented by the saddle bronco-riding and 2-3 bareback bronco-riding events. In both events, the rider must stay on a horse for a specified time, holding only a rein in one hand, and points are given for technique and difficulty in riding a horse. The wilder the horse is, the more points the contestant receives.

1 2-1 Steer-wrestling involves jumping off a horse onto a running bull and twisting its head till it falls to the ground. The fastest time determines the winner. 2-2 In tie-down-roping, the cowboy must catch the calf using a lasso. Then he throws it down and ties up three of its legs. Again, the entrant with the best time wins, providing the calf cannot free itself for a certain period of time. 3 This is a useful skill during branding time.

Perhaps the most exciting event is bull-riding. Like bronco-riding, the entrant is judged on technique, after staying on the bull for the required time. 4 The difficulty in riding a bull, coupled with the danger of a bull attacking a dismounted rider, provides a breathtaking spectacle.

Unlike the bucking broncos, bulls will intentionally gore or trample anything in sight. 5 Rodeo clowns are employed to distract the bulls once a ride has ended, thus providing a margin of safety, particularly to injured riders.

訳 アメリカ文化研究の講義の一部を聞きなさい。

　他の多くのスポーツと同様，ロデオは日常生活や仕事において重要な技術を用いる競技です。カウボーイには，野生の馬を飼い慣らす能力が必要でした。これは，鞍付き荒馬乗りや裸荒馬乗りに代表されています。どちらの競技でも，片手で手綱だけを持った状態で，決まった時間，馬に乗り続けなければなりません。得点は乗馬の技術と難度によって与えられます。馬の気性が荒ければ荒いほど，競技者はより多くの得点を獲得します。

　ステア・レスリングでは，馬から走っている牛に飛び乗り，牛をひねり倒してその頭を地に付けます。最短時間で行った人が勝者になります。

　タイ・ダウン・ローピングでは，カウボーイは投げ縄で仔牛を捕まえなければなりません。それからその仔牛を投げ倒し，その3本の脚を縛ります。ある一定時間仔牛が動けないことを条件として，この競技でもやはり，最も早くできた参加者が勝利します。これは烙印を押す時に役立つ技術です。

　多分，最もエキサイティングな競技は，牡牛乗りでしょう。荒馬乗りと同じように，参加者は規定の時間牛に乗り続けた後，技術によって得点を判断されます。牡牛乗りの難しさは，牛から落ちた乗り手を牛が襲うという危険性も相まって，息をのむ光景を生み出します。

　乗り手を振り落とそうとする馬とは異なり，牡牛は目に入ったものをすべて，意図的に突き刺し，踏みつけます。ロデオ・ピエロが，牡牛乗りが終わると直ちに牛の注意をそらし，特に負傷した競技者のために安全を確保する時間を作るために雇われています。

1　正解　B

設問の訳　どの競技の時に乗り手は馬から牛に飛び移るのか。

選択肢の訳
- (A) 荒馬乗り
- (B) ステア・レスリング
- (C) 牡牛乗り
- (D) タイ・ダウン・ローピング

下線部 **1** で「ステア・レスリングでは，馬から走っている牛に飛び乗る」と説明している。

2　正解　(1) C　(2) B　(3) A

設問の訳　講義の情報によると，どの競技が馬，牛，そして馬と牛に関連しているか。

選択肢の訳
- (A) 馬
- (B) 牛
- (C) 馬と牛

(1) ステア・レスリング　　(2) タイ・ダウン・ローピング
(3) 荒馬乗り

下線部 **2-1**「ステア・レスリングでは，馬から走っている牛に飛び乗る」より，ステア・レスリングは馬と牛が関わる。下線部 **2-2**「タイ・ダウン・ローピングでは，カウボーイは投げ縄で仔牛を捕まえなければならない」より，タイ・ダウン・ローピングは牛が関わる。下線部 **2-3**「決まった時間，馬に乗り続けなければならない」より荒馬乗りは馬が関わる。

3 正解 C

設問の訳 タイ・ダウン・ロービングはどのような時に役立つ技術か。

選択肢の訳
- A 投げ縄の時
- B 裸荒馬乗りの時
- C 烙印を押す時
- D 鞍付けする時

下線部❸に「この技術は烙印を押す時に役立つ」とある。

4 正解 D

設問の訳 なぜ牡牛乗りは息をのむほどの迫力があるのか。

選択肢の訳
- A 投げ縄を使う興奮
- B 呼吸のしづらさ
- C 牡牛乗りの難しさ
- D 投げ出された競技者を牡牛が襲う危険性

下線部❹「牡牛乗りの難しさは，牛から落ちた乗り手を牛が襲うという危険性も相まって，息をのむ光景を生み出す」より，D が正解。

5 正解 A

設問の訳 何が競技者の安全を向上しているか。

選択肢の訳
- A 牡牛の注意を引くピエロ
- B 胸を保護するための安全装備
- C 安全措置を必要とする規則
- D 牛の角から保護するための足の防護具

下線部❺「ロデオ・ピエロが，ロデオが終わると直ちに牛の注意をそらし，特に負傷した競技者のために安全を確保する時間を作る」とある。

STEP 15 心理学の講義

学習目標 心理学の講義を聞き，それに関連する語彙，表現を学習する。

ポイント

人間の心理を探究する「心理学」については，日常会話でも話題にされることが多いと思いますが，TOEFL でもポピュラーな題材のひとつです。

なじみがあるテーマだとはいえ，専門的な用語もある程度は使用されます。日本語ではよく知っていても，英語で聞くと意味がわからないという用語もあります。また，ある用語が一般的な意味ではなく，心理学の分野での限定された意味で使われることもあるので，基本的な語彙や表現は改めて学習しておく必要があります。

Exercise で扱うトピックは，perception（知覚）と sensation（感覚）の違いについてです。アメリカの大学での一般教養レベルなので少し難しいかもしれませんが，知覚と感覚の区別は心理学の基礎的な知識なので，ここで整理しておくとよいでしょう。

Exercise　　　　　　　　　　　　　　　CD I - 82〜87

Now get ready to answer the questions.
You may use your notes to help you answer.

1 What will our perception of objects in the environment probably be influenced by?
Choose 2 answers.
- (A) Our past experience
- (B) Our present attitudes and motivations
- (C) Our sense organs
- (D) Our outward actions

2 According to the talk, what is true about perception?
- (A) Perception is a simple reflection of the environment.
- (B) Perception is prior to sensation.
- (C) Perception excites the visual channel and sends a visual message.
- (D) Perception is the interpretation the person gives the sensation.

3 Based on the lecture, indicate whether the statements below refer to perception or sensation. For each statement, put a checkmark in the perception or sensation column.

	Perception	Sensation
(A) We see an oblong image when viewing a penny from an angle.		
(B) It is the process of registering sensory stimuli as meaningful experience.		
(C) What we hear others say can predispose us to see an object differently.		

Listen again to part of the lecture.
Then answer the question.

4 What is the purpose of this question?
- (A) To explain why the same length of lines evoke the same sensation in our eyes
- (B) To explain that our perception is not from the direct registration of stimuli on our sense organs
- (C) To explain how the messages are relayed by our sense organs
- (D) To explain what makes retina provide the brain with a one-to-one representation

Listen again to part of the lecture.
Then answer the question.

5 Why does the professor give this example?
- (A) To illustrate how our perception can be influenced
- (B) To give an example of what sensation is
- (C) To give an example of what excites the visual channel
- (D) To contrast "sensation" with "perception"

Exerciseの語彙・表現

perception「知覚」の定義を明らかにし，sensation「感覚」と区別しています。この２つの語の違いについては，スクリプトの冒頭を見てください。
mental process　精神作用
register　〜を記憶する
sensory　感覚に関する
stimuli　（stimulus の複数形）刺激
nerve channel　神経チャネル
sense organ　感覚器官

Script

Listen to part of a talk in a psychology class.

Professor: Today we will continue to talk about "perception." Perception is different from "sensation." **3-A** Sensation is a mental process such as seeing, hearing, or smelling, which results from immediate physical stimulation. For example, we see a circular image when viewing the face of a penny and an oblong image when viewing the penny from an angle. However, **3-B** perception is the process of registering sensory stimuli as meaningful experience. An important distinction is that sensations are simple sensory experiences, while perceptions are complex constructions of simple elements joined through association. Our perceptions guide some of our most important inner thoughts and outward actions, but what we perceive is not a simple reflection of the environment. Well, why do things look as they do? Tom, do you remember?

Student A: Yes. Because "things are what they are." **2** We've learned that "perception" is the interpretation or meaning the person gives the sensation.

Professor: Very good. And another explanation? Nancy?

Student B: Because "things are what our nerves tell us they are." Each nerve channel carries its own perceptual quality and is excited by certain specific stimuli. Light, for example, excites the visual channel and sends a visual message.

Professor: That's right. **Let's look at these line segments, A and B. Which line segment is longer, A or B?**

STEP 15

Student A: B looks longer than A.

Professor: A ruler will show that they are the same length, and therefore must evoke the same sensations in our eyes. Yet why do we perceive B as longer? **What we perceive is not the direct registration of stimuli on our sense organs but the message relayed by our nerves.** We know that the retina does not simply provide the brain with one-to-one representation. Now the third theory is that "things are what we are." Our perception of objects in the environment is influenced by our past experience and by our present attitudes and motivations. What we hear others say can predispose us to misperceive an object.

Student B: Could you give us a more specific example?

Professor: **In everyday life, for example, we are apt to evaluate a guest lecturer rather negatively if we have been forewarned that this is his first appearance before a group. On the other hand, we may feel more positively if we have heard that the speaker is a distinguished professor.** Any questions? Good. We will discuss "organization of forms and patterns" next week. That's all for today.

訳 心理学の話の一部を聞きなさい。

教授：今日は引き続き「知覚」について話をします。知覚は「感覚」とは違います。感覚とは，即時的な物理的刺激によって生じる，見る，聞く，嗅ぐ，といった心理作用のことです。例えば，正面から1セント硬貨を見れば円形に見えますが，斜めから見れば楕円形に見えます。しかし，知覚とは，感覚刺激を意味ある経験として記憶させる作用のことです。重要な違いは，感覚は単なる感覚経験にすぎませんが，知覚は，関連付けを通して一つひとつの要素が結び付けられた複合的解釈であるということです。我々の知覚は，最も重要な内面的思考と外面的行動の一部を左右しています。しかし，我々が知覚するものは，単に周囲の状況を映し出すものではありません。では，なぜ事物は，実際にそう見えているように見えるのですか。トム，どうですか。覚えていますか。

学生A：はい。「事物はその事物のあるがまま」だからです。私たちは，「知覚」は，人が自分の感覚に対して与える解釈や意味づけであると学習しました。

教授：すばらしい。ほかの解釈はありますか。ナンシー？

学生B：「事物とは，私たちの神経が私たちに伝えるその物のありさま」だからです。それぞれの神経チャネルは固有の知覚情報を伝達し，ある特定の刺激によって活性化されます。例えば，光は視覚チャネルを刺激し，視覚メッセージを送ります。

教授：そのとおりです。これらの線A，Bを見てみましょう。AとB，どちらが長いですか。

学生A：Bの方がAより長く見えます。

教授：定規で計ればどちらも同じ長さであると分かるでしょうから，このAとBの線は，私たちの目に同じ感覚を呼び起こすはずです。しかし，なぜ私たちはBの方が長いと知覚するのでしょうか。私たちの知覚は，感覚器官に対する刺激を直接示したものではなく，神経によって伝えられるメッセージだか

らです。網膜は，ただ単に一対一で対応する表象を脳に伝えるものではないということが分かっています。そして，3番目の理論は「事物とは私たち自身の姿である」ということです。ある状況の下での対象物の知覚は，我々の過去の経験，現在の考え方やモチベーションに影響を受けます。他人から聞いた内容によって，対象物を誤って知覚する傾向があります。

学生B：もう少し具体的な例を挙げていただけませんか。

教授：日常生活での例を挙げると，あるゲスト講師が人前での講演は今回が初めてであると事前に知らされていた場合，私たちは彼に対して否定的な評価をしがちです。反対に，高名な教授だと知らされていたならば，より肯定的に感じるかもしれませんね。何か質問はありますか。よろしい。では，来週は「形式と様式の構造」について話します。今日はこれで終わりです。

1 正解 Ⓐ Ⓑ

設問の訳 その状況の下での対象物の知覚は，おそらく何によって影響を受けるか。
答えを2つ選びなさい。

選択肢の訳
- Ⓐ 私たちの過去の経験
- Ⓑ 私たちの現在の考え方やモチベーション
- Ⓒ 私たちの感覚器官
- Ⓓ 外面的な行動

下線部❶「ある状況の下での対象物の知覚は，私たちの過去の経験，現在の考え方やモチベーションに影響を受ける」とある。

2 正解 Ⓓ

設問の訳 講義によれば，知覚に関して正しいものはどれか。

選択肢の訳
- Ⓐ 知覚は，単に周囲の状況を映しているに過ぎない。
- Ⓑ 知覚は感覚に先行する。
- Ⓒ 知覚は視覚チャネルを刺激し，視覚的メッセージを伝達する。
- Ⓓ 知覚とは，人が自分の感覚に対して与える解釈である。

下線部❷の「知覚は，人が自分の感覚に対して与える解釈や意味づけであると学習した」という学生の発言より，Ⓓ が正解。

● ● STEP 15

3 正解　知覚　Ⓑ　Ⓒ　　感覚　Ⓐ

設問の訳　講義に基づき，次の文が知覚と感覚のどちらについて述べているのかを示しなさい。それぞれの文について，知覚または感覚の欄にチェックしなさい。

選択肢の訳
- Ⓐ　1セント硬貨を斜めから見れば楕円形に見える。
- Ⓑ　それは，感覚刺激を意味ある経験として記憶させる作用である。
- Ⓒ　他人から聞いた内容によって，私たちは事物に対して異なった見方をする傾向がある。

下線部 **3-A** より，Ⓐ は「感覚」である。また **3-B** と **3-C** より，Ⓑ と Ⓒ は「知覚」となる。

講義の一部をもう一度聞き，質問に答えなさい。

4 正解　Ⓑ

設問の訳　なぜ，教授はこの質問をしているのか。（1つ目の太字部分参照）

選択肢の訳
- Ⓐ　なぜ同じ長さの線は同じ感覚を呼び起こすのかの説明をするため
- Ⓑ　私たちの知覚は，感覚器官で受けた刺激を直接示したものではないことを説明するため
- Ⓒ　感覚器官がどのようにメッセージを伝達するかを説明するため
- Ⓓ　なぜ網膜は一対一で対応する表象を脳に伝えるのかを説明するため

教授が，定規で測れば同じ長さの線が違って見える例を示した目的は下線部 **4**「…知覚するものは，感覚器官で受けた刺激を直接示したものではない…」ことを説明するためである。

講義の一部をもう一度聞き，質問に答えなさい。（2つ目の太字部分参照）

5 正解　Ⓐ

設問の訳　なぜ，教授はこの例を挙げているのか。

選択肢の訳
- Ⓐ　私たちの知覚が，どのような影響を受けうるかを説明するため
- Ⓑ　「感覚」とは何かの例を挙げるため
- Ⓒ　視覚チャネルを刺激するものの例を挙げるため
- Ⓓ　「感覚」と「知覚」を対比するため

この例を挙げる前に，知覚について，教授は下線部 **5-1** で「3番目の理論は，事物とは私たち自身の姿である」と述べている。下線部 **5-2** で「ある状況の下での対象物の知覚は，私たちの過去の経験，現在の考え方やモチベーションに影響を受ける」，さらに，下線部 **5-3** で「他人から聞いた内容によって，対象物を誤って知覚しやすくなることもある」と述べ，知覚がどんなものに影響を受けているかを説明している。Ⓐ が正解。

Column ❸ 数の認識の常識の違い

　日本以外の国で暮らすと，いろいろな場面で日本との感覚の違いを感じることがあると思います。ここではお金の数え方など，数に対する考え方の違いから，日米間の感覚の違いを見てみましょう。

　1ドル札が100枚あるとします。これを数えやすいように束ねるとしたら，あなたならどのように束ねますか。たいていの日本人は，10枚1束にして10束にすると思います。十進法で考えれば自然ですよね。アメリカに滞在していたある日本人が，1ドル札100枚を預金しようと思い，数えやすいように（もちろんアメリカも十進法ですので）1ドル札10枚を1束，それを10束（＝100ドル）にして銀行に持っていきました。すると，けげんな顔をしたteller（窓口係）に「なぜこのような束ね方をするのか」と尋ねられたのです。「ほかにどのような束ね方があるのか」と聞き返したところ，「お金はquarter（この場合25ドルずつ）でまとめるものだ」と言われました。

　上の話は，筆者が実際にアメリカで経験したことです。日本ではものを数えるとき，1を基準に10，100と小さい方から大きい方へ積み上げて考えます。しかし，筆者のこの経験から考えると，アメリカではどうやら逆の考え方をしているようなのです。100ドルのように大きな方を基準として，その半分のhalf，そのまた半分のquarterという感じです。例えば，ニューヨーク州のイサカで使われている地域通貨hourでは，少額の取引に10 hours，その半分の5 hours，さらに半分の2.5 hours，そのまたさらに半分の1.25 hoursまでがあるようです（ちなみに，英語の複数は，正確には2からではなく1を超えるところからなので，例えば1.1でも複数扱いです）。

　買い物をしたときのおつりの渡し方にも，日米間で違いが見られます。例えば，65ドル20セントの買い物をして100ドル紙幣で支払うと，日本では100ドルから65ドル20セントを引いた34ドル80セントのおつりが返ってきます。一方アメリカでは，65ドル20セントから足し算をして100ドルになるまでを，おつりとして考えます。つまり，65ドル20セント＋5セント（nickel 1枚）＋75セント（quarter 3枚）＋4ドル（1ドル札4枚）＋10ドル（10ドル札1枚）＋20ドル（20ドル札1枚）＝100ドルと考え，（　）で囲んだ金額を手渡しながらおつりを考えるという方法です。もっとも，近年はこのような光景もあまり見かけなく

なりましたが，お金の数え方に対する根本的な考え方は変わっていません。

次に，ものを数えるときによく使用される単位を見てみましょう。

まず dozen（ダース）です。スーパーで卵1パックは，日本では十進法から10個の場合が多いと思いますが，アメリカでは one dozen ですので12個になります。缶ビールは half a dozen で6本単位，これは日本も同じですね。液量を測る単位では gallon（ガロン＝約3.81リットル）があり，ガソリン，ミルク，オレンジジュース，ワインなど，液体であればたいていのものに使用されています。このガロンの半分の半分の半分，すなわち1／8ガロンが pint（パイント＝約0.473リットル）で，ビール，エンジンオイル（2 pints 缶）どに使用されています。ポンド，オンスも健在です。

それでは，12:00 a.m. は夜中の12時（midnight）でしょうか，それとも昼の12時（at noon）でしょうか。正解は昼の12時です。つまり，12:00 の00は，午前12時の最初ではなく，午前11時の最後と認識されるのです。しかし，これにはさすがに彼らも混乱するらしく，例えば案内などを出すときには 12:00 a.m. の代わりに 12:00 noon あるいは 12:01 p.m.，また夜中の12時であれば，12:01 a.m. や 12:00 midnight のように表現します。

最後に，英語の掛け算について見てみましょう。「2×3＝6」は「2が3回」でしょうか，それとも「3が2回」でしょうか。では，これを英語で読んでみましょう。Two times three is six. となりますね。つまり，「3が2回（Two times）」というとらえ方なのです。日本語ではこの反対で，「2が3回」の意味ですよね。

このように，日本とアメリカでは「数」に関する認識だけでもこれだけの違いが存在します。事前に知っておくと，戸惑うことも少なくなりますね。

CHAPTER 3 ≫

実戦練習

| 実戦練習① …… 120
| 実戦練習② …… 128
| 実戦練習③ …… 136
| 実戦練習④ …… 144
| 実戦練習⑤ …… 152
| 実戦練習⑥ …… 160
| 実戦練習⑦ …… 168
| 実戦練習⑧ …… 176
| 実戦練習⑨ …… 184

実戦練習 1

Now get ready to answer the questions.
You may use your notes to help you answer.

1 Why does the professor stress the importance of the essay?
   (A) It shows understanding of the topic and is needed for the final grade.
   (B) It is part of the final grade along with some readings.
   (C) It helps students express what is in their heads.
   (D) It will conclude the second half of the semester.

2 What can be inferred about the student?
   (A) She often forgets what she wants to say.
   (B) She has a problem expressing her thoughts correctly on paper.
   (C) She has a mental block when writing.
   (D) She feels her ideas are not correct.

3 What problem related to the essay does the professor tell the student about?
   (A) The layout is not very good.
   (B) The ideas are not good enough.
   (C) The thesis statement is missing.
   (D) The topic sentence is too long.

4 What does the student decide to do?
- Ⓐ Remind herself the deadline is on Friday
- Ⓑ Show her next draft to the professor after the weekend
- Ⓒ Write it in full over the weekend
- Ⓓ Go over to see the professor on the weekend

5 What are the student's feelings about the whole situation at the end of the conversation?
- Ⓐ She is pleased that she was able to persuade her professor.
- Ⓑ She is angry that her essay was criticized.
- Ⓒ She is disappointed that she has failed.
- Ⓓ She is finally convinced of the nature of the problem.

Passage ❶　ANSWERS

ポイント

- まずは会話の場面を理解します。小論文が不完全だったため，教授が学生を呼び出していることが，最初の2回のやりとりで分かります。どのような流れになるのか予想してみましょう。
- 教授は論文の重要性を説明した後，学生の小論文は何が足りないかを具体的に指摘しています。
- さらに後半で，学生の小論文には3つの論点が必要だと話しています。数字が出てきたときは必ずノートを取りましょう。
- 最後に提出スケジュールについて話されています。締め切りの日付はもちろんですが，それ以外の日に何をするのかも確認しましょう。

Script　　　　　　　　　　　　　　　　　　　　　CD 2-2~7

グレーで示してある箇所（why I called you など）はこの会話のコアの部分です。これをきちんと追いながら聞くことができていれば，問題を解くために必要な会話の内容が理解できていることになります。大事な部分やノート・テイキングのヒントとなる事柄をふきだしで説明していますので，参考にしてください。

> 学生はS，教授はPとするなどルールを決めておきましょう

Listen to a conversation between a student and a professor.

Professor: Ah, Sarah, there you are. Come in, please.
Student: Good morning, professor.
Professor: You know why I called you here today, don't you, Sarah?
Student: Well, I guess my paper failed, and that's what you're going to tell me, right?
Professor: Well, failed isn't the word I'd use, Sarah. An essay is a series of continuous adjustments. To say you've failed would be to ignore this important process. Let's just say that I'd like you to redo⒜ it and submit it by the last class, next week.
Student: Do it again? So, I have failed, then.
Professor: Look, Sarah, this essay covers most of the work we've gone over for the second half of this term. That's nearly 6 weeks' work. ▆1-1▆ This paper is the main thing you need to turn in to get a final grade for this class. So, it's my job to make sure students reach a certain standard of written essay. It's because essays are academic proof of a logical and analytical mind, and also that ▆1-2▆ the contents of the essay show me that

you have carefully thought through the points and issues raised in the class and the readings. You can appreciate that, right?

Student: Yeah, I understand, but I'm, um, just **2** no good at essay writing. I kinda know what I want to say in my head, but when it comes to the paper, well…

> good は○で置き換えても可
> 例）P：○ esy=plan + struct

Professor: The key to any good essay is planning and structure. If you don't plan, your work ends up like this…that reads like you're talking about the subject off the top of your head. **3** Your points are good, but the layout isn't. Look, what do you think are the three most important things related to your thesis statement here…you know, the three main points to address in your essay?

Student: Well, first, um…the unskilled labor shortage, and next, um…the influx of foreign migrant workers, and um, the um, here, here…foreign policy.

Professor: OK, yeah, those seem to be good topics to use, but in this paragraph, your topic sentence is related to labor shortage. However, halfway through the paragraph, the emphasis shifts to foreign workers.

Student: But those points are related, aren't they? That's why I put them together.

Professor: Yes, they are related, but they are separate points, each with, ah, different facts and opinions to back them up.

Student: Should I talk about the foreign workers in the next paragraph? Is that what you mean?

Professor: Yeah, that's good, but as they are related, your topic sentence in paragraph 2 should reflect that, right?

Student: **5** Yeah, I get it…I suppose I'll give it another try.

> 効率的と考えられる場合は日本語を記号の一部として使っても良いが，日本語で考えないようにしましょう。 例）✗ nxt Fri

Professor: Good. Remember that the deadline is next Friday, though.

Student: OK. Professor, you're here on Monday, right?

Professor: Yes, Mondays, Tuesdays and, um, Fridays…all day.

Student: I'm going to have another go over the weekend. **4** Would it be OK to show you a first draft on Monday before class before I write it out in full?

Professor: Yeah, that's no problem. Why don't you see me after the second period… I'll be here.

Student: Thanks. See you, professor.

音声聞き取りのポイント

🅐 redo：やり直す
🅑 issue：論点，問題（点）
🅒 kinda：「ちょっとまあ…」という意味の口語表現。
🅓 off the top of your head：（単なる）思い付き
🅔 shortage：不足　＊発音に注意。-age は［-idʒ］
🅕 first draft：下書き

訳　学生と教授の会話を聞きなさい。

教授：ああ，サラ。お入り。
学生：おはようございます。
教授：今日君をここに呼び出したわけは分かっているね，サラ。
学生：ええと，私の小論文が不合格だったのだと思います。それを私に伝えるためではありませんか。
教授：いや，不合格という言葉は使いたくないな，サラ。小論文とは，継続的に調整をするものだ。不合格というと，この重要な手順を無視することになる。こう言うことにしよう。君にはこの小論文を書き直して，来週の最後の授業までに提出してほしいのだよ。
学生：もう一度やるんですか。ということは，やはり不合格だったということじゃないですか。
教授：いいかい，サラ，この小論文は今期後半で学んだ大半の内容をカバーするものなんだよ。つまり，ほぼ6週間に及ぶ学習だ。この小論文は，このクラスで最終的な評価を得るために提出すべき最重要課題なんだ。だから，学生が小論文で一定の水準に達しているか確認するのが私の仕事なのだよ。それは，小論文が論理的で分析的な思考を学術的に証明する手段だからだ。また，小論文の内容から，講義中や読み物で提示された論点や問題点を君が注意して考え抜いたということが分かるんだ。分かるかい？
学生：ええ，分かります。だけど私，小論文を書くのは得意じゃないんです。言いたいことは頭の中で分かるんですけど，書くとなると，どうも…。
教授：良い小論文を書く上で重要なことは，構想を練ることと組み立てることだ。構想を練らないと，こんなふうに取り上げている主題が思い付きで述べられているようなものになってしまう。君の小論文は論点はいいが，構成が良くない。いいかい，この論題に関する最も重要な3つの事柄は何だと思うかい。ほら，君の小論文で取り上げるべき3つの論点だよ？
学生：ええと，まず未熟練労働力の不足，次に，うーん，外国からの移住労働者の流入，それから，ええと，あっ，これ，これ，外交政策です。
教授：そのとおり。利用するトピックとしては申し分なさそうだ。しかし，このパラグラフでは，トピックセンテンスは労働力の不足に関係しているのに，途中から外国人労働者に重点が移ってしまっている。
学生：でも，それらは関係していますよね。だから一緒にしたんです。

教授：そう，確かに関係している。しかし，それぞれ別々の論点だし，それに，裏付けとなる事実や意見も異なる。
学生：外国人労働者については，次のパラグラフで説明すべきですか。そういうことですか。
教授：そうだよ，それでいい。しかし，それらの論点は関係しているのだから，第2パラグラフのトピックセンテンスにもそれを反映させないと。そうだろう？
学生：はい，わかりました。もう一度やってみます。
教授：よろしい。しかし，期日は今度の金曜日だからね。
学生：はい。教授，月曜日はここにいらっしゃいますね。
教授：ああ，月曜日も，火曜日も，それに，あー，金曜日も1日中いるよ。
学生：週末にかけてもう一度やってみます。完全な形で清書する前に，最初の下書きを月曜日のクラスが始まる前に見ていただいてもよろしいでしょうか。
教授：ああ，いいよ。2限目が終わった後に来るといいよ。ここにいるから。
学生：ありがとうございます。それでは。

1 正解 A

設問の訳 なぜ教授は小論文の重要性を強調するのか。

選択肢の訳
- A 小論文がトピックの理解を示し，最終的な評価に必要であるため。
- B 小論文がいくつかの読み物とともに最終的な評価の一部となるため。
- C 小論文は学生が考えていることを表現するのを助けるため。
- D 小論文は学期の後半を締めくくるため。

下線部 1-1, 1-2 に，小論文が最終的な評価に関係する課題であり，その内容から講義や読み物で取り上げられた論点や問題点を学生が理解したかどうかが分かる，とある。

2 正解 B

設問の訳 この学生について何が推測できるか。

選択肢の訳
- A 言いたいことをよく忘れてしまう。
- B 自身の考えを書面で正しく表現できない。
- C 書くときに思考が停止してしまう。
- D 自分の着想が正しくないと感じている。

下線部 2 から，小論文を書くのが苦手で，言いたいことをうまく文章にできないことが分かる。

3 正解 A

設問の訳 教授が学生に説明している，小論文に関する問題とは何か。

選択肢の訳
- A 構成があまり良くない。
- B 着想があまり良くない。
- C 論題となる文がない。
- D トピックセンテンスが長すぎる。

下線部❸から，学生の小論文は論点は良いが，構成が良くないことが分かる。

4 正解 B

設問の訳 学生は何をする決心をしているか。

選択肢の訳
- A 期日が金曜日であることを思い出す
- B 週明けに教授に次の下書きを見せる
- C 週末に完全に書き直す
- D 週末に教授に会いに行く

下線部❹から，月曜日のクラスが始まる前に，教授に下書きをチェックしてもらうつもりであることが分かる。

5 正解 D

設問の訳 会話の最後の方では，学生は全体的な状況をどのように感じているか。

選択肢の訳
- A 教授を説得することができて満足している。
- B 自分の小論文が批判されたことに腹を立てている。
- C 不合格になってがっかりしている。
- D 最終的に問題の本質に納得している。

最初は小論文が不合格になったと思って落胆し，構成に関する教授の指摘にも反論をしていたが，下線部❺の「はい，分かりました。もう一度やってみます」から，最後には自分の小論文が抱える問題について納得していることが分かる。

Passage 1

CHAPTER 3

実戦練習 2

CD 2-8~14

History

Now get ready to answer the questions.
You may use your notes to help you answer.

1 Which of the following statements about the Romans is NOT true?
- (A) They built a wall to keep out the Germanic invaders.
- (B) They settled in Britain for 3 centuries.
- (C) They left Britain to protect their homeland.
- (D) They forced the Celts to move to less inhabited places in Britain.

2 According to the professor, how did the Germanic peoples make England one of Europe's most civilized nations?
- (A) They changed the language of England.
- (B) They developed farming in Britain.
- (C) They began to trade with the Vikings.
- (D) They worked hard day and night.

3 How did the Normans affect England?
Choose 2 answers.
- (A) They taught their language to the common people.
- (B) At that time, English was made a second-class language.
- (C) French language was used for legal and government purpose.
- (D) They provided words that people use for study purposes today.

● Passage 2

4 Put the following foreign settlers into the UK in the correct order from first to last.

Click on a word. Then drag it to the answer space where it belongs. Use each word one time only.

- (A) Romans
- (B) Celts
- (C) Vikings
- (D) Germanic peoples
- (E) Normans

1.
2.
3.
4.
5.

Listen again to part of the lecture.
Then answer the question.

5 Why does the professor say this?
- (A) To make the students think about the problems of wars
- (B) To illustrate how settlers originated on the Britain
- (C) To explain how Britain developed as a colonial power
- (D) To introduce the fact that immigration is not new to Britain

Listen again to part of the lecture.
Then answer the question.

6 Why does the professor make this statement?
- (A) To explain that the Vikings came from Germany, too
- (B) To tell the students about the Viking's evilness
- (C) To compare the size of their armies
- (D) To inform us that both the Vikings and the Nazis lost a major war

Passage ❷   ANSWERS

ポイント

- 歴史学の講義では，出来事の年代順を聞き逃さないようにします。また，出てきた数字は必ずメモしておきましょう。
- 冒頭で現代の歴史に触れたあと，「もっと古い時代はどうか」と本題に入っています。この話題の転換をきちんと把握しましょう。

Script　　　　　　　　　　　　　　　　　　　　　　　　CD2-8～14

グレーで示してある箇所（original Brits など）はこの講義のコアの部分です。これをきちんと追いながら聞くことができていれば，問題を解くために必要な講義の内容が理解できていることになります。大事な部分やノート・テイキングのヒントとなる事柄をふきだしで説明していますので，参考にしてください。

Listen to part of a lecture in a history class.

So, how about Britain? Where does it stand as far as multi-racial society is concerned? Well, um...in modern history in the 1950s and 60s, we can find a large influx of migrant workers who settled in the UK from the old colonies of India and the West Indies to help the labor shortage problem, but what about in much, much older history?

Well, let's look at how the racial make-up of Britain developed from the first settlers up to the last time England lost control of its shores. And, yes...yes... England has lost many wars in history. **4-1** So, who were the original Brits? Well, we will... ah...start right back with the Celts❹ who inhabited most of the UK and were, in fact, from mainland Europe.

> 最初の民族，Celt が出てきます。以降，順番と年代に気をつけて聞き取ります。

Now, these Celts were farmers, but also, um, warriors, and this group rose to the challenge when the **4-2** Romans, under the leadership of Emperor Claudius, decided to add the UK to the Roman Empire in AD 43. Let's just say❺ the Celts were doomed, as **4-3** the Romans immediately pushed the Celts to remoter areas of the British Isles, such as southwest England, and northern parts of Scotland and modern day Northern Ireland. You may be interested to know that today, Celts can be recognized by their names and distinctive hair colour — red. Anyway, the Celts were no match for the well-ordered Roman military.

As was typical in other parts of their Empire, the Romans set about building essential infrastructure, like buildings, roads, and towns. The architecture must have...ah... been, um, built pretty solidly because we can still see many remains today, including the famous Hadrian's Wall — built from coast to coast in the northern part of England to keep out the marauding Celts. Do you follow? Later on, Christianity was first brought into Britain from other parts of the Roman Empire. You see, the Romans stuck around for about 300 years until...ah...AD 410, when they decided to abandon England and get back to defend Rome, which was basically being attacked on all sides.

So, who were the next power brokers? They were Germanic invaders from modern Denmark and Germany called the Jutes, Angles, and, um, Saxons, who settled from around the 6th to 8th centuries. It is from the last two groups that give us the word Anglo-Saxon, which most people linked specifically with ah...with England. During this time, England enjoyed its status as one of Europe's most civilized nations — with increased systems in...in trade, developing along with agriculture, and many common words we use in England, such as house, day, and night are of Germanic descent.

Then, came the, ah, infamous Vikings in the 10th century — old history's version of the Nazis. They plundered and murdered their way from Northern Scandinavia to the British shores, but that ceased shortly after. In other words, even this group must have been bored with all the, um, looting and shooting because they made a major settlement in the town of York, now a town in the north part of England.

We've now arrived at a time I mentioned about earlier when England lost its last major battle to outsiders — the French, called the Normans, after their homeland of Normandy. The English, under King Harold were defeated at the battle of Hastings, as you may know, on a date that is remembered by every English schoolboy, 1066. From that time for the...ah...next three centuries, the French ruled over both France and England, and, if you can believe it, English was relegated to the lower classes, and French was reserved for the aristocracy. The Normans employed Latin as the written language of both government and legality, and funnily enough, Britain has this period to thank for having received a multitude of new words into the language directly from both French and Latin, around 85% of the words in use today, in fact. Does that number surprise you? It's safe to say that Germanic words are common words, but if you study a school subject, the words you use would be of, ah, French or Latin descent.

音声聞き取りのポイント

- **A** Celt：ケルト族　＊聞き取りに注意，/kelt/ の /l/ が小さい /ゥ/ に聞こえる。
- **B** Let's just say …：～とだけ言っておきましょう
- **C** power broker：政治的な力を持つ人，大物調停役
- **D** plunder：～を略奪する
- **E** relegate：（より低い地位に）～を落とす

訳　歴史学の講義の一部を聞きなさい。

　では，英国はどうでしょうか。多人種社会という点では，どのような状態にあるのでしょうか。えー，1950 年代と 60 年代の近代の歴史では，旧植民地のインドや西インド諸島から，英国に大量の移住労働者が流入しました。これは労働力不足という問題を緩和するための移住者でしたが，さらにずっと時代をさかのぼった歴史においてはどうだったのでしょうか。

　えー，それでは，英国の人種構成がどのように変化してきたのか，最初の移住者に始まり，最後に領土の支配権を喪失するまでの時代に絞って見てみましょう。それから，そうなんですよ，英国は歴史上，数多くの戦争に敗れてきたのです。では，英国における先住民とは誰だったのでしょうか。そこで，ケルト人の時代に戻って見てみましょう。ケルト人は英国のほとんどの地域に住んでいましたが，実はヨーロッパ本土からの移住者でした。

　さて，このケルト人たちは農夫であり，また，えー，戦士でもありました。この集団はローマ人が西暦 43 年にクラウディウス帝の指揮の下，英国をローマ帝国に併合しようとしたときに立ち向かいました。しかし，ケルト人は絶望的だったとだけ言いましょう。併合開始から間もなく，ローマ人が彼らをイギリス諸島の遠隔地（英国南西部，スコットランド北部，現在の北アイルランドなど）に追いやったことから分かります。興味がある人もいるかもしれませんが，今日，ケルト人は名前や特有の赤毛から見分けがつきます。とにかく，ケルト人は統制のとれたローマ軍にとって敵ではなかったのです。

　帝国の他の地域でもそうでしたが，ローマ人は建物や道路，都市といった，生活に必要不可欠なインフラの建設に着手しました。建築物は，えー，かなり強固に作られたのでしょう。現在でも数多くの遺跡が残っています。例えば，有名なハドリアヌスの城壁がそうです。これはケルト人略奪者の侵入を防ぐため，イギリス北部の海岸から海岸に建設されたものです。ここまでは大丈夫ですか。その後，キリスト教がローマ帝国の他の地域から初めて英国に持ち込まれました。ローマ人は知ってのとおり，西暦，えー，410 年まで，約 300 年にわたって英国に滞留しましたが，その年，基本的に四方八方から攻撃を受けていたローマを防御するため，英国を放棄し退去することにしたのです。

　では，次に政治的な影響力を持ったのは誰だったのでしょうか。それは，現在のデンマークとドイツから侵入してきた，ジュート族，アングル族，それに，えー，サクソン族という，ゲルマン民族の侵略者でした。この侵略者たちは 6 世紀から 8 世紀にかけて定住しています。アングロサクソンという呼び名は後ろの 2 つの部族に由来し，特に，えー，英国と関連付けて考えられました。この時代，農業とともに発展してきた交易制度が拡大し，英国はヨーロッパで最も文明の発達した国の 1 つとして繁栄しました。また，house, day, night などの

●Passage 2

英国で使用されている多くの一般的な語は，ゲルマン民族から伝えられたものです。
　次にやってきたのが，えー，10世紀の悪名高いヴァイキングでした。ヴァイキングは古代版のナチスで，スカンジナビア北方から英国へ侵攻する際，略奪と殺人を働きましたが，やがてそれも収まりました。言い換えればこの集団ですら，えー，略奪や殺人に嫌気がさしたのでしょう。というのは，現在の英国北部にあるヨークの町に，主たる居留地を設けたからです。
　さて，初めに触れた，英国が外部の侵略者との最後の大戦に敗れた年代までたどり着きました。このときの侵略者はフランス人で，故国がノルマンディーにあったことから，ノルマン人と呼ばれています。ハロルド王が統治していた英国は，知ってのとおり，英国の生徒なら誰もが学習する年代，すなわち1066年にヘイスティングズの戦いで敗北を喫しました。そのときから，えー，3世紀の間，フランス人がフランスと英国の両方を統治しました。そして，信じられないかもしれませんが，英語は下層階級の言語に格下げされ，フランス語は上層階級の特権になりました。ノルマン人は政治においても法律においても書き言葉にラテン語を採用しました。また，おかしなことに，英国人はこの時代のおかげで，フランス語とラテン語の双方からじかに，新しい単語を多数取り入れることができました。実際，今日使われている単語の約85%がそうです。数字を聞いて驚きましたか。ゲルマン語に由来するのは一般的な語ですが，学校の科目を学習する際に使用する語は，えー，フランス語やラテン語が語源であると言ってよいでしょう。

CHAPTER 3

1　正解　Ⓐ

設問の訳　ローマ人についての次の記述のうち，正しくないのはどれか。

選択肢の訳
Ⓐ　ゲルマン人の侵入を防ぐため防壁を建設した。
Ⓑ　3世紀にわたって英国に定住した。
Ⓒ　故国を防御するため英国を去った。
Ⓓ　英国で人があまり住んでいない土地にケルト人を力ずくで移住させた。

下線部❶に，ハドリアヌスの城壁を建設した理由は「ケルト人略奪者の侵入を防ぐため」とある。したがってⒶは「ゲルマン人」という記述が正しくない。

2　正解　Ⓑ

設問の訳　教授によると，ゲルマン人はどのようにして英国をヨーロッパで最も文明の発達した国の1つにしたか。

選択肢の訳
Ⓐ　英国の言語を変えた。
Ⓑ　英国で農業を発展させた。
Ⓒ　ヴァイキングと交易を始めた。
Ⓓ　昼夜懸命に働いた。

下線部❷から，英国の発展は交易制度の拡大と農業の発展によってもたらされたことが分かる。したがってⒷが正解。ヴァイキングと交易を始めたのではないので，Ⓒは不適切。Ⓐは多くの一般語が入ってきたが，発展の要因とは言っていない。Ⓓについては特に触れられていない。

133

3 正解 Ⓑ Ⓓ

設問の訳 ノルマン人は英国にどのような影響を及ぼしたか。
答えを2つ選びなさい。

選択肢の訳
Ⓐ 彼らは自分たちの言語を一般人に伝授した。
Ⓑ 当時、英語は二流言語とされた。
Ⓒ 法律と政治に関してはフランス語が使用された。
Ⓓ 学問で現在使用されている単語を提供した。

下線部 3-B「英語は下層階級の言語に格下げされ」から Ⓑ が正解。また下線部 3-D に「学校の科目を学習する際に使用する語は、フランス語やラテン語が語源である」とあり、フランス語やラテン語はノルマン人に由来する言語なので Ⓓ も適切。Ⓐ の「自分たち（ノルマン人）の言語」であるフランス語は上層階級の言語、Ⓒ はフランス語ではなくラテン語という点でそれぞれ不適切。

4 正解 Ⓑ→Ⓐ→Ⓓ→Ⓒ→Ⓔ

設問の訳 次の外国から英国への移住者を、入ってきた順に正しく並べなさい。
語をクリックし、適切な欄へドラッグしなさい。どの語も一度しか使えません。

選択肢の訳
Ⓐ ローマ人
Ⓑ ケルト人
Ⓒ ヴァイキング
Ⓓ ゲルマン人
Ⓔ ノルマン人

下線部 4-1 より最初にケルト人が住んでいたが下線部 4-2、4-3 でローマ人が侵略、下線部 4-4 でゲルマン人、下線部 4-5 でヴァイキング、下線部 4-6 でノルマン人という流れになっている。

講義の一部をもう一度聞き、質問に答えなさい。（1つ目の太字部分参照）

5 正解 Ⓓ

設問の訳 教授はなぜこのように言ったか。

選択肢の訳
Ⓐ 戦争の問題について学生に考えさせるため
Ⓑ 入植者がどのようにしてブリテン島で生まれたかを説明するため
Ⓒ イギリスがどのように植民地保有国として発展したかを説明するため
Ⓓ イギリスにとって移民は新しいものではないという事実を紹介するため

この直前で教授は1950年代、60年代の移民の話をし、「さらにさかのぼった歴史はどうか」と述べている。その後、この設問で問われている部分では古い時代からの人種構成を見ると言っているので Ⓓ が正解。

●Passage 2

講義の一部をもう一度聞き，質問に答えなさい。（2つ目の太字部分参照）

6 正解 **B**

設問の訳　教授はなぜこのような発言をしたか。

選択肢の訳
- **A** ヴァイキングもまた，ドイツからやってきたことを説明するため
- **B** ヴァイキングの邪悪さを学生に伝えるため
- **C** 軍隊の規模を比較するため
- **D** ヴァイキングもナチスも重要な戦いに敗れたことを教えるため

ナチスの例を挙げることで，ヴァイキングがなぜ infamous なのか学生に推測させようとしている。下線部**6**で，ヴァイキングが略奪と殺人を働いたことに触れている点から分かる。

実戦練習 3

CD2-15~21

Linguistics

Now get ready to answer the questions.
You may use your notes to help you answer.

1 What is the lecture mainly about?
- (A) Theories on how children acquire their mother tongue
- (B) How children copy things soon after birth
- (C) The role of parents in helping children learn language
- (D) An explanation of processes involving behavioral science

2 Why does the professor talk about the way teeth are brushed?
- (A) To introduce something we should think more about
- (B) To give an example of a conditioned action
- (C) To show there are two ways of approaching a problem
- (D) To compare speaking with another action involving the mouth

3 Which of the following facts about Noam Chomsky is NOT true?
- (A) After linguistics, he became interested in politics.
- (B) His book was contrary to the prevailing behaviorist theory.
- (C) He is squarely in the nature camp.
- (D) He believes our behavior depends on conditioning.

4 Which of the following best sums up how behavioral psychologists believe children learn a language?
- (A) Children make associations with language, which are then reinforced.
- (B) Parents only encourage correct language behavior.
- (C) Correction of language is important for repeated development.
- (D) Somewhere in the brain is the capacity to fully understand a language waiting to be activated.

5 In the discussion, the professor describes the ideas of how nativists believe children learn a language. Indicate whether each of the following is the nativist's idea.

Click in the correct box for each sentence.

	Yes	No
A Children are born with language ability and environment plays a small role.		
B Reinforcement helps children to understand language problems.		
C The first words we hear trigger a switch that determines the type of language structure we use.		
D Children understand the grammar of a language without being explicitly taught it.		
E Before birth, an imaginary switch controls our language use.		

Listen again to part of the lecture.
Then answer the question.

6 Why does the professor say this?
  A To disprove the behaviorist theory by showing a sentence that cannot be copied
  B To show the effect of incorrect language in our own environment
  C To prove how we instinctively know incorrect sentences even though we've never heard them
  D To make students aware that not all input we receive is 100% correct

Passage 3　　ANSWERS

ポイント

- 冒頭で，母語を子供が習得するには２つの理論があると述べていて，それは生得説（nature）と環境説（nurture）です。ノートは nature と nurture の２つを意識しながら仕分けしていきます。
- 途中から Chomsky の理論が出てきます。彼は nature と nurture どちらの考え方なのか，彼の理論の特徴は何かを意識してノートを取りましょう。
- 歯磨き，自転車やピアノなどさまざまな例が出てきます。それぞれ，何を説明するために使われているのか，意識しながら聞き取りましょう。

Script　　　　　　　　　　　　　　　　　　　　　CD 2-15〜21

グレーで示してある箇所（nature or nurture など）はこの講義のコアの部分です。これをきちんと追いながら聞くことができていれば，問題を解くために必要な講義の内容が理解できていることになります。

Listen to part of a discussion in a linguistics class.

Professor: ￼ The main two theories that try to describe how children learn their first language, or mother tongue, fall on either side of a fence — nature or nurture❹. For people on the former side, a facility like speech is something everyone is born with. [3-D] Whereas❺ the other, the nurture lot, thinks that we are a product of our environment and conditioning, and that we learn by copying our speech, in other words, behavior, from other people.

Student A: Well, when we get a bit older, we copy our friends and stuff — that's kinda like nurture, isn't it?

Professor: Well, yes, you could argue that peer pressure is some kind of conditioning tool. What I'm thinking of is speech ability, long before we build complex human relationships.

Student B: Sorry, professor. What is conditioning?

Professor: ￼ Well, conditioning means something that makes us react in a certain way, and can be hard to break...let's see now...um, when you brush your teeth you might brush from right to left — you do this unconsciously without thinking. You'd never think in a million years about starting left to right. Do you see? Right. Let's back up a bit and give these two camps some scientific perspective. Firstly, people in the nurture camp are called behaviorists❻ or behavioral psychologists. Now, their theories prevailed in the 40s and 50s, until one man changed everything 3-C in 1957 — Noam Chomsky, a nativist scientist who opposed the behaviorist view of language...I, ah, better write it on the board.

Student A: I've heard that name before. He was debating the Iraq war, and was really, um, criticizing Bush.

Professor: Exactly the same person. 3-A He made his name as a linguist and then used his fame to become an intellectual on political issues. Right, so where was I? Ah, yes... 3-B Chomsky...his book, uh, *Syntactic Structures* just turned the whole linguistic world on its head as everything up until that point that had been the preserve of behaviorists was blown apart by one book. Incredible, isn't it? Naturally, the behaviorists were not happy and launched the famous linguistic wars against the nativists, as each side claimed to have disproved the other.

So, let's have a look at both theories and see what's being offered. Well, let's start with the behaviorists, who claimed that all learning, not just speaking, but other skills like riding a bike or playing the piano take place through the same basic process. For speaking, that's receiving input, or, ah, language, let's say. 4 And then young children make associations between input and objects or events. As these experiences are repeated, the association becomes stronger. Then, to reinforce these associations even further, parents give encouragement for correct imitations, or when mistakes are made, a parent would correct a child, like if a child calls a piece of food a different name, or something like that. So, language becomes a habit and a continual process of imitation and reinforcement. That doesn't sound so unreasonable, does it?

Well, 5-A-1 5-D-1 Chomsky would say it is unreasonable because all children are born with grammar innate in their system. That's grammar as in the sense of a set of rules that acts instinctively without being told what is correct or not in our language. In simple terms, Chomsky would claim that perhaps somewhere in the brain is 5-C 5-D-2 5-E the capacity to fully understand a language waiting to be activated, and as soon as the parent starts to utter the first few words that the child can hear, there is a...an imaginary switch that engages the type of language structure to be used from that point on. Word order in sentences in countries like Japan is almost back to front compared to English, so we might say that that switch would go the other way for Japanese kids to enable them to pick up the Japanese grammar system, if you see what I mean.

Student A: Professor, how do people know this? You can't cut someone's brain open and find grammar or interview a child that doesn't speak yet to find out, or anything.

Professor: So you want some evidence, right? Firstly, language acquisition, the ability to talk, happens to all children at around the same age, between 2 and 4 years old. So there is a critical period in which a language must be learnt, 5-A-2 and Chomsky is not denying that the environment plays a part, but he does, however, claim language ability is already in us, at the DNA level. Think about this, too. 6 How come if I say a sentence that you've probably never heard before, you will know straight away that the structure of it is correct, or not? Uh, "the man has walking his beautifully elephant," you straight away know what's wrong, right? Plus, if we learn by imitating other people in language, it does not explain how we ourselves can make the most complex of long sentences that we have never made before with relative ease.

音声聞き取りのポイント

- Ⓐ nature or nurture：生得か環境か（生まれか，育ちか）
- Ⓑ whereas：〜であるのに対し　＊対比するときによく用いられる。
- Ⓒ behaviorist：行動主義者
- Ⓓ Noam Chomsky：ノーム・チョムスキー　＊たとえ彼の名前を知らなかったとしても，生成文法学者，政治評論家，生得主義者だと理解できる。
- Ⓔ nativist：生得主義者
- Ⓕ association：(意味の) 連想，関連付け
- Ⓖ innate：生得の，先天的な
- Ⓗ instinctively：本能的に，直感的に
- Ⓘ language acquisition：言語獲得，言語習得

訳　言語学の講義の一部を聞きなさい。

教授：子どもが第一言語，つまり母語を学習する過程を説明しようとする主な理論は，生得説と環境説の二派に分かれます。前者を支持する人にとっては，話すといった能力は誰もが生まれつき持っているものです。反対に，もう一方の環境説を支持するグループは，私たちは環境と条件付けの双方の産物であり，他人の話し方，別の言葉で言うと振る舞いを模倣することで学習するのだと考えます。

学生Ａ：ええと，私たちが少し成長すると，友達のまねをします。それは一種の環境説なんですね。

教授：そうですね，仲間からの圧力は一種の条件付けの道具であると言えますね。ですが，私が考えているのは話す能力そのもので，複雑な人間関係を築くずっと前のことです。

学生Ｂ：すみません，教授。条件付けとはどういうことですか。

教授：えー，条件付けとはですね，私たちにある決まった反応をさせ，しかも，変えることが困難なものです。例えば，歯を磨くとき，君は右から左へと磨いているかもしれません。何も考えず無意識にそうしますね。100万年たっても左から右にやってみよう

とは思わないはずです。分かりましたか。では，ちょっと戻って，先に述べた2つの立場に科学的な見解を加えてみましょう。まず，環境説の立場に属する人たちは行動主義者または行動心理学者と呼ばれています。彼らの説は40年代から50年代を通じて支配的な見解でしたが，1957年に1人の男性がすべてを変えてしまいました。ノーム・チョムスキーという生得説の立場をとる学者です。彼は，行動主義的な言語観に反対しました。ええと，黒板に書いた方がいいかな。

学生A：その名前は以前に聞いたことがあります。その人はイラク戦争に関して討論をしていましたが，ブッシュのことを激しく批判していました。

教授：まさにその人です。彼は言語学者として名を成し，政治問題の知識人となるために自身の名声を利用しました。ところで，どこまで話しましたっけ。そう，チョムスキー。彼の著書『文法の構造』は言語学界全体を一新しました。何しろ，それまで行動主義者の領分だったものすべてが，1冊の本によって粉々に吹き飛ばされてしまったのですから。信じられないでしょう？　当然，行動主義者たちは心穏やかではありませんでした。生得説派に対して，有名な言語学戦争を始めたのです。双方の側が，相手側の誤りを証明したと主張しました。

ということで，両方の理論について何が売りなのか見てみましょう。まず，行動主義者から。行動主義者は，話すことばかりでなく，自転車に乗ったりピアノを弾いたりする技能，こうした学習がすべて，同じ基本的なプロセスを経て行われると主張しました。つまり，話すことに関しては，それはインプット，つまり言語情報を受け取ることです。幼児はこのインプットと対象物，または出来事との関連付けを行います。このような経験が繰り返されると，関連付けが強くなります。そしてこの関連付けをさらに強化するために，模倣が正しく行われると親は子どもを励ますでしょうし，あるいは子どもが間違えた場合は，親が正すでしょう。例えば，子どもが食べ物の名前を間違えて言ったりした場合です。そして言語は習慣となり，模倣と強化の連続したプロセスとなるわけです。どうですか，言っていることはそれほど不合理ではないでしょう。

ですが，チョムスキーはそれを不合理だと言っています。なぜなら，子どもはみんな，生まれつき身体の中に文法を備えているからだと言うのです。文法，つまり，私たちの言語で何が正しく何が間違いかを，言われるまでもなく，直感的に私たちに訴えかけてくる一連の規則，という意味での文法です。簡単に言うと，チョムスキーは次のように主張しています。恐らく脳のどこかで，言語を十分に理解する能力が活動状態にされるのを待っており，子どもが聞き取れる言葉を親がいくつか発し始めるとすぐさま，想像上のスイッチが入り，その時点からそのタイプの言語構造が使用できる状態になるのだと。日本のような国では文における語順が英語とほとんど逆になっています。だからそのスイッチは（英語とは）異なる動きをすることで，日本人の子どもに日本語の文法体系を獲得させるのだと言えます。私の言っていることが分かりますかね。

学生A：教授，人はどのようにしてこのことを知るのですか。人の脳を切り開いて文法を見つけることもできませんし，答えを出すためにまだ話もしない子どもに尋ねたりすることもできません。

教授：証拠が欲しいのでしょう？　では，まず言語習得，話す能力のことですが，これはど

の子どもにもほぼ同じくらいの年齢で発生します。2歳から4歳までの間です。ということは，言語を習得するための臨界期が存在するということです。しかし，チョムスキーは環境も一役買っていることを否定はしていません。一方で，言語能力はすでに DNA レベルで存在していると主張しています。また，次のことも考えてみてください。なぜ私が君たちに，過去に聞いたことのない文を言っても，君たちはその文の構造が正しいかどうかをすぐに見分けるのでしょうか。例えば the man has walking his beautifully elephant という文の場合，すぐに何が間違っているか分かるでしょう，そうですよね。さらに付け加えると，もし私たちが他の人の言葉を模倣して学ぶとするなら，今までに組み立てたことのない，極めて複雑な長い文を私たちが比較的簡単に組み立てられることが説明できません。

1 正解 Ⓐ

設問の訳 この講義は主に何について述べているか。

選択肢の訳
- Ⓐ 幼児が母語を習得する過程についての理論
- Ⓑ 幼児が誕生後すぐにものをまねる様子
- Ⓒ 幼児の言語習得を助ける上での親の役割
- Ⓓ 行動科学に関するプロセスの説明

講義の導入部分で，教授が対立する2つの大きな言語習得説（生得説と環境説）について言及していることがポイントである。下線部❶参照。

2 正解 Ⓑ

設問の訳 教授はなぜ歯の磨き方について話しているか。

選択肢の訳
- Ⓐ 私たちがもっとよく考えるべきことを説明するため
- Ⓑ 条件付けられた行動の例を示すため
- Ⓒ 問題に取り組む方法が2通りあることを示すため
- Ⓓ 話すことを口に関する別の動作と比較するため

歯の磨き方について触れている下線部❷の冒頭「条件付けとは…」から条件付けの例示であることが分かる。

3 正解 Ⓓ

設問の訳 ノーム・チョムスキーに関して次に挙げる事柄で，正しくないのはどれか。

選択肢の訳
- Ⓐ 言語学の後，政治学に興味を持った。
- Ⓑ 彼の著書は行動主義者の支配的な理論とは相反するものだった。
- Ⓒ 生得説派の堂々たる一員である。
- Ⓓ 私たちの行動は条件付けによって決まると信じている。

選択肢 Ⓐ は下線部 3-A，Ⓑ は下線部 3-B，Ⓒ は下線部 3-C を参照。Ⓓ は，下線部 3-D でチョムスキーが対立した環境説の内容として説明されている。

● Passage 3

4 正解 Ⓐ

設問の訳 行動心理学者が考える幼児の言語習得法を最もよく要約しているのは，次のうちどれか。

選択肢の訳
Ⓐ 幼児は言語との関連付けを行い，その後それが強化される。
Ⓑ 親は正しい言語行動を促すだけである。
Ⓒ 言語の矯正は発達を繰り返す上で重要である。
Ⓓ 脳のどこかで，言語を十分に理解する能力が活動状態にされるのを待っている。

教授の4回目の発言，第2段落で行動主義理論についてまとめられている。下線部❹を参照。

5 正解 Yes: Ⓐ Ⓒ Ⓓ No: Ⓑ Ⓔ

設問の訳 講義の中で教授は，生得説派が考える幼児の言語習得過程について述べている。次の記述が生得説派の見解であるかどうか指摘しなさい。
正しいボックスをクリックしなさい。

選択肢の訳
Ⓐ 幼児は生まれつき言語能力を備えており，環境の役割は小さい。
Ⓑ 強化の結果，幼児は言語の問題を理解できるようになる。
Ⓒ 初めて聞く言葉が，私たちが使う言語構造の種類を決めるスイッチを働かせる。
Ⓓ 幼児は系統立てて教えられることなく言語の文法を理解する。
Ⓔ 生まれる前は，想像上のスイッチが私たちの言語使用を支配する。

Yes の Ⓐ は下線部 5-A-1，5-A-2，Ⓒ は下線部 5-C，Ⓓ は下線部 5-D-1，5-D-2 を参照。No の Ⓑ は行動主義理論の「模倣と強化」の例。下線部 5-E より，想像上のスイッチは生まれてから作動するので，Ⓔ は選択肢自体が間違っている。

講義の一部をもう一度聞き，質問に答えなさい。(スクリプト太字部分参照)

6 正解 Ⓒ

設問の訳 教授はなぜこう言ったか。

選択肢の訳
Ⓐ まねることのできない文を示すことで，行動主義者の理論が誤りであると証明するため
Ⓑ 私たちが置かれた環境において，誤った言葉が及ぼす影響を示すため
Ⓒ 私たちが過去に聞いたことのない文でも，直感的に誤りだと分かることを証明するため
Ⓓ 私たちが受け取る入力される情報すべてが100％正しいとは限らないことを学生に気付かせるため

下線部❻で教授が「なぜ過去に聞いたことのない文を言っても，君たちはその文の構造が正しいかどうかをすぐに見分けることができるのか」と言ったあとで，太字部分の例が出てきている。例が具体的に何を説明しているのかという流れを意識しながら聞いておこう。

143

実戦練習 4

Now get ready to answer the questions.
You may use your notes to help you answer.

1 Why has the student come to see the nurse?
- (A) His eyes hurt and he got sick during the exam.
- (B) His vision got blurred and he feels ill.
- (C) He got dizzy during an exam and was asked to leave.
- (D) He lost his glasses and doesn't feel well.

2 In the end, what does the nurse believe is the cause of the student's complaint?
- (A) He has the first signs of the flu.
- (B) He has some major problem with his eyes.
- (C) He is stressed and living an unhealthy life.
- (D) He is taking too much medicine.

3 What steps should the student take to improve his health?
- (A) Eat properly and get enough rest
- (B) Maintain a balance between exercise and studying
- (C) Wait until after the exams and then try to get back to normal
- (D) Go to sleep earlier in the evening

4 What explanation does the nurse give the student regarding the medicine?
- (A) He must pay for it.
- (B) It is free because this is an emergency.
- (C) The doctor has to write a prescription before he can get it.
- (D) It is cheaper than medicine from a pharmacy.

Listen again to part of the conversation.
Then answer the question.

5 What can be inferred about the student?

- Ⓐ He must see a doctor immediately.
- Ⓑ He should visit an ophthalmologist to get a second opinion.
- Ⓒ He needs to think about ways to reduce stress.
- Ⓓ He needs to take some medicine for his eye condition.

Passage ❹   ANSWERS

ポイント

- 大学医務室での会話です。学生が試験中に視界がぼやけて，おなかが痛くなってやって来たという目的は必ずノートに取りましょう。
- 予想される話題は，症状の説明，原因究明，対処法の説明です。実際，この流れの通りに話題が展開しています。
- 学生は生活改善の必要性は納得しましたが，最後に要望を言っています。何を依頼して，それに対して医務室のスタッフはどう答えているのか聞き取りましょう。

Script .... CD 2-22〜27

グレーで示してある箇所（sick など）はこの会話のコアの部分です。これをきちんと追いながら聞くことができていれば，問題を解くために必要な会話の内容が理解できていることになります。

Listen to part of a conversation between a student and a school nurse.

Student: I don't feel well at all. I think I'm going to be sick.

Nurse: Well, you don't look too good, now. What's the matter? How long have you been feeling like this?

Student: Well, um, ❶ I was taking an exam and suddenly my vision got blurred[A]. I thought it was just my eyes or something, but then my stomach started to hurt...and...

Nurse: OK, sit down here. Now, do you normally wear contacts or glasses? Has this blur thing happened before?

Student: No, um, no...I don't wear glasses. My eyes have always been good. This is the first time.

Nurse: Right. Well, let's take your temperature and see how that is, shall we? So, you don't seem to have any major problems outside. That leaves us with something inside. And, well, 37, that's nothing really to worry about. I thought for a moment you might have the first symptoms of the flu. I've seen a lot of students this week with the first signs of the flu, but you don't have a high temperature. How about other symptoms ... diarrhea, dizziness, things like that?

Student: No. I don't have anything like that. My, um, I haven't had much of an appetite recently, but then I've never been much of a big eater.

Nurse: I see. Well, what about the test you were taking? Is it, um, important for you?

Student: Yeah, pretty important. It carries 30% of the final grade. I've got two more next week. Three tests in two weeks. I was up till 3 this morning studying for this one.

Nurse: Ah-ha. ②Well, your eyes could well be telling you that you're stressed. A mix of stress and intense concentration can affect different parts of the body in different ways. Sometimes, people end up with an upset stomach. Others could experience problems with their eyes...

Student: Yeah, I suppose I could be stressed at the moment, but I have to do well in these exams, or else...

Nurse: Well, that may be so, but there's nothing more important than⑧ your health. Just because you have a test coming up shouldn't mean that you let your health go away. 3-1 You need to take care of your basic health.

Student: What do you mean by basic health?

Nurse: 3-2 Proper food, sleep and breaks between studying. Don't try and cram everything in at the last moment, like you've done this time.

Student: Well, um, the exams will be over in a couple of weeks⑨. Things will get back to normal then, I'm sure.

Nurse: I was actually talking about right now. You need to be aware of what you eat and how much rest you're getting especially at this time. The brain works a lot better after a rest and the right nutrition.

Student: I got it. Listen, I'll try, but don't you have anything now that I could take to get me better right away?

Nurse: Yes, I do. Do you have any allergies to medicines that you know of?

Student: Ah...No, not that I know of⑩, anyway. I've taken these types of powders before and they seem to work.

Nurse: 4-A This medicine carries⑪ a charge, unfortunately. 4-B We only give out medicine free of charge in case of emergency — well, when things are a lot worse than the condition you're in now. It's not so expensive, of course, but if you would like, the doctor can write you a prescription and then 4-D you can buy the same medicine at a pharmacy. It may work out a little cheaper.

Student: No, that's, um, no problem. I don't mind paying.

Nurse: Fine, then. This powder will settle your stomach for the moment. Put it in your mouth and wash it down with some water⑫. As for your eyes, I think it could all be stress-related, but to be on the safe side⑬, get some professional advice from an ophthalmologist.

音声聞き取りのポイント

Ⓐ blur：ぼやける
Ⓑ nothing more 〜 than…：…より〜なものはない
Ⓒ in a couple of weeks：in の意味は「〜後」で「〜以内ではない」
　＊a couple of の聞き取りに注意。"le" がほとんど聞こえない
Ⓓ that I [you] know of：私／あなたの知っている限りで
Ⓔ This medicine carries a charge.
　＊carry には多くの意味があるが，ここでは「〜を負う」の意味。
Ⓕ wash down with water：水で流し込む(飲み込む)
Ⓖ to be on the safe side：念のため

訳 学生と看護師の会話の一部を聞きなさい。

学生：とても気分が悪いんです。吐きそうです。
看護師：ええ，具合が悪そうですね。どうしましたか。どのくらいこのような症状が続いているのですか。
学生：ええと，試験を受けていたら，突然視界がぼやけてきました。目のトラブルかと思いましたが，それからおなかが痛くなってきて…
看護師：分かりました，ここにお掛けなさい。いつもコンタクトか眼鏡はかけていますか。以前にもこのように目がかすむことがありましたか。
学生：いいえ，ああ，眼鏡はかけていません。視力は昔から良いのです。今回が初めてです。
看護師：なるほど。体温を測ってみましょうか。表面的には，大きな問題はなさそうです。ということは，体の中に何か異常があるのかもしれません。ええと，37度，心配はありませんね。インフルエンザの初期症状かと少し思ったのですが。今週は，多くの学生にインフルエンザの初期症状が見られていますが，あなたは高熱ではありませんね。ほかの症状はどうですか。下痢とか，目まいとか，そんな症状は？
学生：いいえ，そういうものは何も思い当たりません。ええと，最近は食欲があまりないのですが，普段からあまりたくさん食べる方ではありません。
看護師：分かりました。えー，あなたが受けていた試験はどうですか。重要な試験ですか。
学生：はい，とても重要です。最終成績の30%を占めます。来週，あと2つ試験があります。2週間に試験が3つです。今回の試験の勉強で，朝の3時まで起きていました。
看護師：なるほど。ストレスが目に出ている可能性が高いですね。ストレスと極度の集中が重なると，体のさまざまな場所に，さまざまな形で影響を与えることがあります。人によっては腹痛になりますし，目にトラブルを起こす人も…。
学生：ええ，今ストレスを感じていると思います。でも，試験はうまくやらないといけないし，さもないと…。
看護師：ええ，そうでしょうね。でも，健康より大切なものはありませんよ。試験があるからといって，健康を無視してもよいということはありません。基本的な健康には気を付けなければなりません。

● Passage 4

学生：基本的な健康って，どういう意味ですか。
看護師：適切な食事と睡眠，そして勉強の合間の休憩です。今回あなたがしたように，土壇場で全部詰め込む勉強はやめなさい。
学生：でも，試験はあと2週間で終わります。終われば元に戻ると思います。
看護師：私は今のことを話しているのです。あなたは特に今，何を食べてどのくらいの休息を取っているのか，認識する必要があります。脳は，休息と適切な栄養を取ると，それまでよりもずっと良く働きます。
学生：分かりました。やってみますが，何か今すぐに症状が良くなる薬はありませんか。
看護師：ええ，ありますよ。知っている範囲で何か薬に対するアレルギーはありますか。
学生：いいえ，知っている限りではありません。以前にこの種の粉薬を服用したことがありますが，効いたように思います。
看護師：この薬は残念ながら有料です。救急の場合にだけ，無料で処方します。えー，今のあなたの症状よりずっと重いような場合です。もちろんそれほど高くはありませんが，もしよろしければ医師に処方箋を書いてもらって，同じ薬を薬局で買うこともできます。その場合は少し安くなるかもしれません。
学生：いいえ，それは問題ありません。支払いは気にしません。
看護師：分かりました。この粉薬は，ひとまず胃を落ち着かせてくれます。口に入れて，水で流し込んでください。目に関しては，症状はすべてストレスからきているのだと思いますが，念のために眼科医から専門的なアドバイスを受けてください。

1 正解 **B**

設問の訳 なぜ学生は看護師を訪ねてきたか。
選択肢の訳
Ⓐ 試験中に目が痛み，具合が悪くなった。
Ⓑ 視界がぼやけてきて，具合が悪い。
Ⓒ 試験中に目まいがし，退席するよう言われた。
Ⓓ 眼鏡をなくし，気分がすぐれない。

下線部❶「…突然視界がぼやけてきた。…それからおなかが痛くなってきて…」を参照。

2 正解 **C**

設問の訳 結局，看護師は学生の不調の原因を何だと思ったか。
選択肢の訳
Ⓐ インフルエンザの初期症状が出ている。
Ⓑ 目に何らかの重大な問題があるかもしれない。
Ⓒ ストレスを感じており，不健康な生活を送っている。
Ⓓ 胃と目の複合疾患である。

下線部❷で看護師は，その直前の学生の発言「朝の3時まで起きていた」で，学生の不健康な生活に納得し，さらに「ストレスが目に出ている可能性が高い。…人によっては腹痛になるし，目にトラブルを起こす人も…」と続け，今回の学生の不調の原因を推測している。よって，正解は Ⓒ 。

3 正解 Ⓐ

設問の訳 学生が健康を回復するために取るべき処置は何か。

選択肢の訳
- Ⓐ 適切な食事をし，十分な休息をとる
- Ⓑ 運動と勉強のバランスを保つ
- Ⓒ 試験が終わるまで待ち，それから元に戻るようにする
- Ⓓ 夜はもっと早く寝る

下線部 3-1 で看護師は「基本的な健康に気を付けなければならない」と言い，その具体的な内容として，下線部 3-2 「適切な食事と睡眠，そして勉強の合間の休憩」を勧めている。よって，正解は Ⓐ 。

4 正解 Ⓐ

設問の訳 薬に関して，看護師は学生にどのような説明をしているか。

選択肢の訳
- Ⓐ 薬代を支払わなければならない。
- Ⓑ 救急なので薬代は無料である。
- Ⓒ 薬を買うには，医師が処方箋を書かなければならない。
- Ⓓ 薬局で買う薬より安い。

下線部 4-A から薬が有料と分かるので，Ⓐ が正解。Ⓑ は下線部 4-B に救急の場合は無料とあるが，この学生よりも深刻な場合なので不適切。Ⓒ については，薬はこの場で買えるので，必ずしも医者の処方箋は必要ではない。Ⓓ は，下線部 4-D から，薬局で買う方が安い。

会話の一部をもう一度聞き，質問に答えなさい。（スクリプト太字部分参照）

5 正解 Ⓑ

設問の訳 学生について何が推測できるか。

選択肢の訳
- Ⓐ すぐに医者に診てもらわなければならない。
- Ⓑ セカンド・オピニオンを受けるために，眼科医に診てもらった方がよい。
- Ⓒ ストレスを解消する方法を考えなければならない。
- Ⓓ 信頼のおける専門家のアドバイスを受けた方がよい。

看護師は最後に，... get some professional advice from an ophthalmologist. 「眼科医から専門的なアドバイスを受けて」と言っているので，Ⓑ が正解。Ⓑ の should は義務ではなく，「～た方がいい」という丁寧な助言を表す。Ⓐ については，to be on the safe side「念のために」とあり，医者に絶対に診てもらわなければならないわけではないので，不適切。

Passage 4

CHAPTER 3

実戦練習 5

CD2-28~34

Biology

Now get ready to answer the questions.
You may use your notes to help you answer.

1 What is the lecture mainly about?
- (A) Biochemical differences between humans and primates
- (B) Differences between human and primate brains
- (C) The reasons why primates can't speak
- (D) An explanation of how primates evolved into humans

2 Which of the differences or similarities between humans and primates are NOT mentioned?
- (A) Body size
- (B) Brain evolution
- (C) Brain size
- (D) Body weight

3 In the lecture, the professor describes the features of the "primary motor cortex" and "Area 4" by comparing them with each other. Indicate whether the following is related to Area 4.
Place a checkmark in the correct box.

	Yes	No
(A) The human brain		
(B) Being smaller in size than primary motor cortex		
(C) Being devoted more to legs than thumbs		

● Passage 5

4 Which of the following statements about why primates can't speak is correct?
- (A) There is only a small link between primates' breathing and speech areas of the brain.
- (B) Wernicke's Area in primates is not fully developed.
- (C) Primates' lack of arcuate fasciculus means they can't coordinate breathing with speech.
- (D) Broca's Area in humans is twice the size of the primate version.

Listen again to part of the lecture.
Then answer the question.

5 Why does the professor say this: 🎧
- (A) Students should realize why greater hand control became necessary.
- (B) Students should understand that humans changed their diet.
- (C) Students should think about how difficult it is to remove a shell from a shellfish.
- (D) Students should marvel at human desire to survive.

Listen again to part of the lecture.
Then answer the question.

6 What point is the professor trying to make here?
- (A) Monkeys living in trees can't swim because they have no real desire to swim.
- (B) The breathing system in monkeys doesn't allow them to voluntarily hold their breath.
- (C) The breathing muscles in monkeys don't allow them to hold their breath for long.
- (D) When monkeys dive in water, they lose control of their bodies.

Passage ❺　　**ANSWERS**

🔷ポイント

- 冒頭で，チンパンジーは DNA では人間に近いが，脳ではゴリラの方に近いと言っています。人と霊長類の違いを整理しながら聞きましょう。
- 具体的な差異として，まず手の器用さが取り上げられます。どのようにしてその違いが表れたか，それに伴う特徴は何かなど，流れに沿って理解しましょう。
- 次に声を出す能力や，言語・思考の能力を脳の機能から説明しています。聞き慣れない語が出てきますが，焦らず聞こえたとおりのスペルで書いてみて，その特徴を聞き逃さないようにしましょう。

Ⓢcript　　　　　　　　　　　　　　　　　　　　　　CD 2-28～34

グレーで示してある箇所（humans and chimps are more similar など）はこの講義のコアの部分です。これをきちんと追いながら聞くことができていれば，問題を解くために必要な講義の内容が理解できていることになります。

Listen to part of a lecture in a biology class.

　It's often said that chimpanzees are the closest animal to man. What do people mean when they say this, though? Well, humans and chimps are more similar in terms of...of biochemical set-up, by that I mean DNA, and also their evolutionary links than, in fact, chimpanzees are to gorillas.

　However, chimp and human brains differ in size and anatomy more than, ah, chimps and gorillas, or as we call them, uh, apes or primates[A]. Of course, primates, like chimps and gorillas, would seem to resemble one another because [2-B] they did not go through the evolutionary stages of the human brain. We can say that after the human/chimp evolution, human brains really changed a lot. This is observable in the fact that [2-D] although chimps and humans can be similar in...in body weight, [2-C] specific brain parts, like the, ah, neocortex[B] of the brain, are much bigger in humans. [1] It's these brain differences that I want to deal with today. Well, for starters, the center of the brain controlling dexterity or hand control, airway control, um, vocalization, the ability to make sounds and language and thought, are bigger in humans than in their chimpanzee cousins. On the other hand, the center of the brain that takes care of sense of...of smell and foot control is bigger in chimps than humans ...with me so far?

　As you know, the left half of the brain controls movement of the right side of the body

● Passage 5

and vice versa. And the place that sends out these control messages 3-A is called the, um, primary motor cortex in humans and Area 4 in apes. 3-B The human motor cortex is about, well, twice the size of primates' Area 4. 3-C-1 And in Area 4, a smaller percentage of the total size is devoted to hands, thumbs, and fingers, so chimps are less dexterous than humans. 5 Human hands are much more mobile than apes — just think of all the wonderful things we can do with our hands that apes can't. **Our human ancestors first started developing better hand use as they started looking for marine food sources after coming out of the, ah, trees.** Think about that for a moment. They trained themselves to not only catch things like shellfish, but then had to...to remove the shells to eat them. 3-C-2 In the human's motor cortex, a smaller percentage is allocated to leg, foot, and toe action, making humans less agile in trees and less proficient at climbing than primates and, well, this lack of need comes from the fact that humans decided to stop living in trees and began things like farming to keep alive, and so on. Don't you think that sounds reasonable?

So on to the breathing and speaking. In the central motor cortex of humans, there is an area called 6 Broca's Area, and this controls the part of the body responsible for...for motor, speech, and breathing muscles. In humans, as in mammals that can dive, there is an innate ability to hold one's breath underwater, but in apes, this ability is more, uh, involuntary than voluntary. **In other words, even if monkeys wanted to swim underwater, their bodies wouldn't let them.** Anyway, near this Broca's Area is another place called Wernicke's Area — named after Carl Wernicke, the German scientist who first found it...and it deals with the spoken words that come out of our mouth. Now, Wernicke's Area, as you might imagine, is unique to the human brain.

Between these two brain areas — Wernicke's Area and Broca's Area — is a connection called the, um, arcuate fasciculus which is a neural or information routeway. Here's the important part — there is a direct link between controlling breathing and being able to speak. 4 Well, apes don't have this arcuate fasciculus, and they can't coordinate, ah, the sensory areas in the mouth and throat and breathing, so that's why apes can't, you know, talk like we all can...do you see?

音声聞き取りのポイント

Ⓐ primates：霊長類　＊霊長類は人間も含むが，この英文では人間と比較して，ゴリラ，チンパンジーなどを指す語として使っている。
Ⓑ neocortex：新皮質
Ⓒ vice versa：逆もまた同じ
Ⓓ primary motor cortex：一次運動野
Ⓔ dexterous：手先の器用な
Ⓕ agile：敏しょうな　＊下線部に強勢がくる
Ⓖ Broca's Area：ブローカ野
Ⓗ voluntary：随意の，任意の　＊involuntary は「不随意の，不意識の」という意味。
Ⓘ Wernicke's Area：ウェルニッケ野
Ⓙ neural：神経の，神経中枢の

訳　生物学の講義の一部を聞きなさい。

　チンパンジーは人間に最も近い動物だとよく言われますが，どういう意味なのでしょうか。人間とチンパンジーは，えー，生化学的な成り立ち，つまり DNA の点でも，また両者の進化の関係でも，チンパンジーとゴリラより，よく似ています。

　しかし，チンパンジーと人間は，脳の大きさや構造という点では，類人猿というか霊長類と呼んでいるチンパンジーとゴリラよりも異なっています。もちろん，人間の脳がたどった進化の段階を経なかったために，チンパンジーやゴリラのような霊長類同士は似ているように見えるのでしょう。人間の脳は，人間やチンパンジーとしての進化の後，大きな変化を遂げています。これは，チンパンジーと人間が体重では似ていても，脳の新皮質のような特定の部位では人間の方が格段に大きいことから観察できます。今日私がお話したい内容は，こういった脳の差異です。さて，まず初めに器用さや手の動き，気道のコントロール，あー，発声，つまり音を出す能力，それに言語や思考をつかさどる脳の中枢は，親戚であるチンパンジーと比べ，人間の方がより大きくなっています。その一方で，嗅覚や足の動きをつかさどる脳の中枢は，人間よりチンパンジーの方が大きくなっています。ここまではいいですか。

　知ってのとおり，脳の左半分は体の右側の動きを，右半分は体の左側の動きを，それぞれつかさどっています。そして，それらのメッセージを送り出している部分を，えー，人間では一次運動野と呼び，類人猿では第4野と呼んでいます。人間の一次運動野は，えー，霊長類の第4野の約2倍の大きさを持っています。また，第4野では，全体のうちごく一部が，手，親指，そのほかの指に割り当てられています。このため，チンパンジーは器用さの点で人間に劣ります。人間の手は類人猿の手よりはるかによく動きます。私たちが手を使って行えて，類人猿は行えない数々の素晴らしいことを思い浮かべてみてください。人間の祖先は木から下りて，海で食物を探し始めたときに初めて手を扱う能力が発達し始めました。ちょっと想像力を働かせてみてください。人間は貝などを採るためだけでなく，採った貝を食べるために貝殻を取り除かなくてはならず，訓練をしたのです。人間の運動野では，比較的わずかな

部分が脚，足，足指の動作に割り当てられていることから，人間は（ほかの）霊長類に比べて木々の上ではあまり敏しょうでなく，木登りもあまりうまくありません。こういった必要性の欠如は，人間が木々の上で過ごすのをやめ，生きるために農業を始めたことなどが原因です。理にかなっていると思いませんか。

　次は呼吸と発話についてです。中央運動野には，人間ではブローカ野という部分があります。これは運動，発話，呼吸で使う筋肉にかかわる体の部分をつかさどる運動野です。潜水ができる哺乳動物と同様，人間にも，水中で息を止める生まれつきの能力がありますが，類人猿では，この呼吸能力はどちらかというと不随意のものです。別の言い方をすると，いかに猿が水中で泳ぎたくても，体がそうさせないのです。それはそれとして，このブローカ野の近くにはもう1つ，ウェルニッケ野というのがあります。ドイツの科学者であるカール・ウェルニッケという人が最初に発見したことから，その名前が付けられています。この部分は口から発せられる話し言葉に関係しています。さて，ウェルニッケ野は想像のとおり，人間の脳に特有のものです。

　ウェルニッケ野とブローカ野という2つの脳の領域の間には，えー，弓状束という連結部が存在します。この連結部は神経回路ないし情報回路を成しています。重要なのは，呼吸の調整と発話能力には直接的なつながりがあるということです。類人猿には，この弓状束がありません。そのため，口とのどにある，えー，感覚野と呼吸を統合的に調整することができません。だから，類人猿は私たちのように話すことができないのです。わかりましたか。

1　正解 Ⓑ

設問の訳　この講義は主に何について述べているか。

選択肢の訳
- Ⓐ　人間と（ほかの）霊長類との間の生化学的差異
- Ⓑ　人間の脳と（ほかの）霊長類の脳における差異
- Ⓒ　（ほかの）霊長類が話せない理由
- Ⓓ　どのようにして（人間以前の）霊長類が人間に進化したかの説明

講義は「人間とチンパンジーはDNAの点で似ている」と始まるが，次に「脳の大きさや構造については異なる」という話になり，下線部❶で「今日私が取り上げたい内容は，こういった脳の差異だ」と述べている。よって，正解はⒷ。

2　正解 Ⓐ

設問の訳　人間と（ほかの）霊長類の差異や類似点のうち，述べられていないものは次のどれか。

選択肢の訳
- Ⓐ　体の大きさ
- Ⓑ　脳の進化
- Ⓒ　脳の大きさ
- Ⓓ　体重

Ⓑ，Ⓒ，Ⓓに関しては，それぞれ下線部❷-B～❷-Dで述べられている。ここで触れられていないのは，Ⓐのみである。

3 正解　Yes: Ⓑ Ⓒ　No: Ⓐ

設問の訳　講義では，教授は「一次運動野」と「第4野」の特徴を比較しながら説明している。以下のものが第4野に関係するか示しなさい。
チェックマーク（✓）を適切な欄に入れなさい。

選択肢の訳
Ⓐ　人間の脳
Ⓑ　一次運動野より小さい
Ⓒ　親指よりも脚に関係する

下線部 **3-A** より，第4野は類人猿の脳にあるものなので Ⓐ は No。**3-B** より，Ⓑ は Yes。下線部 **3-C-1** と **3-C-2** より，Ⓒ も Yes。

4 正解　Ⓒ

設問の訳　（ほかの）霊長類が話せない理由について，次の文のうち正しいのはどれか。

選択肢の訳
Ⓐ　（ほかの）霊長類の呼吸に関わる脳の部分と発話に関わる脳の部分の間には，小さな連結部があるだけである。
Ⓑ　（ほかの）霊長類のウェルニッケ野は十分に発達していない。
Ⓒ　（ほかの）霊長類に弓状束がないということは，呼吸と発話を統合的に調整できないということである。
Ⓓ　人間のブローカ野は（ほかの）霊長類のものの2倍の大きさである。

下線部 **4** から，類人猿には弓状束がなく，感覚野と呼吸とを統合的に調整することができないため，人間のように話すことができないとわかる。

講義の一部をもう一度聞き，質問に答えなさい。（スクリプト1つ目の太字部分参照）

5 正解　Ⓐ

設問の訳　教授はなぜ次のように言っているか。（スクリプト破線部参照）

選択肢の訳
Ⓐ　学生はなぜ手をもっと器用に操ることが必要になったかを認識すべきである。
Ⓑ　学生は人間が食習慣を変えたことを理解すべきである。
Ⓒ　学生は貝から貝殻を取り除くことがいかに難しいか，考えるべきである。
Ⓓ　学生は人間の生存欲に驚嘆すべきである。

下線部 **5** で「人間の手は類人猿の手よりはるかによく動く」と述べた後，人間は生きるために採取した貝の貝殻を取り除かなくてはならなかったこと，そのためには手が器用でなければならなかったことを説明し，人間が手を器用に使えるようになった理由を学生に認識させようとしている。

●Passage 5

講義の一部をもう一度聞き，質問に答えなさい。（スクリプト2つ目の太字部分参照）

6 正解 **B**

設問の訳　教授はここで何を主張しようとしているか。

選択肢の訳
- Ⓐ　木々の上に住んでいる猿は泳ぎたいという欲望がないため泳げない。
- Ⓑ　猿の呼吸方式では随意に呼吸を止めることができない。
- Ⓒ　猿の呼吸の筋肉では長い間呼吸を止めることはできない。
- Ⓓ　猿は水中に潜ると，体の自由がきかなくなる。

この直前の下線部**6**から，猿は呼吸能力が不随意であるとわかる。

実戦練習 6

CD 2-35~41

Literature

Now get ready to answer the questions.
You may use your notes to help you answer.

1 What is the lecture mainly about?
- (A) How Christmas affects Scrooge
- (B) The character's changes brought on by ghosts' appearances
- (C) Scrooge's unhappy childhood
- (D) Charles Dickens's character choice for the book

2 At the beginning of the discussion, when the professor asks how a person could suddenly change from being a miser to a generous person, which one of the following answers was NOT given by students?
- (A) Watching your life flash before your eyes as in a car crash
- (B) Sinking on a boat in the middle of the sea
- (C) Becoming incredibly ill
- (D) Being left to die with no water or food

3 Which two of the following are NOT reasons why Scrooge had an unhappy childhood?
Choose 2 answers.
- (A) His parents showed him little affection.
- (B) His parents lacked social skills.
- (C) He was left at boarding school during Christmas.
- (D) He was always surrounded by poor people.

● Passage 6

4 In the discussion, the professor describes how the ghosts present their information to Scrooge. Indicate whether each of the following regarding the ghosts is true.
Click in the correct box for each sentence.

	Yes	No
A The Ghost of Christmas Past shows lazy, poor people.		
B The Ghost of Christmas Present takes Scrooge to his employee's home.		
C The Ghost of Christmas to Come tells Scrooge his fate cannot be changed.		

Listen again to part of the lecture.
Then answer the question.

5 What does the professor mean when he says this:
   A The professor wants the students to gamble on the answer.
   B Miserly people are not that uncommon.
   C Charles Dickens is a very famous author.
   D Most people cannot identify with Dickens's character.

Listen again to part of the lecture.
Then answer the question.

6 What can be inferred about the professor?
   A He mostly agrees with the student's answer.
   B He feels that religion is important as the setting.
   C He thinks the student is confusing Christmas and Christianity.
   D He believes the student is concerned with picking up religious ideas.

Passage 6　ANSWERS

ポイント

- イギリスの19世紀の作家ディケンズの『クリスマス・キャロル』を題材にした，主人公の人間性・思想の変化についての講義です。もしこの作品を読んだことがあれば，より理解が簡単になるでしょう。
- クリスマス・イブに4人の幽霊が出てきます。主人公のスクルージに何を見せるのか，スクルージの心境はどう変わっていくのか，メモしながら聞きましょう。
- 学生・教授の考えもきちんとメモするといいでしょう。講義の最後で教授は，この物語の意味も伝えています。

Script　CD2-35~41

グレーで示してある箇所（what など）はこの講義のコアの部分です。これをきちんと追いながら聞くことができていれば，問題を解くために必要な講義の内容が理解できていることになります。

Listen to part of a lecture in a literature class.

Professor: Let's just imagine for a moment that you're all mean-spirited[A], completely not generous, and generally contemptuous[B] of everything and everyone except your true love — money. Now, what would it take for you to, um, suddenly change your ways overnight, in other words, to become benevolent[C] and also remorseful about your past mistakes and then make a real effort to change in the future.

Student A: Well, maybe if I got really sick and became delirious or something. Well, 2-1 if the sickness was serious enough, I guess being close to death might be a way of...of snapping me out of my bad habits.

Student B: Not just sick, you know, 2-2 maybe like a car accident when you see your life flash before you. I don't know what it would be like 'cause it's never happened to me, but that might, um, do it.

Student C: I don't think you would change. No, for me, I'd have to know I was going to die — 2-3 like stuck on a boat in the middle of the sea with no food or water.

Student A: Yeah, but if you die, how would you know you could've been a...a better person?

Professor: Ah-ha. Well, those are all good points. I'm sure you are all familiar with the miserly Ebenezer Scrooge from Charles Dickens's *A Christmas Carol*. In fact, I bet nearly everyone knows someone who is a...a bit "Scroogy." ①Well, his turning point comes from the visitation of beings from the netherworld.

Student B: I'm sorry, the what world? Never world?

Professor: The netherworld — the place that ghosts and spirits come from. Well, this all takes place on Christmas Eve when he was visited by four ghosts whose combined efforts brought about a change in Scrooge. The first was his old business partner, Jacob Marley, who was just as awful a person as Scrooge himself, and Marley warns that unless things change, he will be damned in the same way to carry chains for the rest of eternity, and that, uh, three more ghosts are coming during the night. Needless to say, the initial shock must have been big, but Scrooge is as yet unmoved. Along comes the second ghost, the Christmas Past, and Scrooge is swept back to his childhood. **3** He was apparently abandoned at a boarding school by his parents during Christmas. Now, this seems to be the start of his lack of socialization. After all, Christmas is family time. His parents' feelings toward him turned him into an unfeeling person and taught him to be, ah, dispassionate to the world. This must have first triggered his desire to become a workaholic, and concentrate on amassing his fortune, and this in turn led to his hatred of poor people, saying many would be better off dead. He adds that we should decrease the surplus population. What do you think that means?

Student A: I guess he, um, hates poor people.

Professor: Why do you think he does?

Student A: He thinks they are lazy and should work harder, I guess.

Professor: Yeah, he sees them as a product of their own bad luck. So, next the Ghost of Christmas Present comes knocking. What will Scrooge be shown next?

Student B: What a bad person he is now, and how he will need to, ah, change.

Professor: Well, you're half right — the future comes with the, um, last ghost. **4** The third ghost, however, takes him to the home of the clerk Cratchit. Now, we know how Scrooge treats this guy, but Cratchit still raises a toast to his boss. At this point, he must be feeling some remorse. Then comes the last ghost, the Ghost of Christmas to Come and he is shown thieves pawning off Scrooge's belongings after his death and people he considered his friends deciding reluctantly about whether to attend his funeral. Imagine that. What an eye-opener for the guy. Finally, the ghost takes him to his grave where Scrooge begins to taste his mortality and the need for change. He asks the immortal question — "Are these shadows of the things that will be or may be only?" meaning — can I still get, ah, out of this situation? Well, change he does. Yeah, what do you think the Scrooge story's message is here?

Student B: Well, it's a Christmas religious story.

Professor: Well, it's set on Christmas for sure, but the message seems to be "love your fellow man." I don't see any deep Christian messages. He's just, ah, telling us the meaning of Christmas, regardless of the religion itself, I believe.

音声聞き取りのポイント

- **Ⓐ** mean-spirited：卑しい性格の，意地悪な
- **Ⓑ** contemptuous：軽蔑した
- **Ⓒ** benevolent：慈悲深い，博愛に満ちた
- **Ⓓ** netherworld：冥府，地獄　＊Netherlands「オランダ」と混同しないように。
- **Ⓔ** unless：〜しない限りは　＊if not と同義
- **Ⓕ** amass：（富などを）蓄積する
- **Ⓖ** immortal：不死の，不滅の

訳　文学の講義の一部を聞きなさい。

教授：ここで少し想像してみましょう。君たちが根っから心卑しく，寛大さに欠け，しかも愛する金銭を除けばどのようなものをも，どのような人をも軽蔑していたとします。さて，一晩でそのような振る舞いを急に変えるには，どのようなことが必要になるでしょうか。つまり，慈悲深くなり，過去に犯した過ちを悔い，これから変わろうと本当の努力をするようになるでしょうか。

学生Ａ：多分，重い病気になって，精神が錯乱したりした場合だと思います。病気が深刻で，死期が近くなったら，一気に悪習から抜け出すことになるでしょう。

学生Ｂ：病気だけではありませんね。自動車事故に遭って，歩んできた人生が走馬灯のように目の前に現れる場合だってそうかもしれません。それがどういうものなのかは今まで経験をしたことがないから分からないけれど，そうなる可能性は，うーん，ありますよね。

学生Ｃ：僕は，変わるとは思いません。僕の場合，死ぬということを確実に自覚しなくてはならないと思います。海の真ん中で水も食料もなくボートに取り残されるとか。

学生Ａ：そうですね。だけど，もし死んでしまったら，どのようにして自覚するのですか。もっとましな人間になれたのに，と。

教授：なるほど。どれもなかなかいい点を突いていますね。君たちはきっと，チャールズ・ディケンズの『クリスマス・キャロル』に登場する，欲深いエベネーザ・スクルージのことをよく知っているでしょう。実際，君たちのほとんどは，スクルージのような感じの人を知っていると思います。スクルージのターニングポイントは冥府からの来訪者です。

学生Ｂ：すみません，どこからとおっしゃったのですか。ネバーワールドですか。

教授：冥府です。亡霊や霊魂の住む場所です。さて，これはすべてクリスマス・イブに起きるのですが，4人の亡霊がスクルージのところへやって来ました。そしてそれぞれの亡霊の努力によって，スクルージの内面に変化が起きます。1人目は，過去に彼のビ

ジネス・パートナーだったジェイコブ・マーレイでした。マーレイはスクルージと同じようにひどい人物で，もしもこのまま状況が変わらないと，自分同様，永久に鎖を引きずっていくことになるぞとスクルージに警告します。そして，えー，その夜さらに 3 人の亡霊がやって来ると教えます。言うまでもなく，最初のショックは大きかったに違いありません。しかし，スクルージはまだ心を動かされません。次に，2 人目の亡霊として過去のクリスマスがやって来ると，スクルージは子ども時代に連れ戻されます。どうやらスクルージはクリスマスの時期に，両親によって寄宿学校に置き去りにされたようです。スクルージが人との付き合いに乏しいのは，この出来事が原因になっているのでしょう。何と言っても，クリスマスは家族の時間ですからね。スクルージに対する両親の感情が彼を冷酷な人間に変え，世間に対して，えー，無感情になるよう教えたのです。この出来事がきっかけで彼は仕事中毒になり，富を築くことに専念するようになったに違いありません。その結果，彼は貧しい人々に対し激しい嫌悪を示すようになり，貧乏人の多くは死んだ方がいいと言うようになりました。過剰人口は減らすべきだ，とまで言っています。こういったことが何を意味していると思いますか。

学生 A：スクルージは貧しい人々をひどく嫌っていると思います。
教授：なぜだと思いますか。
学生 A：貧乏人は怠け者で，もっと働くべきだと考えているからだと思います。
教授：そうですね。スクルージは貧しい人たちを，自分たちに根ざした不運の産物だと見ています。さて次に，現在のクリスマスの亡霊がやって来てノックします。スクルージが次に見るものは何でしょうか。
学生 B：卑劣な今の自分の姿です。そして，ええと，どのように変わるべきかです。
教授：う～ん，半分は正しいですね。未来の話は，えー，最後の亡霊と共に登場します。一方，3 人目の亡霊はスクルージを従業員のクラチットの自宅に連れて行きます。さて，私たちはスクルージがこの人物をどのように扱っているか知っていますが，クラチットはそれでもボスに祝杯をあげています。ここで，スクルージは多少良心の呵責を感じたに違いありません。そしてやって来るのが，最後の亡霊である未来のクリスマスの亡霊です。スクルージは自分の死後，所持品が泥棒によって質に入れられる場面を見せられます。また，友人だと思っていた人たちが，彼の葬式に参列するかどうかを渋々決めている様子も見せられます。想像してみてください。スクルージにとって何とショッキングなことか。最後に，この亡霊はスクルージを彼の墓場に連れて行き，彼はそこで自分が死ぬ運命にあることを知り，人として変わる必要性を初めて味わうことになるのです。そして永遠に続く問いを発します。「今見た幻影はこれから実際に起こることなのか，それとも単なる可能性なのか？」と。つまり，私はまだこの状況から，あー，抜け出せるのか？　という意味です。そして彼は変わるのです。このスクルージの物語が伝えようとしているメッセージは何だと思いますか。
学生 B：ええと，宗教に関係したクリスマスの物語です。
教授：うーん，確かにクリスマスの時期に設定されてはいますが，伝えようとしているメッセージは「同胞を愛しなさい」ということのようです。キリスト教に関する深遠なメッセージは見られません。彼は，えー，宗教とは関係なくクリスマスの意義を伝えているのだと思います。

1 正解 B

設問の訳 主に何についての講義か。

選択肢の訳
- A クリスマスが，スクルージにどのような影響を及ぼすか
- B 亡霊の出現によってもたらされた登場人物の変化
- C スクルージの薄幸な子ども時代
- D チャールズ・ディケンズがこの小説のために行った登場人物の選択

教授はまず，人が変わるきっかけを学生に考えさせ，スクルージの例を挙げている。下線部①以降，スクルージの心境の変化を中心に講義は展開する。

2 正解 B

設問の訳 この講義の初めに，人はどうすれば突如として守銭奴から気前のいい人物に変わりうるのかと教授は質問したが，次の答えのうち学生が出していないものはどれか。

選択肢の訳
- A 自動車事故など，歩んできた人生が走馬灯のように眼前に現れるのを見る
- B 海の真ん中でボートが沈む
- C かなりの大病を患う
- D 水も食料もなく，ただ死ぬのを待つ

下線部 2-1 から 2-3 を参照。下線部 2-3 「海の真ん中で水も食料もなくボートに取り残されるとか」では「ボートが沈む」とは言っていない。

3 正解 B D

設問の訳 スクルージが幸福でない子ども時代を過ごした理由を表していないものは，次のうちどれか。
答えを2つ選びなさい。

選択肢の訳
- A 両親は彼に愛情をほとんど示さなかった。
- B 両親は社交術に欠けていた。
- C 彼はクリスマスの時期に寄宿舎に残された。
- D 彼の周囲にはいつも貧乏な人たちがいた。

下線部③「どうやらスクルージはクリスマスの時期に，両親によって寄宿学校に置き去りにされたようだ」から，彼が子ども時代に幸福でなかった理由が A と C であることが分かるので，B と D が正解。

●Passage 6

4 正解 Yes: Ⓑ　No: Ⓐ Ⓒ

設問の訳　講義の中で教授は，亡霊たちがどのように彼らの持つ情報をスクルージに伝えたかを述べている。亡霊に関する次の文が正しいかどうか指摘しなさい。正しいボックスをクリックしなさい。

選択肢の訳　
Ⓐ　過去のクリスマスの亡霊は怠惰で貧乏な人たちを見せる。
Ⓑ　現在のクリスマスの亡霊はスクルージを従業員の自宅へと連れて行く。
Ⓒ　未来のクリスマスの亡霊は，彼の運命は変えられないと言う。

Yes の Ⓑ については，下線部4を参照。過去の亡霊が見せたのはスクルージの子ども時代であり，未来の亡霊は運命が変わる可能性を示唆しているので Ⓐ Ⓒ は No。

講義の一部をもう一度聞き，質問に答えなさい。(スクリプト1つ目の太字部分参照)

5 正解 Ⓑ

設問の訳　教授は次の部分で何を言おうとしているか。(スクリプト破線部参照)

選択肢の訳　
Ⓐ　学生たちが答えに賭けるようにさせたい。
Ⓑ　欲深い人たちはそんなに珍しくない。
Ⓒ　チャールズ・ディケンズは有名な作家である。
Ⓓ　ほとんどの人がディケンズの登場人物に共感できない。

教授は学生に身近な例を考えさせることで，スクルージのように欲深い人が世の中には珍しくないことを，分かりやすく示そうとしている。

講義の一部をもう一度聞き，質問に答えなさい。(スクリプト2つ目の太字部分参照)

6 正解 Ⓒ

設問の訳　教授について何が推測できるか。

選択肢の訳　
Ⓐ　学生の答えにほぼ同意している。
Ⓑ　設定として宗教は重要だと感じている。
Ⓒ　学生がクリスマスとキリスト教を混同していると思っている。
Ⓓ　学生が宗教的な考え方を見出すことに関心があると思っている。

「キリスト教に関する深遠なメッセージは見られません」から，教授は『クリスマス・キャロル』の伝えようとしているメッセージは宗教と関係がないことを指摘している。

実戦練習 7

CD 2-42~47

Now get ready to answer the questions.
You may use your notes to help you answer.

1 What is the most likely reason for the student's visit?
- Ⓐ He is worried about his lack of job interviews.
- Ⓑ He wants to inform the counselor about his scheduled interview.
- Ⓒ He is looking for someone to help him with his résumé.
- Ⓓ He needs to know how to relieve job-hunting stress.

2 What are the problems with the student's résumé?
Choose 2 answers.
- Ⓐ No important figures
- Ⓑ No reasons why he wants to join the company
- Ⓒ No list in the cover letter
- Ⓓ No information about his strengths

3 What does the counselor suggest at the end of the conversation?
- Ⓐ Lead a résumé workshop for students with similar problem
- Ⓑ Attend a special résumé preparation class
- Ⓒ Drop off the corrected résumé this Friday
- Ⓓ Try to think of some good ideas for preparing the résumé

● Passage 7

Listen again to part of the conversation.
Then answer the question.

4 Why does the counselor say this to the student?
- Ⓐ She is explaining the stages a company goes through when recruiting workers.
- Ⓑ She is warning the student to make a better résumé.
- Ⓒ She is sympathizing with the difficulties facing the student.
- Ⓓ She is telling the student to wait and see about the interview's outcome.

Listen again to part of the conversation.
Then answer the question.

5 What does the counselor mean by this remark?
- Ⓐ Getting to the first base is not vital.
- Ⓑ The student won't be contacted for an interview.
- Ⓒ Mistakes are natural for getting a job.
- Ⓓ Another candidate might stand a better chance.

Passage ❼ ANSWERS

ポイント

・就職カウンセラーと学生との会話で，就職活動の進捗状況について話しています。就職活動には一般的に何が必要で，また，その準備方法，実際の活動内容などを考えながら聞きましょう。

・学生は努力しているものの結果があまり思わしくはないようです。カウンセラーは学生が不足している点を指摘し，改善を促しています。具体的に何をどうすればいいと提案しているか確認します。

・最後に，カウンセラーは何を提案しているでしょうか。

Script

グレーで示してある箇所（job-hunting など）はこの会話のコアの部分です。これをきちんと追いながら聞くことができていれば，問題を解くために必要な会話の内容が理解できていることになります。大事な部分やノート・テイキングのヒントとなる事柄をふきだしで説明していますので，参考にしてください。

Listen to part of a conversation between a student and a career counselor.

Counselor: Oh, hi, Mark. Do come in and sit down.

Student: Thanks a lot.

Counselor: Well, you're gonna be graduating in 3 months time. So, um, Mark, how are the job-hunting efforts going?

Student: Mmm, OK, I suppose. I've arranged a couple of interviews for next week.

Counselor: OK. That sounds good, Mark. What sort of companies are they?

Student: Well, the one on Wednesday is a...um, trainee position for a shoe company, and the one on Friday is kind of a sales job, but I am not 100% sure on that. They seem OK, I guess.

Counselor: How about after that? What else do you have lined up in the way of interviews?

Student: Well, this is the thing. I must have sent off hundreds of letters and résumés, and the only replies I've got back are the two interviews for next week. And well, after that, there's nothing. I'm just not sure where to turn next.

すでに出てきている語句は頭字語に。 例) letters and résumés → L R

Counselor: I see. Well, Mark, you know, finding a job you want can be a long and stressful process. First, the letters and résumés, and next, the time-consuming interviews, and finally, waiting to see if you've been accepted or not.

Student: Yeah, um, maybe there's something I'm just not doing right.

Counselor: Mmm, I'm not sure about that. Don't forget there're a lot of graduates going for a few jobs. Let's see now…do you have a copy of your résumé with you here today, Mark?

Student: Yeah, hold on…it's in here somewhere…yeah…here you go.

Counselor: Mark, you know that the résumé and cover letter are the only ways of immediately grabbing someone's attention. Make a mistake at this critical stage and you won't even get to the first base. And…yes…right here. I can already see two spelling mistakes.

Student: What? No, that can't be. I'm sure I spell-checked that on my computer at home.

Counselor: You must have missed them, then. And…um, I don't see any statement of intent or even skills for that matter in your résumé.

Student: A statement of what?

Counselor: Intent. This should be a few lines to tell the company why you would be a good person to recruit.

Student: Well, I wouldn't really know where to begin there.

Counselor: It's just a summary of your strengths based on what you think the company is looking for. You see, you make a list of the things that you are good at, say, working with figures, good people skills, stuff like that, and then think about what the person reading your résumé wants to read. Do you see?

Student: I follow you. You mean kinda like selling myself.

Counselor: Exactly. Look, if you've got time this Friday afternoon, I'm doing a workshop on résumé preparation. It would be a good idea, Mark, for you to drop by with your résumé and we can discuss and work through these and similar problems with other students.

音声聞き取りのポイント

A a couple of：of が省略されることもあり，しばしば，／アカッポ／のように聞こえる。
B must have：must've ／マスタブ／のように聞こえます。
C time-consuming：時間のかかる
D grab：つかむ，感動させる
E critical stage：重要な段階
F that can't be：それはあり得ない

訳 学生と就職指導カウンセラーの会話の一部を聞きなさい。
カウンセラー：ああ，マーク。入ってお掛けなさい。
学生：ありがとうございます。
カウンセラー：3ヵ月後に卒業ですね。それで，マーク，就職活動の方はどうですか。
学生：ええ，まあまあだと思います。来週2つの面接が受けられることになりました。
カウンセラー：そう，それはよかった，マーク。どのような会社ですか。
学生：えー，水曜日のは，靴会社の見習いで，金曜日のは販売のような仕事ですが，100%の確信はありません。まあ，どちらもよさそうな会社だと思いますが。
カウンセラー：その後はどうですか。ほかにどんな会社の面接を受けることになっていますか。
学生：えー，それが問題なのです。何百という手紙や履歴書を送ったはずなんですが，返事を頂いたのは来週の2つの面接だけなんです。それで，それ以後はありません。次にどうすればいいのか分からなくて。
カウンセラー：なるほどね。えー，マーク，望みの仕事を見つけるのは，長く，ストレスのかかることです。最初に，手紙と履歴書，次に，時間のかかる面接，そして最後に，受かったかどうかを待つこと。
学生：そうですね，たぶん，何か正しくやっていないことがあるんですね。
カウンセラー：さあ，どうかしら。数少ない就職口を得ようとしている卒業生がたくさんいることを忘れてはいけませんよ。そうですね，今，履歴書のコピーを持っていますか，マーク。
学生：えー，ちょっと待ってください…どこかにあります…ええ，ありました，どうぞ。
カウンセラー：マーク，履歴書と添え状が，短時間で相手の注意を引き付ける唯一の手段だということは知っていますね。この重要な段階で失敗すると，第一段階すら突破できません。そう，ここ。もう2つ，スペルミスを見つけましたよ。
学生：何ですって？ ありえません。確かに家のパソコンでスペルチェックにかけました。
カウンセラー：それでは見逃したに違いありませんね。それから，えー，あなたの履歴書には志望動機が述べられていないし，さらに言えば，スキルの記述さえもありませんね。
学生：何の記述ですか。

● Passage 7

カウンセラー：志望動機です。これは，2，3行で，あなたが採用されるべき有益な人材である理由を，企業に伝えるものですよ。
学生：えー，どこから始めたらいいのか，全然分かりません。
カウンセラー：その企業が求めているとあなたが考えるものをベースに，自分の長所をまとめるだけです。自分の得意とすることをリストにするんです。例えば数字に強いとか，対人スキルに長けるとかですね。履歴書を読む人が何を求めているのかについて考えるのです。分かりますか。
学生：わかります。自分を売り込むようなことですね。
カウンセラー：そのとおり。いいですか，もし今週の金曜日の午後，時間があるなら，履歴書の書き方について講習会を行うので，履歴書を持って参加するといいですよ，マーク。ほかの学生と一緒に，今日のような，また似たような問題について話し合い，対策を立てることができますからね。

1 正解 A

設問の訳 学生の訪問の理由として最も適切だと思われるものはどれか。
選択肢の訳
A 就職の面接試験が少ないことを心配している。
B 予定されている面接試験のことをカウンセラーに知らせたがっている。
C 履歴書を書くのを手伝ってくれる人を探している。
D 就職活動のストレス解消方法を知る必要がある。

下線部❶で学生は，返事をもらったのが来週の2つの面接だけであり，それ以後面接の予定がないことを心配している。履歴書を書く際のアドバイスも受けているが，これが目的で訪問したわけではない。

2 正解 B D

設問の訳 学生の履歴書の問題点は何か。
答えを2つ選びなさい。
選択肢の訳
A 重要な数字の欠落
B その企業に就職したい理由の欠落
C 添え状でのリストの欠落
D 自分の長所に関する情報の欠落

カウンセラーは学生から履歴書のコピーを受け取り，履歴書でミスをすると次の段階に進めないことを指摘している。この後，下線部❷ I don't see any statement of intent or even skills for that matter in your résumé. で志望動機とスキルの記述が抜けていることを指摘している。

3 正解 Ⓑ

設問の訳 会話の終わりに，カウンセラーは何を提案したか。

選択肢の訳
- Ⓐ 似た問題を持つ学生のための履歴書ワークショップを主催する
- Ⓑ 履歴書作成の特別授業に参加する
- Ⓒ 今週の金曜日に訂正した履歴書を届ける
- Ⓓ 履歴書を作成するための何か良いアイディアを考える

下線部❸で「もし今週の金曜日の午後時間があるなら，履歴書の書き方について講習会を行うので，履歴書を持って参加するといいですよ，マーク」と言い，カウンセラーが開く履歴書の書き方講習会へ参加を促している。

会話の一部をもう一度聞き，質問に答えなさい。（スクリプト1つ目の太字部分参照）

4 正解 Ⓒ

設問の訳 なぜカウンセラーは学生にこう言っているのか。

選択肢の訳
- Ⓐ 学生に企業の採用方法の段階について説明している。
- Ⓑ 学生にもっと良い履歴書を作成するよう警告している。
- Ⓒ 学生が直面している困難に同情している。
- Ⓓ 学生に面接結果について，様子を見るよう助言している。

下線部❹で学生は，たくさんの履歴書を出したのに実際には2社しか面接試験まで至らず，どうしたらよいか分からないと言っている。それを受けてカウンセラーは，就職活動は長くてストレスのかかるものだと学生を慰め，励ましている。

会話の一部をもう一度聞き，質問に答えなさい。（スクリプト2つ目の太字部分参照）

5 正解 Ⓑ

設問の訳 カウンセラーのこの言葉は，何を意味しているか。

選択肢の訳
- Ⓐ 第一段階を突破することはさほど重要ではない。
- Ⓑ 学生は面接の通知を受けないであろう。
- Ⓒ 就職活動の中で間違いはよくあることだ。
- Ⓓ ほかの候補者が有利になるかもしれない。

get to the first base「第一段階を突破する」とは，この前のカウンセラーの発言より，履歴書を送付し，書類選考を通過することを指している。履歴書でミスをする＝面接に進むことができない，と言おうとしていると考えられる。

Passage 7

CHAPTER 3

実戦練習 8

CD 2-48~54

Sociology

Now get ready to answer the questions.
You may use your notes to help you answer.

1 What is the main topic of the lecture?
- (A) How much people love violence in society
- (B) Ways to reduce violence in sports
- (C) Various causes of violence in sports
- (D) Sports groups that must address violence issues

2 Why does the professor mention both sports and movies?
- (A) To compare people's attitudes toward violence in both
- (B) To explain that they are both part of everyday life
- (C) To prepare a question related to the needs of people watching both
- (D) To show how demanding the audience's needs of both can be

3 Which of the following best describes intermittent explosive disorder? Choose 2 answers.
- (A) It was discovered by sports trainers.
- (B) The symptoms can be seen in women, too.
- (C) Athletes suffering from it may become violent.
- (D) People suffering from it are classified as similar to other common addicts.

4 In the discussion, the professor describes the media's role in violence in sports. Indicate whether each of the following is the media's role in violence in sports.

Click in the correct box for each sentence.

	Yes	No
Ⓐ The media uses powerful written descriptions of violence.		
Ⓑ The media shows violence in specific sports only.		
Ⓒ TV media often show still images of violence.		
Ⓓ Newspapers are well-known for pictures of blood.		
Ⓔ Media organizations are powerful supporters of violence.		

Listen again to part of the lecture.
Then answer the question.

5 Why does the professor say this:
   Ⓐ He believes boxing is a common violent sport.
   Ⓑ He is making a point that violence is deeply rooted in sports.
   Ⓒ He thinks we must never change the violent aspect of sports.
   Ⓓ He wants students to give their opinions on sports with less or no violence.

Listen again to part of the lecture.
Then answer the question.

6 Why does the professor say this:
   Ⓐ He is concerned about the student's opinion.
   Ⓑ He is worried about the level of violence in sports.
   Ⓒ He accepts what the student is saying about violence.
   Ⓓ He is trying to challenge the student's definition of violence.

Passage 8 ANSWERS

ポイント

- この講義のテーマはスポーツと暴力についてです。スポーツにおいて暴力が求められる背景，悪化させる原因など話の展開を意識しながら聞きましょう。
- 暴力がスポーツ文化に根付いている原因は何でしょうか。スポーツの話の中で映画について触れていますが，これは何を説明するためでしょうか。
- この問題を悪化させる原因として2つのグループがあげられています。学生と教授の発言をきちんと理解しましょう。

Script　　　　　　　　　　　　　　　　　　　　CD2-48~54

グレーで示してある箇所（violence など）はこの講義のコアの部分です。これをきちんと追いながら聞くことができていれば，問題を解くために必要な講義の内容が理解できていることになります。

Listen to part of a lecture in a sociology class.

Professor: People often talk about violence in society, you know, um, crimes against the person and things like that, but little seems to be made of violence in one important aspect of society that we all come into contact with — sports. What sort of sports am I talking about?

Student A: Well, for starters, boxing and football, and, ah, of course, ice hockey, where violence is especially part of the game.

Professor: Yeah, rugby and shooting as well...the list is endless, and I suppose people who are pro-violence in sports are going to claim that it's ingrained in the culture of sports. **Changing it now would produce something very different indeed. I mean, can you imagine boxing without violence?** Hard to, I think, and as you said already, it... ⑤ it's part of the game itself, the main course of sports with side order of violence.

Student B: Well, it's a copycat^A of what happens in society. People are victims of crime everyday and we become almost, um, immune to^B it.

Professor: Interesting point. Violence in society is spilling onto the sports field, and our reaction is not one of surprise. What I mean to say is we have become desensitized^C to it in our everyday life. ② The same is true of violence in movies. The moviegoer, or sports fan, demands visual stimulation to fulfill a...a basic need. What else can influence such behavior?

● Passage 8

Student A: The fans get really wild during matches, don't they? You know, like American football and stuff. It's fun to get caught up in it.

Professor: Would you like to speak about that a little further and tell us what wild means?

Student A: Well, it's almost like us, the watchers, want players to hit each other, and when they do, it's like a...what do you call it...stimulus-response type thing.

Professor: Yeah, a need, right. And some people might argue that violence taking place between two willing combatants, well, perhaps not always willing, would be a way of, uh, venting frustrations. It's kind of like the player taking out hostilities⊕ on a willing participant, in which the watcher can vent internalized aggression. Violence can act as some kind of outlet⊖.

Student B: ⑥ Well, if that's what people think about violence, we've, um, just proven violence is necessary in society.

Professor: Yeah, therein lies the problem. I'm afraid it's ingrained. There are also two camps that we haven't mentioned that seem to aggravate the problem somewhat. Both of these groups, we could say, are consumer-led and at least one group anyway is firmly dollar-driven — money, money.

Student A: You mean like the professional sports clubs themselves? 'Cause I think that sometimes they stop their players from doing violent things, and fine them when they do, ah, bad stuff.

Professor: Yes, that's one of the groups I was thinking of, and yes, to a certain extent, depending on the sport, rules are enforced. I remember an old ice hockey coach, who once said that violence was called for and he was reluctant to remove it because it's what the fans wanted. He said that the club certainly sells fighting as part of its package, if you like, but that it did not, ah, actively promote it. So, there you have it.

Student B: Again, it depends on the sport, but I really think that clubs could do more to stop violence — fines or bans. Think about it. Most of the players are so pumped up that with the sound of the crowd, too, they just act like animals and lose control. Well, some do.

Professor: Yeah, it's great that you mentioned that because sports psychologists have found 3-1 something called intermittent explosive disorder, in which athletes have a tendency towards violence caused by high testosterone levels, in men, of course ...so brain, for the lack of a better word, "sickness" makes them hotheads, 3-2 and scientists class it in the same group as gambling and stealing addictions⊖.

Student A: What about the media?

Professor: OK, where does the media fit in? Switch on any kind of sports on TV and

4-1 you get freeze-frame action of some fight or another, and then 4-2 the print media will just love to hype up certain games by calling them "blood baths" and other powerful expressions for describing violence. So, in summary, we are, uh, divided, but most fans of more violent sports seem to enjoy the violence, and with many causes, it's an inevitable part of some sports, but the odds^G against the problem being fixed some time soon are high.

音声聞き取りのポイント

Ⓐ copycat：模倣
Ⓑ immune to：〜に免疫がある，影響を受けない
Ⓒ desensitized：感度が減じた，鈍感になった
Ⓓ hostilities：敵意
Ⓔ outlet：出口，はけ口　＊電気の出口＝「コンセント」の意味もある。
Ⓕ addictions：常習，中毒
Ⓖ odds：見込み，勝ち目　＊ odds against 〜 は「〜がありそうもない見込み」

訳　社会学の講義の一部を聞きなさい。

教授：私たちは，よく社会における暴力について話をします。えー，人に対する犯罪やそれに類するものですね。しかし，私たち誰もが接することとなる社会のある重要な面，すなわちスポーツにおける暴力については，ほとんど話されていないように思われます。私が話しているのはどのようなスポーツについてでしょうか。

学生Ａ：まず，ボクシング，フットボール，えー，それから，もちろん特に暴力がゲームの一部になっているアイスホッケーですね。

教授：そう，ラグビーに射撃などもそうですね。数え切れないほどあります。そして私が思うに，スポーツにおける暴力の容認派は，暴力はスポーツ文化に深く根付いていると主張するでしょう。今それを変えれば全く違ったものを作り出すことになるでしょう。暴力の伴わないボクシングなんて想像できますか。私は難しいと思います。それに，あなたが先ほど言ったように，暴力はゲームの一部となっていて，暴力という副菜が添えられた主菜がスポーツなのです。

学生Ｂ：それは社会で起きていることの模倣ですね。人々は日々，犯罪の被害者になっていて，それに対して，あー，免疫ができてしまっているのです。

教授：面白い観点です。社会における暴力はスポーツの分野に流出しており，私たちの反応は驚きではなくなっています。私が言いたいのは，日常生活において，私たちの暴力に対する感度が鈍くなってきているということです。映画における暴力にも同じことが言えます。映画によく行く人やスポーツファンは，えー，基本的な欲求を満たす視覚的刺激を求めます。ほかには何が，このような行動に影響を及ぼしますか。

学生Ａ：ファンは試合中にひどくワイルドになりますよね。えー，アメリカンフットボールとか，そのようなもので。それに夢中になるのは面白いです。
教授：それについてもう少し説明してくれますか。それからワイルドとはどういう意味なのかも教えてください。
学生Ａ：そうですね，私たち，つまり観客は選手が互いに殴り合うことを望み，そして選手が殴り合うと，それはちょうど … 何と言うか … 刺激反応のようなものになるのです。
教授：そう，欲求。そのとおりです。そして中には，好んで戦う２人の間で起きる暴力が，まあ，いつも好んでとは限りませんが，欲求不満のはけ口になっている，と主張する人もいるでしょう。例えば，進んで参加している相手に敵意をぶつけるような選手を通して，観客は内面化された攻撃性を発散できる，というような主張です。暴力は何らかのはけ口の役割を果たせるのです。
学生Ｂ：もし私たちが暴力をそのように考えているのだったら，社会には暴力が必要である，ということになります。
教授：そうです，ここに問題があるのです。残念ながら暴力は社会に深く根付いているのです。まだお話ししていませんが，問題をもう少し悪化させると思われる２つのグループがあります。このグループはどちらも言わば消費者主導で，少なくとも１つは金もうけ主義，お金第一主義です。
学生Ａ：クラブチーム（プロのスポーツチーム）みたいなものを言っているのですか。時には，選手が暴力を振るうのを止めたり，悪いことをしたときに罰金を科したりしていますよね。
教授：そのとおり，私が考えていたグループの１つはそれです。そして，スポーツによっては，ある程度までルールが課されています。ある年配のアイスホッケーのコーチがかつて，暴力は求められており，それを取り除くのは気が進まない，なぜなら，それはファンが望んでいるものだからだ，と言ったことを私は覚えています。彼は，クラブチームは確かに，言ってみればケンカをパッケージ商品の一部として売るが，それを積極的に促進しているのではない，と言ったのです。そういうわけなのです。
学生Ｂ：これもスポーツによりますが，クラブチームは暴力を止めるために，もっと何かできると私は強く思います。罰金とか，禁止令とかで。考えてみてください。ほとんどの選手はすごく気合いが入っているので，観衆の声援などもあって，まるで動物のような行動を取り，自分を制しきれなくなるのです。まあ，一部の選手はということですが。
教授：すごいことを言いますね。というのは，スポーツ心理学者が間欠性爆発性障害と呼ばれるものを発見したのです。これは，スポーツ選手が高レベルのテストステロンによって，もちろん男性ですが，暴力的傾向を持つことです。つまり脳の，ほかによい言葉がないのですが，"病気" が選手を短気にさせるのです。科学者たちはこれをギャンブル中毒や窃盗中毒と同じグループに分類しています。
学生Ａ：メディアはどうですか。
教授：はい，メディアの役割はどうでしょう。どのスポーツ番組でもいいのでテレビのスイッチを入れてごらんなさい。ケンカか何かがストップモーションで見られるでしょう。また活字メディアでは，ある特定のゲームを，"大量殺りく" などの暴力的

な強い表現を使って，好んで煽っています。それでは，まとめましょう。私たちの意見は分かれますが，より荒っぽいスポーツのファンのほとんどは，暴力を楽しんでいるように思われますし，それは多くの理由で，一部のスポーツにおいては不可欠です。この問題が近い将来解決される見込みは低いでしょう。

1 正解 C

設問の訳 この講義の主題は何か。

選択肢の訳
- A どれだけ多くの人々が社会における暴力を愛しているか
- B スポーツにおける暴力を減らす方法
- C スポーツにおける暴力のさまざまな原因
- D 暴力問題に取り組まなければならないスポーツグループ

この講義では，暴力を伴うスポーツの種類について話した後，暴力に対する観客の心理や欲求を述べて原因を探り，さらにその問題を悪化させる要素の説明をしている。したがって，C が最も適切。

2 正解 A

設問の訳 なぜ教授はスポーツと映画の両方に言及しているか。

選択肢の訳
- A 暴力に対する人々の反応を，両方において比較するため
- B 両方とも日常生活の一部であることを説明するため
- C 両方を観る人々の要求に関する質問を準備するため
- D 両方における観客の要求がいかに多いかを示すため

下線部 2 で，映画における暴力もスポーツと同じことが言え，両者とも視覚的刺激が求められていると述べている。2つを比較しているので，A が正解。

3 正解 C D

設問の訳 次のうち，間欠性爆発性障害を最もよく表しているのはどれか。
答えを2つ選びなさい。

選択肢の訳
- A スポーツトレーナーによって発見された。
- B この症状は女性にも見られる。
- C この障害を持つ運動選手は暴力的になるかもしれない。
- D この障害を持つ人は，ほかの一般的な中毒患者と近いものに分類される。

正解の選択肢 C は下線部 3-1 を，D は下線部 3-2 を参照。スポーツトレーナーではなく，心理学者が発見したので A は不正解。これは男性に見られるものだと説明されており，女性にも見られるかは言及されていないので B は不正解。

●Passage 8

4 正解 Yes: Ⓐ Ⓒ　No: Ⓑ Ⓓ Ⓔ

設問の訳　講義の中で教授は，スポーツにおける暴力に関するメディアの役割を述べている。次のものは，スポーツにおける暴力に関するメディアの役割であるかどうかを指摘しなさい。
正しいボックスをクリックしなさい。

選択肢の訳
Ⓐ メディアは暴力を表現する強烈な記述を使用する。
Ⓑ メディアは特定のスポーツにおける暴力だけを見せる。
Ⓒ テレビメディアはしばしば，暴力の静止画像を放映する。
Ⓓ 新聞は血なまぐさい写真を掲載することで有名である。
Ⓔ メディア組織は強力な暴力支持者である。

Yes の Ⓐ，Ⓒ はそれぞれ，下線部 **4-2**，**4-1** を参照。Ⓑ は「あらゆるスポーツ」という教授の説明と一致しない。写真ではなく，言葉なので，Ⓓ は不正解。Ⓔ のメディア組織が暴力支持者であるかどうかについては，本文では明確には触れられていない。

講義の一部をもう一度聞き，質問に答えなさい。（スクリプト 1 つ目の太字部分参照）

5 正解 Ⓑ

設問の訳　なぜ教授は次のように言ったか。（スクリプト 1 つ目の破線部参照）

選択肢の訳
Ⓐ ボクシングは一般的な暴力的スポーツだと信じている。
Ⓑ 暴力はスポーツに深く根付いていることを指摘している。
Ⓒ 私たちはスポーツの暴力的な部分を変えるべきではないと彼は考えている。
Ⓓ 暴力をあまり，あるいは全く伴わないスポーツについて，学生に意見を述べてもらいたいと思っている。

下線部 **5** で教授は暴力が試合の添え物としてその一部となっており，切り離せないことを指摘している。この部分を示唆して発言したと考えられる。

講義の一部をもう一度聞き，質問に答えなさい。（スクリプト 2 つ目の太字部分参照）

6 正解 Ⓒ

設問の訳　なぜ教授は次のように言ったか。（スクリプト 2 つ目の破線部参照）

選択肢の訳
Ⓐ 学生の意見を懸念している。
Ⓑ スポーツにおける暴力のレベルを心配している。
Ⓒ 暴力について学生が言っていることを認めている。
Ⓓ 学生の考える暴力の定義に異議を唱えようとしている。

教授は下線部 **6** で学生が指摘したように，問題は人々が攻撃性を発散できる場をスポーツに求めており，暴力が社会に深く根付いていることだと考えている。

実戦練習 9

CD2-55~61

Physics

Now get ready to answer the questions.
You may use your notes to help you answer.

1 What are the two main topics that the professor discusses?
- (A) The effects of lightning and who first discovered it
- (B) The causes and effects of lightning
- (C) The early experiments on lightning and what causes it
- (D) The dangers of lightning and its effects

2 Why was Franklin keen to carry out his experiments?
- (A) To prove that lightning had electrical properties
- (B) To show that clouds held neutral charges
- (C) To establish whether lightning was stronger than static electricity
- (D) To demonstrate that he was a true man of science

3 Which of the following is part of Franklin's most dangerous experiment idea?
- (A) A person holding an iron pole inside a church
- (B) A person flying a kite in a lightning storm
- (C) A person touching a church door and the ground
- (D) A person holding an iron rod and touching the ground

● Passage 9

4 The following are stages that happen when lightning is made. Put the stages in order.

Click on a sentence. Then drag it to the appropriate space where it belongs. Use each sentence one time only.

   (A) Air molecules are turned into charged ions.
   (B) Crystals and droplets bump together and separate.
   (C) Warm air meets cold air.
   (D) Energy is released from the cloud.

1		2	
3		4	

Listen again to part of the lecture.
Then answer the question.

5 What does the professor mean when he says this:
   (A) Dracula was lost in a thunderstorm.
   (B) Transylvania has a lot of bad weather.
   (C) Dracula can be found somewhere in Transylvania.
   (D) Lightning is an integral part of the fear of Dracula.

Listen again to part of the lecture.
Then answer the question.

6 What does the professor mean when he says this:
   (A) There was indeed no record of the experiment being performed.
   (B) The Swedish scientist was obviously killed in the process.
   (C) The experiment was a real success.
   (D) No one knows to this day if the experiment was successful.

Passage 9　　ANSWERS

ポイント

- 雷のメカニズムについての講義です。有名なドラキュラから講義を始めていますが，この部分は本題と関係ないので，聞き流していいでしょう。ただし，なぜこの話を出したかは考えておきましょう。
- 講義の前半は18世紀の科学者，フランクリンの雷実験について述べています。彼の予測とその実験方法を順を追ってノートしておきましょう。
- 後半では雷の発生するメカニズムについて説明しています。電気の発生原理や，稲妻とは実は空気分子の軌跡であるといった知識があると聞きやすいのですが，順を追って聞けば内容は難しくないでしょう。

Script　　CD 2-55〜61

グレーで示してある箇所（Dracula など）はこの講義のコアの部分です。これをきちんと追いながら聞くことができていれば，問題を解くために必要な講義の内容が理解できていることになります。

Listen to part of a lecture in a physics class.

　We're gonna turn our attention to the weather today, specifically lightning — one of nature's most, um, powerful gifts. **As everyone knows, lightning can do considerable damage and it has frightened and fascinated people for many centuries.** Where would Dracula be without his thunder and lightning on a…on a dark, stormy evening in Transylvania?

　Well, as far as science and lightning goes, it started back in the 18th century with a man called Benjamin Franklin — a true man of science whose motto was that science always had a purpose and was necessary to…to enhance our lives.

　So, Franklin wanted to devise some experiments to try and prove that lightning was an electrical phenomenon and that clouds held electrical charges. He predicted that the electrical effect of lightning could be, um, transferred to a…another object and in that other object, an electrical phenomenon might occur. He was probably inspired by the effects of static electricity in the house — you know, by walking across the carpet and then touching the doorknob and seeing a spark fly out, which I am sure must've happened to all of you at some point, right?

　Anyway, he had this wild idea that I wouldn't recommend to anyone. His idea was to mount an iron rod of about, um, 30 feet onto the top of a church steeple with the pointed end protruding⊕ upwards towards the sky and he wanted to ③ get someone...presumably himself...to touch both the iron rod and the ground and wait out in a thunderstorm for lightning to strike the rod and go through that person holding the rod into the ground. Pretty crazy, huh?

Well, there's no record of him having actually carried out this...reckless experiment, although a Swedish scientist tried it and, um, guess what? Yes ... as he was attaching the rod to the, um, steeple, lightning struck and fatally electrocuted⊕ him instantly.

Franklin also came up with a slightly, well, only slightly safer test, where he flew a kite and induced electricity to jump from the kite's line to a key he was holding on a string. He survived the outcome of that experiment and had proved electricity's existence in clouds and in...in so doing, he also showed that there are only two kinds of charges in nature, which we know today as, ah, positive and negative.

So, how is this electricity made? 4-C Well, first you need cold air and warm air. When they meet, the warm air rises and forms thunderclouds. The cold has ice crystals and the warm contains water droplets. 4-B During a storm, these crystals and droplets bump into each other and separate in the air, and it's, um, this action that causes static electricity in the cloud. In just the same way you have batteries in your personal stereo now, these clouds have a positive end that is at the top of the cloud, and the negative minus part is at the bottom. 4-D When the charge at the bottom becomes strong enough, the cloud lets out energy. This energy in the form of a lightning bolt travels to a place with an opposite charge or no charge. Nature really has a, ah, propensity⊕ to equalize the positivity or negativity. What was I saying? Oh yeah, OK...and when the charge is strong enough, the charge hitches a ride with molecules⊕ in the air on a kind of stepping stone. This charge, or for that matter, bolt, is called the leader stroke, and as you know, can go from one cloud to another or from the cloud to the ground. You've all seen lightning, right? Anyway, going back to the bolt, it will go back up into the cloud and create a flash of lightning. 4-A The bolt itself is actually a...a trail of air molecules that have been immediately ionized by the electrical charges as they shoot out from the clouds. There is another effect, and that is that the bolts heat the air, and that heat begins to spread quickly making the mandatory thunderclap sound after the lightning.

音声聞き取りのポイント

- Ⓐ static electricity：静電気
- Ⓑ protrude：突き出す，突き出る
- Ⓒ electrocute：感電（死）させる
- Ⓓ propensity：傾向，性癖
- Ⓔ molecules：分子

訳　物理学の講義の一部を聞きなさい。

　今日は天気，特に自然界で最も強力な贈り物の1つである雷について考えてみましょう。誰でも知っているように，雷は甚大な被害を与えることもあり，何世紀にもわたって人々を恐れさせたり，魅了したりしてきました。暗い嵐の夜のトランシルバニアに雷鳴と稲妻がなければ，ドラキュラはどのようなものになるでしょうか。

　えー，科学と雷に関して言えば，18世紀にさかのぼり，ベンジャミン・フランクリンという，"科学は常に目的を持ち，人間の生活を向上させるのに必要なものである" をモットーとした，真の科学者によって始まりました。

　さあ，フランクリンは，雷は電気的現象であり，雲は帯電していることを証明するための実験装置を考案したいと考えました。彼は，雷の電気作用は，えー，ほかの物体に伝わり，その物体で電気的現象が起きるのではないかと予見しました。彼はたぶん，家の中で起きる静電気現象からインスピレーションを受けたのでしょう。えー，カーペットの上を歩いて横切り，それからドアノブに触ると火花が飛び散るのが見えるというあの現象です。これは皆さんも1度は経験しているはずです。

　とにかく，皆さんには決して勧められませんが，彼は次のような荒っぽい計画を思いついたのです。それは，教会の尖塔に，そう，約30フィートの鉄の棒を先端が空に向かって突き出すように設置し，そして誰かが，たぶん自分自身だと思いますが，その鉄の棒と地面の両方に触れるようにして，雷雨の中，雷が鉄の棒に落ち，その鉄の棒を持っている人を通り抜け，地面に突き抜けるのを待つ，というものでした。本当に異常ですよね。

　えー，実際に彼がこの…，無謀な実験を実行したという記録は残っていませんが，あるスウェーデンの科学者がこれを試みて，えー，どうなったと思いますか。そうです，彼が鉄の棒を尖塔に設置しているときに雷が落ち，彼は感電し，即死しました。

　またフランクリンは少し，えー，ほんの少しだけ，安全な方法を思いつきました。たこを揚げて，たこ糸からひもにくくりつけた鍵へと電気を誘導する，というものです。彼は無事にその実験をやり遂げ，雲の中の電気の存在を証明し，そしてそれにより，自然界に電荷はわずか2種類しかないことを明らかにしました。それは現在，私たちが，あー，正電荷と負電荷として知っているものです。

　では，電気はどのようにして発生するのでしょうか。えー，まず冷たい空気と暖かい空気が必要です。この2つが出会うと，暖かい空気は上昇し，雷雲を形成します。冷たい空気は氷の結晶を，暖かい空気は水滴を含んでいます。嵐の間，これらの結晶と水滴は互いに衝突し，空気中で分離されます。あー，雲の中で静電気を起こすのはこの作用なのです。ちょう

ど，あなたたちの携帯用ステレオの中の乾電池と同じように，これらの雲は上部に正の電極を持っており，負の電極は雲の下部にあります。下部の電荷が十分に強くなると，雲はエネルギーを放出します。このエネルギーは，稲妻という形で反対の電荷のある場所，あるいは電荷がない場所に伝わります。自然界は実に，正と負を平準化する性質があるのですね。何を話していたんだったかな。あー，そうだ，電荷が十分に強くなると，電荷は空気中の分子の中を飛び石を渡るように飛んでいきます。この電荷，もっと詳しく言えば，この稲妻は先駆放電と呼ばれていて，あなたたちも知っているように，雲から雲へ伸びていったり，あるいは雲から地面に到達したりします。誰でも雷は見たことがあるでしょう。それはそうとして，話を稲妻に戻すと，稲妻は雲の中に戻り，閃光を作り出します。稲妻自体は，実は雲から放たれた電荷により，瞬時にイオン化された空気分子の軌跡なのです。もう1つの作用があります。稲妻が空気を暖めるのです。その熱がすばやく広がるとき，稲妻の後にはつきものの雷鳴を発生させるのです。

1 正解 C

設問の訳 教授が話している2つの主題は何か。

選択肢の訳
- A 雷の作用とその第一発見者
- B 雷の原因と作用
- C 雷に関する初期の実験と雷の原因
- D 雷の危険性とその作用

教授は前半で主にフランクリンの実験について触れ，後半で雷が発生する仕組みについて説明している。よって，正解は C 。

2 正解 A

設問の訳 なぜフランクリンはどうしてもこの実験をしたかったのか。

選択肢の訳
- A 雷には電気的性質があることを証明するため
- B 雲は中性の電荷を帯びていることを明らかにするため
- C 雷は静電気より強力かどうかを立証するため
- D 自分が真の科学者であることを証明するため

下線部 2 に，「フランクリンは，雷は電気的現象であり，雲は帯電していることを証明するための実験装置を考案したいと考えた」とある。

3 正解 **D**

設問の訳　フランクリンの最も危険な実験の計画の一部は、次のどれか。
選択肢の訳
- Ⓐ 人が教会の中で鉄の棒を持っている
- Ⓑ 人が雷雨の中でたこを揚げている
- Ⓒ 人が教会のドアと地面に触れている
- Ⓓ 人が鉄の棒を持って、地面に触れている

下線部❸から、人が鉄の棒と地面の両方に触れているようにし、雷雨の中、教会の尖塔に雷が落ちるのを待つ実験であることが分かる。

4 正解 Ⓒ→Ⓑ→Ⓓ→Ⓐ

設問の訳　次のものは、雷が発生するときの段階である。正しい順に並べなさい。
文をクリックし、適切な欄へドラッグしなさい。各文は一度しか使えません。
選択肢の訳
- Ⓐ 空気分子は帯電イオンに変化する。
- Ⓑ 結晶と水滴がぶつかり合い、分離する。
- Ⓒ 暖かい空気と冷たい空気が出会う。
- Ⓓ エネルギーが雲から放出される。

下線部 **4-A**～**4-D** を参照。

講義の一部をもう一度聞き、質問に答えなさい。（スクリプト1つ目の太字部分参照）

5 正解 **D**

設問の訳　教授の次の言葉は、何を言おうとしているか。（スクリプト1つ目の破線部参照）
選択肢の訳
- Ⓐ ドラキュラは雷雨の中で道に迷った。
- Ⓑ トランシルバニアは悪天候の日が多い。
- Ⓒ ドラキュラはトランシルバニアのどこかで見つけることができる。
- Ⓓ 雷はドラキュラの恐怖感には欠かせない要素である。

Where would Dracula be without ～は「（当然なければならないものが）ないとドラキュラ（の物語）はどのようなものになるか」と表現することによって、ドラキュラにとって雷は必要不可欠だと言っている。

● Passage 9

講義の一部をもう一度聞き，質問に答えなさい。（スクリプト 2 つ目の太字部分参照）

6 正解 B

設問の訳　教授の次の言葉は，何を言おうとしているか。（スクリプト 2 つ目の破線部参照）

選択肢の訳
- Ⓐ　実際に実験が行われたという記録はなかった。
- Ⓑ　スウェーデン人の科学者は実験中に，明らかに死亡した。
- Ⓒ　実験は大成功だった。
- Ⓓ　その実験が成功したかどうかはいまだに誰もわからない。

フランクリンと同様に無謀な実験を行った科学者が他にもいたという説明の後，彼が実験中に雷に打たれ，即死したと述べられている。

CHAPTER 4 »

Final Test

Final Test 1 Questions ······ 194
Final Test 1 Answers ······ 206
Final Test 2 Questions ······ 236
Final Test 2 Answers ······ 248

Final Test ①

Passage ●1 **CD 3-2~7**

Now get ready to answer the questions.
You may use your notes to help you answer.

1 Why has the student come to see the financial aid advisor?
- Ⓐ To inquire about employment opportunities
- Ⓑ To seek advice on future course payments
- Ⓒ To attempt to obtain a school loan
- Ⓓ To confirm the conditions of his student visa

2 What is the student unable to obtain because he is now in the U.S.?
- Ⓐ A tuition waiver
- Ⓑ A scholarship
- Ⓒ A loan
- Ⓓ A job

3 In the worst case scenario, what does the advisor say might happen?
- Ⓐ The student might have to temporarily stop taking classes.
- Ⓑ The student might have to pay a late tuition fee.
- Ⓒ The student might have to quit the university.
- Ⓓ The student might have to return to his country.

4 What actions will the student likely take after meeting the advisor?
Choose 2 answers.
- Ⓐ He will make gradual tuition payments.
- Ⓑ He will look elsewhere for an educational loan.
- Ⓒ He will only use the student cafeteria for his meals.
- Ⓓ He will search for a part-time job.

Listen again to part of the conversation.
Then answer the question.

5 What can be inferred about the student?
- Ⓐ He is not confident about repaying a loan.
- Ⓑ He does not understand how to get a loan.
- Ⓒ He is not skilled at asking difficult questions.
- Ⓓ He does not know many American people well.

Passage 2 CD 3-8~14

Psychology

●解答一覧 p.206
●解答・解説 p.211~216

Now get ready to answer the questions.
You may use your notes to help you answer.

6 What is the main topic of the lecture?
  (A) Why it is difficult for individuals to make decisions
  (B) Various theories about the origins of groupthink
  (C) The dangers of groupthink and ways to avoid it
  (D) Maintaining group harmony in decision making

7 According to the lecture, what will likely happen as group harmony increases?
  (A) Individuals will think outside the box.
  (B) Individuals will make better decisions.
  (C) Individuals will stop thinking critically.
  (D) Individuals will propose different solutions.

8 The professor reports that the situational context of the group is a factor that causes groupthink. Indicate which of the following factors relate to situational context.
Place a checkmark in the correct box.

	Yes	No
(A) Money concerns		
(B) Distance from outsiders		
(C) Threats to safety		

● Final Test 1

9 According to the professor, how is a factor that causes earthquakes similar to a factor that causes groupthink?
   Ⓐ Both are hard to predict
   Ⓑ Both represent an underlying weakness
   Ⓒ Both happen suddenly
   Ⓓ Both cause great harm

10 What do experts suggest to deal with the issue of groupthink?
   Ⓐ Groups should put the responsibility of decision-making in the hands of individuals.
   Ⓑ Group members should think more positively about each other.
   Ⓒ Groups should not focus on more than one problem at a time.
   Ⓓ Groups should invite non-group members to evaluate their decisions.

Listen again to part of the lecture.
Then answer the question.

11 Why does the professor say this?
   Ⓐ To warn against letting groups make decisions
   Ⓑ To make clear that group decision-making is not always bad
   Ⓒ To suggest avoiding group decisions to stop groupthink
   Ⓓ To explain that groupthink is bad for groups

Passage 3

Biology

Now get ready to answer the questions.
You may use your notes to help you answer.

12 What is the lecture mainly about?
- (A) How traits are inherited
- (B) The diversity of life on earth
- (C) The life of Gregor Mendel
- (D) How humans and plants are similar

13 Which statement correctly describes Mendel's research findings on pea pods?
- (A) He found that all traits of a pea plant got passed on to future generations.
- (B) He found that the forms of genes for green and yellow pea pods were identical.
- (C) He found that pea pods were yellow when one parent gene had the green gene.
- (D) He found that the genetic forms for producing yellow pea pods were recessive.

14 How does the heterozygous dominant genotype differ from the homozygous dominant genotype with respect to eye color?
- (A) It has two genes for brown eyes, but the homozygous dominant genotype has one.
- (B) It has two genes for blue eyes, but the homozygous dominant genotype has one.
- (C) It has one gene for brown eyes, but the homozygous dominant genotype has two.
- (D) It has one gene for blue eyes, but the homozygous dominant genotype has two.

15 What is the probability that a heterozygote will pass on a recessive gene to a child?
- (A) 25%
- (B) 50%
- (C) 75%
- (D) 100%

16 What is the probability of two heterozygous dominant genotype parents with brown eyes having a blue-eyed child?
- (A) It is impossible for the child to have blue eyes.
- (B) The child will definitely have blue eyes.
- (C) There is a 50 percent chance that the child will have blue eyes.
- (D) There is a one-in-four chance that the child will have blue eyes.

Listen again to part of the lecture.
Then answer the question.

17 What point is the professor trying to make here?
- (A) We do not need experts to understand heredity.
- (B) People wondered about heredity for many years.
- (C) Hair and eye color have always been easy to predict.
- (D) We cannot understand heredity fully without knowing about the past.

▼画面に表示される図

	Brown	**Blue**
Brown	Homozygous dominant genotype	Heterozygous dominant genotype
Blue	Heterozygous dominant genotype	Homozygous recessive genotype

Passage ● 4 CD 3-22~27

Now get ready to answer the questions.
You may use your notes to help you answer.

18 Why does the student stay behind?
- (A) To get the professor to look at her topic and video for mistakes
- (B) To find out the correct business and presentation terminology
- (C) To find out the appropriate topic and length for the presentation
- (D) To talk about her hobby and experience

19 What does the professor really think about the student pulling a face in class?
- (A) He feels the student is disappointed with the lesson.
- (B) He guesses that the student doesn't understand the nature of the assignment.
- (C) He thinks the student might not be happy about doing a presentation.
- (D) He is anxious for the student to find a job soon.

20 What might the student find in the library to help her?
- (A) Previous videos of Professor Cane's class
- (B) A film about business experiences of Professor Cane's students
- (C) A book to help her studies
- (D) Some suitable topics in the reference section

Listen again to part of the conversation.
Then answer the question.

21 Why does the student say this:

    Ⓐ To express embarrassment
    Ⓑ To apologize for not trying hard enough
    Ⓒ To convey her lack of business experience
    Ⓓ To show her promise to find a suitable topic soon

Listen again to part of the conversation.
Then answer the question.

22 What can be inferred about the professor?

    Ⓐ He wants the student to panic about the video later.
    Ⓑ He is sure some people will worry about making a presentation.
    Ⓒ He is urging the student to make a video right now.
    Ⓓ He feels the student choosing a suitable topic is essential.

Passage 5　CD 3-28~34

Linguistics

Now get ready to answer the questions.
You may use your notes to help you answer.

23 What is the main purpose of the lecture?
- Ⓐ To explain how pidgins become creoles
- Ⓑ To compare standard languages with pidgins
- Ⓒ To understand how linguists study pidgins
- Ⓓ To provide background information on pidgins

24 Which statement best describes the professor's opinion regarding pidgins?
- Ⓐ They should be appreciated for their communicative role.
- Ⓑ They should be considered the same as standard languages.
- Ⓒ They should be required languages within their countries.
- Ⓓ They should be discouraged only if necessary.

25 Which statement below is true concerning Jamaican Patois, Hawaiian Pidgin, and Singlish?
- Ⓐ They were all influenced by Portuguese and English.
- Ⓑ They were originally spoken as a second language.
- Ⓒ They were all associated with slavery.
- Ⓓ They have all become prestigious languages.

26. According to the professor, how do creoles differ from pidgins?
   - Ⓐ Creoles are learned as second languages.
   - Ⓑ Creoles have a fewer number of speakers.
   - Ⓒ Creoles are learned as native languages.
   - Ⓓ Creoles have fewer grammatical rules.

27. Which one of the following facts about Jamaican Patois is NOT true?
   - Ⓐ It contains words from Spanish.
   - Ⓑ It was influenced by one African language.
   - Ⓒ It developed in the 1600s.
   - Ⓓ Slaves used it to communicate with each other.

Listen again to part of the lecture.
Then answer the question.

28. Why does the professor say this?
   - Ⓐ To disagree with the student's assumption
   - Ⓑ To clarify what exactly a pidgin language is
   - Ⓒ To explain the importance of learning a language natively
   - Ⓓ To distinguish between different types of pidgins

Passage 6 CD 3-35~41

History

Now get ready to answer the questions.
You may use your notes to help you answer.

29 What is the main purpose of the lecture?
- (A) To explain the consequences of the U.S. policy of Manifest Destiny
- (B) To describe the dangers that all pioneers faced
- (C) To tell the story of how a new route to California was discovered
- (D) To detail a tragic event in the history of U.S. expansion

30 Which of the following statements about the Donner Party is NOT correct?
- (A) The Donner Party began its journey in the spring.
- (B) The Donner Party consisted of over 100 people.
- (C) The Donner Party took the advice of both Mr. Hastings and Mr. Bridger.
- (D) The Donner Party chose not to use the traditional route to California.

31 Put the following sequence of events from the Donner Party's journey in the correct order.
Click on a sentence. Then drag it to the appropriate space where it belongs.
- (A) The Donner Party took the Hastings' Cutoff.
- (B) The Donner Party stayed at Truckee Lake.
- (C) The Donner Party climbed the Wasatch Mountains.
- (D) The Donner Party arrived in Missouri.
- (E) The Donner Party crossed the Great Salt Lake Desert.
- (F) The Donner party made it to Wyoming.

1		2	
3		4	
5		6	

32 According to the professor, why are most people still interested in the story of the Donner Party?

- (A) Because of their hard route
- (B) Because of their courage and strength
- (C) Because of their struggles with nature
- (D) Because of their cannibalism

33 How does the professor believe the Donner Party story later impacted pioneers wishing to go to California from 1847 to 1848?

- (A) The professor believes it actually increased their interest in going there.
- (B) The professor believes it scared many pioneers away.
- (C) The professor believes it had little, if any, impact on their decision to go there.
- (D) The professor believes it had no impact because of the discovery of gold.

Listen again to part of the lecture.
Then answer the question.

34 What is the professor basically saying about Jim Bridger?

- (A) Mr. Bridger only cared about money.
- (B) Mr. Bridger did his best to help the Donner Party.
- (C) Mr. Bridger did not know enough about his recommended route.
- (D) Mr. Bridger was passionate about his job.

Answer Keys

● Final Test 1 ▶問題 p.194-205

● Passage 1
1. B
2. B
3. A
4. A D
5. D

● Passage 2
6. C
7. C
8. Yes: A C
   No: B
9. B
10. D
11. B

● Passage 3
12. A
13. D
14. C
15. B
16. D
17. B

● Passage 4
18. C
19. B
20. A
21. C
22. D

● Passage 5
23. D
24. A
25. B
26. C
27. B
28. B

● Passage 6
29. D
30. B
31. D → F → A → C → E → B
32. D
33. C
34. A

Final Test ① ANSWERS

Passage ● 1   CD 3-2~7

Script

Listen to part of a conversation between a student and a school financial aid advisor.

Student: Um, excuse me. I'm looking for the Office of Student Financial Aid.

Advisor: You're in the right office. How may I help you?

Student: Well, um, [1-1] I have a question regarding the tuition for my classes next year.

Advisor: I see. Could you please show me your student ID card? Okay, thank you. Hmm, it seems that you're an international student and in your second year of study now. Is that correct?

Student: Yes, that's right. You see, [1-2] this year I had no trouble paying for my courses but next year the university tuition is going to increase by six percent. So, I'm, um, kind of worried that I won't be able to afford it. Would it be possible for me to get a partial tuition waiver next year?

Advisor: Unfortunately, tuition waivers are not available at this university.

Student: Is that true? Hmm, in that case, could I possibly apply for additional scholarships?

Advisor: Um, [2] I'm afraid that it's quite difficult to obtain more scholarship money in your case. You see, you're already studying here in the United States and most organizations that grant scholarships favor international students who apply for financial aid from their home countries. Um, have you considered seeking an educational loan?

Student: Yes, in fact I visited a bank yesterday to inquire about the possibility of getting a loan. But, um, [5] they told me that I needed to have an American citizen cosign the application for the loan to guarantee its repayment. I couldn't do that, you see, because I couldn't think of anyone whom I could ask to help me in that way.

Advisor: Hmm, I see. It seems like your financial situation is a bit difficult. We'll need to try to think of some alternative options to keep you enrolled next year.

Student: Do you think it's possible I won't be able to take classes next year?

Advisor: Don't panic just yet. Um, we'll do our best to prevent that from happening. But, unfortunately, [3] some students do occasionally have to suspend their studies for a semester or two due to a lack of funding. Let's see now, um ... have you thought about getting a part-time job to help finance your education?

Student: Really? Is that possible? You see, I was told previously that I was ineligible to work in the U.S. due to the conditions of my student visa.

Advisor: Well, actually, that's true regarding your first 9 months of residence in the U.S. But now that you're in your second year of residence here, you're eligible to work up to 20 hours a week on a part-time basis.

Student: Wow, that's great to hear! And it's very timely information because I just saw a help-wanted sign at a restaurant downtown.

Advisor: Um, I'm afraid, though, that the conditions of your visa would not permit you to work at that restaurant. You see, you can work up to 20 hours a week and are only eligible for on-campus employment.

Student: Do you mean like at the student cafeteria or something like that?

Advisor: Yes, the student cafeteria would be fine. And there are even opportunities for students to work part-time at university administrative offices such as this one. **4-1** Please take this list of places where you can look for part-time jobs on campus with you.

Student: Thank you very much. You've been a great help to me.

Advisor: Just a moment, that's not all. Please be aware that we also have an alternative payment plan. **4-2** Instead of paying all of your tuition at once, you can opt to make scheduled payments every month for a period of 10 months beginning on July 15th.

Student: That's great news, too. Thanks once again for your help!

Advisor: No problem. Please stop by again if you have any other questions.

訳 学生と学資援助アドバイザーとの会話の一部を聞きなさい。

学生：あのう，すみません。学資援助オフィスを探しているのですが。

指導員：ここがそうですよ。何かご用ですか。

学生：えーと，来年の授業料について質問があるのですが。

指導員：わかりました。学生証を見せてくれますか。はい，ありがとう。えーと，あなたは留学生で，今2年目ですね。合っていますか。

学生：ええ，そうです。えー，今年は授業料の支払いに問題はなかったのですが，来年は大学の授業料が6％値上げされますね。ですから，えー，私は支払う余裕がなくなるのではとちょっと心配しています。来年，授業料の一部免除を受けることは可能でしょうか。

指導員：残念ですが，この大学では授業料免除の取り扱いはないんですよ。

学生：そうなんですか。えー，でしたら，追加の奨学金を申し込むことはできますか。

指導員：うーん，残念ながら，あなたの場合，これ以上の奨学金を受けることはかなり難しいと思います。ほら，あなたはすでにここアメリカで学んでいますよね。で，奨学金を出すほとんどの機関は，母国で学資援助を申し込んだ留学生に優先的に奨学金を与えているんです。えーと，教育ローンを探そうと考えたことはありますか。

学生：ええ，実は昨日銀行へ行って，ローンが組める可能性について尋ねました。しかし，えー，返済保証のために，だれか米国市民権のある人にローン申し込みの連帯保証人

● ● ● Final Test 1 Answers

になってもらう必要があると言われました。私にはそれができませんよね。だって，そういうことで私を助けてくれるよう頼める人は思いつかないんですから。

指導員：うーん，わかりました。あなたの経済状況は少し苦しいようですね。あなたが来年も在籍できるよう，何か代わりになる方法を考えてみる必要があるでしょうね。

学生：来年私は授業を受けられない可能性があるとお考えですか。

指導員：まだ慌てないで。うーん，そのようなことが起こらないよう全力を尽くしましょう。しかし，残念ながらお金が足りなくて，1学期ないし2学期，学業を中断せざるを得ない学生もたまにいるんですよ。えーと，そうですねえ…。今まで，教育資金の調達に役立てばとアルバイトをしようと思ったことはありますか。

学生：本当ですか。そんなことができるんですか。以前，私の学生ビザの条件ではアメリカで働け（る資格は）ないと言われましたけど。

指導員：そう，実は，アメリカでの最初の9カ月の滞在についてはそのとおりです。しかし，あなたはここでの滞在が2年目になっているので，パートとして週20時間まで働く資格があるんですよ。

学生：わあ，それが聞けてうれしいです。ちょうどダウンタウンのレストランで店員募集の掲示を見たところだったので，それは本当にタイムリーな情報です。

指導員：うーん，残念ですが，あなたのビザの条件ではそのレストランで働くことは許可されていません。えー，あなたは週20時間まで働けますが，それはキャンパス内での仕事のみが対象です。

学生：それは学生カフェテリアとかそういうところですか。

指導員：そうです。学生カフェテリアなら大丈夫でしょう。それに，大学の管理部門のオフィス，例えばここのようなところでも，働く機会はあります。キャンパス内のパート仕事が探せるこのリストを持っていきなさい。

学生：ありがとうございました。本当に助かりました。

指導員：ちょっと待ちなさい。それだけではありません。また別の支払い方法もありますよ。授業料のすべてを一括払いするのではなく，7月15日から10カ月間，毎月計画的に支払うという選択もできますよ。

学生：それもすばらしいニュースです。お力添え，本当に感謝します。

指導員：どういたしまして。もしほかに質問があれば，また立ち寄ってください。

1 正解 Ⓑ

設問の訳 学生はなぜ学資援助アドバイザーに会いに来たか。

選択肢の訳
Ⓐ 仕事を得る機会があるかどうかを尋ねるため
Ⓑ これから先の授業料の支払いについて助言をもらうため
Ⓒ 学校のローンを受けてみようとするため
Ⓓ 学生ビザの条件を確認するため

下線部 **1-1** で，学生は「来年の授業料について質問がある」と言って，学資援助オフィスを訪ねている。また下線部 **1-2** では「来年は授業料が値上がるから，支払う余裕がないのではと心配している」と事情を説明し，さらに「授業料免除が受けられるか」と尋ねている。

2 正解 Ⓑ

設問の訳 学生が現在アメリカにいるがゆえ，手に入れることができないものは何か。

選択肢の訳
- Ⓐ 授業料免除
- Ⓑ 奨学金
- Ⓒ ローン
- Ⓓ 仕事

> 下線部 **2** で，アドバイザーは「あなたの場合，これ以上の奨学金を受けることはかなり難しい」と言い，その後で「奨学金を出すほとんどの機関は，母国で申し込んだ留学生を優先している」と理由を述べており，現在アメリカにいる学生は奨学金がほぼ受けられないと考えられる。

3 正解 Ⓐ

設問の訳 最悪の場合，どんなことが起きるかもしれないとアドバイザーは言っているか。

選択肢の訳
- Ⓐ 学生は授業を受けるのを一時的に中断せざるを得なくなるかもしれない。
- Ⓑ 学生は授業料納付遅延料を払わざるを得なくなるかもしれない。
- Ⓒ 学生は大学を辞めざるを得なくなるかもしれない。
- Ⓓ 学生は自国に帰らざるを得なくなるかもしれない。

> 下線部 **3** で，アドバイザーは「お金が足りなくて，1 学期ないし 2 学期，学業を中断せざるを得ない学生もたまにいる」と言っており，一時的に受講を中断するという場合もあり得ることを示唆している。

4 正解 Ⓐ Ⓓ

設問の訳 学生はアドバイザーと会った後で，どのような行動をとると思われるか。
答えを 2 つ選びなさい。

選択肢の訳
- Ⓐ 授業料を分割払いにする。
- Ⓑ どこか別のところで教育ローンを探す。
- Ⓒ 食事をするのは学生カフェテリアでのみとする。
- Ⓓ パートの仕事を探す。

> 下線部 **4-1** で，アドバイザーが「ここのような大学のオフィスでも働く機会はある。キャンパス内のパートの仕事のリストを持っていきなさい」と言ったことに対して，学生は「本当に助かりました」と答えていることから，学生はパートの仕事を探すと考えられる。また，下線部 **4-2** の「授業料は一括払いではなく，7 月 15 日から 10 カ月間，毎月計画的に支払うこともできる」という助言に対しては，「それもすばらしいニュースだ」と言っているので，学生は授業料を分割払いにすると考えられる。

会話の一部をもう一度聞き，質問に答えなさい。（スクリプト太字部分参照）

5 正解 Ⓓ

設問の訳 学生について，どんなことが推測されるか。

選択肢の訳
- Ⓐ ローンの返済について自信がない。

Ⓑ どうすればローンが受けられるかわからない。
Ⓒ 込み入った質問をするのが下手である。
Ⓓ 親しいつきあいのアメリカ人があまりいない。

下線部❺で，学生は「銀行でローンの申し込みには米国市民権のある連帯保証人が必要だと言われたが，そのようなことが頼める人は思いつかない」と言っていることから，そのような親しい間柄のアメリカ人があまりいないことが推測される。

Passage ● 2 Psychology CD 3-8〜14

●問題 p.196〜197
●解答一覧 p.206

Script

Listen to part of a talk in a psychology class.

Professor: Today, [6-1] we'll discuss a topic that has intrigued sociologists for some time, which concerns ... um ... the effectiveness of our decisions. Imagine that you're working for, let's say, a type of business or governmental institution, and you're responsible for making a decision that will determine your institution's future success. So, tell me, would you rather make the decision on your own or collectively with your colleagues?

Student A: Well, personally, I'd consult with my colleagues before making such an important decision.

Professor: OK, and could you explain your rationale, that is, um ... tell me why you would decide with your colleagues rather than on your own?

Student A: Well, you know, as they say ... two heads are better than one.

Professor: So, basically, you're saying a group would produce a higher-quality decision because there is a wider variety of viewpoints, right?

Student A: Yes, exactly.

Professor: That's, um, a very logical reason. But, surprisingly, researchers have discovered the opposite to sometimes be true. [6-2] That is, rather than enhancing the quality of decisions, group decision-making can instead negatively affect it. In fact, researchers have found this to happen so often that they've come up with a specialized term to describe this phenomenon. They call this "groupthink." Um, it's basically a phenomenon among groups of people that results in poor decisions due to a desire to maintain harmony and avoid conflict within the group. [7-1] You see, group members try so hard to maintain positive group relations that they ... how shall I put it ... limit one another's ability to think outside the box, that is, um, to think creatively and independently on their own as individuals. And, worst of all, this inhibits group members from challenging one another's ideas and proposing different solutions to their problems.

Student B: Is groupthink a newly discovered phenomenon?

Professor: Well, actually the term was first coined in the 1950s by William H. Whyte, an American sociologist, who studied the interactions between people. But, um, it was Irving Janis, a researcher at Yale University, who began researching groupthink theory in the 1970s. And, Janis concluded that the greater the harmony among group members, the greater the danger that groupthink will inhibit individual critical thinking resulting in poor decisions.

Student B: Could groupthink explain the poor decisions of governments?

Professor: That's an excellent question! In fact, some historians believe that disastrous decisions such as Nazi Germany's decision to attack the Soviet Union in 1941 or America's decision to ignore the possibility of a Japanese attack on Pearl Harbor can be attributed to groupthink.

Though groupthink can lead to such awful decisions, this doesn't mean, of course, that we should prohibit groups from making decisions. Instead, [6-3] we should take steps to prevent groupthink so that groups can make effective decisions. But, um, to do this, we must first understand its causes. Irving Janis described three factors that can produce groupthink. One of these is the situational context of the group. Um, for example, [8-A] [8-C] groups who must handle highly stressful situations that threaten their financial well-being, or possibly even their lives, are vulnerable to groupthink. Another factor that can prompt groupthink is the existence of structural faults within a particular group.

Student A: [9] By 'faults,' do you mean that the group's foundation is somewhat unstable as with a geological fault that causes earthquakes?

Professor: Yes, that's a good analogy. An example of such a structural fault would be, um, the barrier that does not give outsiders an opportunity to analyze and critique the group's decisions. This might reduce the quality of the group's decisions.

But, according to Janis, the most important factor that induces groupthink is group cohesiveness, which means the ... um ... bond or close relationship, if you will, between group members. You see, [7-2] this creates pressure on individual members to readily support one another's arguments without evaluating them objectively. In other words, members make judgments based on their positive feelings towards the group rather than on their own rational ideas. So, an effective group leader must understand these factors and take steps to prevent groupthink. Well then, what might be a good step?

Student B: [10-1] How about inviting someone from outside the group to give feedback about decisions?

Professor: That's a good idea. 10-2 In fact, Janis recommends having outsiders attend meetings and requiring each group member to consult with trusted individuals outside the group. Other recommended steps include, um, having several independent groups work on the same problem and assigning one group member the role of devil's advocate, meaning that this individual must critically evaluate and challenge each group decision. So, the good news is that, by taking such steps, group leaders can help their teams make high-quality decisions, while avoiding the, um, pitfalls of groupthink.

訳 心理学の講義の一部を聞きなさい。

教授：今日は，以前から社会学者たちが興味をそそられてきた話題，つまり，えー，我々の意思決定の有効性に関するものについて話します。そうですね，例えばあなたが会社や政府の機関で働いていて，その機関の将来の成功を決めるような意思決定をする責任者だと考えてみてください。そこで，答えてください。あなたは自分だけで意思決定をする方がいいですか，それとも同僚たちと共同でする方がいいですか。

学生A：そうですね，個人的には，そんな重要な決定をする前に同僚たちに意見を求めます。

教授：いいでしょう，論理的な説明をしてくれませんか。えー，なぜあなたは自分の一存で決めるより，同僚たちと一緒に決めようと思うのですか。

学生A：それはですね，一般に言われているように，一人より二人で考えたほうが名案が浮かびますから。

教授：そう，基本的にはグループの方が，より広く色々な観点があるので，より質の高い決定が生み出されるということですね。

学生A：はい，そのとおりです。

教授：非常に筋の通った理由ですね。しかし驚いたことに，研究者たちは時としてその反対が真実であるということを見つけ出しています。すなわち，集団での意思決定は，決定の質を高めるというより，むしろ負の効果を与えうるのです。事実，研究者たちはこのことがあまりに多く起きることが分かったので，この現象を表現する専門用語を考え付いたのです。彼らはこれを「グループシンク（集団思考）」と呼びます。えー，それは基本的には，グループ内での協調性を保ち，衝突を避けたいと思うが故に，結果として質の悪い決定をしてしまうという，グループメンバーの間で起こる現象です。えー，グループのメンバーはグループ内の良好な関係を維持しようと努めるあまりに，…どう言えばいいか…，既成の枠組みにとらわれないで考えるというか，創造的に，個人として自分の力で独立して考えるというか，そういう能力をお互い制限し合ってしまうのです。そして一番困るのは，これが，グループのメンバーに，お互いの考えに異議を唱えたり，問題に対して別の解決方法を提案したりといったことをさせなくしてしまうのです。

学生B：グループシンクは新しく発見された現象ですか。

教授：そうですね，実際にこの語は1950年代に，人間のインタラクション（相互作用）を研究していたアメリカの社会学者，ウィリアム・H・ホワイトによって初めて作り出されました。しかし，えー，1970年代にグループシンクの理論の研究を始めたのはエール大学の研究者，アービング・ジャニスです。そしてジャニスは，グループメンバー

間での協調性があればあるほど，グループシンクは個人の批判的な思考を抑制し，結果としてまずい決定が下される危険性が高くなると結論付けました。

学生B：グループシンク（理論）で，政府が下してしまうまずい決定のことを説明できるでしょうか。

教授：すばらしい質問ですね！　事実，歴史家の中には，1941年にナチス・ドイツが下したソ連へ攻撃するという決定や，アメリカが下した日本によるパール・ハーバー攻撃の可能性を無視してしまおうという決定のような，災いをもたらすことになった決定はグループシンクに起因すると考えている人もいます。

グループシンクにはそのような恐ろしい決定につながる可能性がありますが，このことはもちろん，グループに意思決定をさせるのを禁じるべきであるという意味ではありません。むしろ，我々はグループが効果的な決定を下せるように，グループシンクを防ぐための措置を取るべきなのです。しかし，えー，これを行うにはまず，最初に，その原因を理解しなければなりません。アービング・ジャニスはグループシンクを引き起こす3つの要因を述べています。その一つはそのグループにある状況的な背景です。あー，例えば，自分たちの経済的安定を脅かすような，あるいは命の危険すらあるような大きなストレスのかかる状況に対処しなければならないグループは，グループシンクに陥りやすいですね。またグループシンクを引き起こす別の要因は，ある特定のグループにある構造的欠陥（フォールト）です。

学生A：先生のおっしゃる「フォールト（欠陥）」とは，グループの土台というものが，地震を引き起こす地質学的なフォールト（断層）と同様にいくぶん不安定なものだという意味ですか。

教授：そうです，それはいい例えですね。そのような構造的欠陥の一例として，外部の人間には，グループの決定を分析したり，批評したりする機会を与えないというバリアがあります。それゆえ，グループの決定の質が低下してしまう可能性があります。

しかしジャニスによれば，グループシンクを引き起こす最も重要な要因は，グループの結束力，えー，それは，いわばグループメンバー間の絆というか密接な結びつきだということです。それで，これが個々のメンバーに対して，互いの意見を客観的には評価せずに，快く支持しなければならないという圧力をかけてしまうのです。言い換えれば，メンバーたちは，自身の合理的な考えを基にしてというよりは，むしろグループに対する肯定的な感情を基にして判断してしまうのです。したがって，効果的なグループリーダーはこれらの要因を理解し，グループシンクに陥らないための措置を取らなければなりません。それでは，良い措置とは何でしょう。

学生B：その決定について意見を述べてもらうよう外部の人に頼むというのはどうでしょうか。

教授：それはいい考えですね。実際にジャニスは，外部の人に会議に出席してもらうこと，そしてグループの各メンバーには外部の信頼できる人の助言を求めるように命じることを勧めています。その他の推奨できる措置としては，えー，同じ問題をいくつかの別のグループで議論させ，各グループの中で1人のメンバーに"故意に反対の立場を取る人"の役割を負わせるというものです。すなわち，この役割の人は各グループの決定について，批判的評価をし，異論を唱えなければならないのです。ですから，ありがたいことに，そのような措置を取ることにより，グループリーダーたちは，えー，

グループシンクの落とし穴を避けながら，自分のグループに質の高い決定をさせることができるというわけです。

6 正解 C

設問の訳 この講義の主なトピックは何か。

選択肢の訳
- A なぜ個人が意思決定するのは難しいのか
- B グループシンクの始まりについてのさまざまな理論
- C グループシンクの危険性とその回避方法
- D 意思決定においてグループの協調性を保つこと

教授は講義の冒頭，下線部 6-1 で「我々の意思決定の有効性について話す」と述べて，個人での決定と集団による決定とどちらがいいかという問題を提起。下線部 6-2 で「集団での意思決定は負の効果を与えうる」とグループシンクがもたらす負の効果を説明している。また中盤，下線部 6-3 では「グループが効果的な決定を下せるように，グループシンクを防ぐための措置を取るべき」と述べている。すなわち，グループによる決定は危険性を伴うが，その危険に陥らないための方法があると論じている。

7 正解 C

設問の訳 講義によれば，グループの協調性が増すにつれて何が起こる可能性が高いか。

選択肢の訳
- A 個人は既成の枠組みにとらわれない考え方をする。
- B 個人はよりよい意思決定をする。
- C 個人は批評的考え方をしなくなる。
- D 個人は他の解決方法を提案する。

下線部 7-1 で教授は「グループ内の良好な関係を維持しようと努めて，お互いの考えに異論を唱えたり，別の解決方法を提案したりしなくなる」と述べている。また，下線部 7-2 でも「グループの結束力は個々のメンバーに対して，互いの意見を客観的には評価せずに，快く支持しなければならないという圧力をかける」と述べている。

8 正解 Yes：A C　No：B

設問の訳 教授はグループシンクを引き起こす要因の1つとして，グループの状況的な背景をあげている。以下の要因のどれが状況的な背景に関係するか示しなさい。チェックマーク（✓）を適切な欄に入れなさい。

選択肢の訳
- A 金の心配
- B 外部の人との隔たり
- C 安全に対しての脅威

グループシンクの要因については，下線部 8-A の直前から説明されている。状況的な背景の例は 8-A と 8-C 参照。外部の人との隔たりは構造的欠陥の例である。

9 正解 Ⓑ

設問の訳 教授によれば，地震を起こす要因とグループシンクを引き起こす要因はどのように類似しているか。

選択肢の訳
- Ⓐ どちらも予知が難しい
- Ⓑ どちらも内在する脆弱性を象徴している
- Ⓒ どちらも突然起きる
- Ⓓ どちらも大きな害を引き起こす

下線部❾で学生が，グループの土台にある構造的欠陥と地質学的な断層を挙げて，「どちらもいくぶん不安定ということか」と問いかけると，教授は「それはいい例えだ」と答えている。どちらも土台に危険性があることを示している。

10 正解 Ⓓ

設問の訳 グループシンク問題に対処するために，専門家たちは何を提案しているか。

選択肢の訳
- Ⓐ グループは意思決定の責任を個人に委ねる。
- Ⓑ グループメンバーは互いについて，より肯定的に考える。
- Ⓒ グループは一度に2つ以上の問題に取り組まない。
- Ⓓ グループは自分たちの決定を評価するようグループ外の人に頼む。

教授がグループシンクに陥る重要な要因である「グループの結束力」について説明した後で，それを阻止する措置として，学生が下線部 10-1 で「グループの決定について意見を述べてもらうよう外部の人に頼む」ことを提案したのに対し，教授は「いい考えだ」と述べ，続けて下線部 10-2 で「外部の人に助言を求めるべきだ」というジャニスの見解に言及している。

講義の一部をもう一度聞き，質問に答えなさい。（スクリプト太字部分参照）

11 正解 Ⓑ

設問の訳 教授はなぜこのことを述べているか。

選択肢の訳
- Ⓐ グループに決定させることに対して警鐘を鳴らすため
- Ⓑ グループによる意思決定は必ずしも悪くはないことを明らかにするため
- Ⓒ グループシンクを止めるためにグループ決定を避けるように提案するため
- Ⓓ グループシンクはグループにとって良くないことを説明するため

教授は，「グループに意思決定をさせるのを禁じるというのではなく，効果的な決定ができるようにグループシンクを防ぐ措置を取るべき」と述べているので，グループによる意思決定を否定しているわけではないことが分かる。

Passage ●3 Biology CD 3-15~21

●問題 p.198〜199
●解答一覧 p.206

Script

Listen to part of a talk in a biology class.

[12] Today I will begin discussing heredity, which is the study of how particular traits are passed on from parents to children. [17] **Long before the process of heredity was understood, people had a sense that some traits tended to dominate other traits.** For example, when one parent had the trait of darker-colored hair or eyes, they tended to be passed on more frequently to the child than did the lighter hair or eye color of the other parent.

Our understanding of how the process of heredity works benefited greatly from the work of Gregor Mendel, who is now widely considered to be the father of classical genetics and heredity. You see, Mendel was a monk in what is now the Czech Republic and wished to learn why some traits of plants got passed on while other traits did not. During his research, Mendel cross-fertilized pea plants and discovered that the various forms of genes for producing green pea pods were dominant over those for yellow pods. This meant that pea pods would turn out green instead of yellow when both parent plants supplied genetic information for the green variation as well as when one parent plant supplied information for the yellow variation. Only when both parent plants supplied information for the yellow form of the gene, would pea pods become yellow. [13] While the genetic forms for producing green pods are called dominant, in contrast, we refer to those responsible for producing yellow pods as recessive.

Now then, if we apply Mendel's notions of dominant and recessive genetic forms to the study of human heredity, we can begin to understand how we inherit various traits from our own parents such as our hair color, height, and the length of our fingers.

To illustrate this, let's examine how a parents' genetic information can determine their children's eye color. Just as the forms of genes for producing green pea pods are dominant over those for yellow ones, [14-1] geneticists have found those for brown eye color to be dominant over those for blue eye color. And each parent possesses two genes for eye color. For example, [14-2] a parent whose two genes for eye color both represent brown is said to possess a homozygous dominant genotype. The term homozygous indicates that the two genes are the same and the term genotype simply refers to the actual versions of the two genes the parent has, in this case brown, which is dominant. On the other hand, a parent whose two genes happen to represent blue is said to have a homozygous recessive genotype. And finally 14-3 a parent who has one gene for brown eye color and one for blue is said to possess a heterozygous dominant genotype. In this case, the term heterozygous represents the fact that each gene is different. Nevertheless, this genotype is still labeled dominant due to the presence of the brown gene, which is coupled with the recessive blue gene.

With these three genotypes in mind, 15 let's now imagine that we have a brown-eyed man and a brown-eyed woman who are both heterozygotes, meaning that each of them has one dominant gene for brown eye color and one recessive gene for blue eye color.

Naturally each of them will pass on one of their two genes for eye color, that is, either brown or blue, to their future child. Of course, the chance of them passing on either their brown or blue eye color gene is 50%. With this information, we can apply Mendel's principles to predict the probability of their child acquiring either brown or blue eye color. Let me draw a two-by-two grid on the board to demonstrate this. Okay, I'll now draw one brown eye and one blue eye along the top row of the grid to represent the man's genotype and one brown eye and one blue eye along the side column of the grid to represent the woman's genotype. Next, let's fill in the four boxes of the grid with the four possible genotypes for the child using the parents' genetic eye color information. By doing so, 16 we can see that there is a 75% probability the child will have brown eyes and 25% the child will have blue eyes. As you can see, the child can only have blue eyes when the gene for blue eye color is received from each parent, resulting in a homozygous recessive genotype as shown in the bottom right box. Both the top right and bottom left boxes result in a heterozygous dominant genotype meaning that the child's eye color will be brown. And, of course, according to the top left box, the child will also have brown eyes due to the homozygous dominant genotype.

> 訳　生物学の講義の一部を聞きなさい。
> 　今日からは，遺伝，すなわちある特定の特徴がどのようにして親から子供に伝わるのかの研究についての話を始めます。遺伝の仕組みが解明されるはるか前に，人々は，ある特徴が他の特徴より優位に立っているという傾向が存在すると感じていました。例えば，一方の親の髪や目の色がより濃ければ，これらの特徴はもう一方の親の比較的薄い髪や目の色よりも，高い頻度で子供に伝わる傾向にある，といったようなことです。
> 　遺伝のプロセスがどのように働くのかについての我々の知識は，古典的遺伝学，そして遺伝の父として広く認められているグレゴール・メンデルの業績に大いに恩恵を受けています。えー，メンデルは，現在のチェコ共和国の修道士でした。彼は，植物の特徴のうち，受け継がれるものもあれば，受け継がれないものもある理由を知りたいと思っていました。研究するうちに，エンドウの花に交雑受精し，緑色のさやのエンドウを生み出す多くの種類の遺伝子が，黄色のさやを生み出す遺伝子より優性であることを発見しました。これはつまり，どちらの親株もさやが緑色に変異する遺伝子情報を備えている場合と同様に，片方の親株が黄

色に変異する遺伝子情報を備えている場合も，エンドウ豆のさやは黄色ではなく緑色になるということです。どちらの親株も共に黄色の遺伝子情報を備えている場合にのみ，エンドウ豆のさやは黄色になります。緑色のさやを生み出す遺伝子型を優性と呼び，それに対して黄色のさやを生み出す原因となる遺伝子型を劣性と呼びます。

　ここで次に，メンデルの優性，劣性遺伝子型の概念を人間の遺伝研究に適用すると，私たちが，例えば，髪の色，身長，指の長さなどといったいろいろな特徴をどのようにして両親から受け継いでいるのかを理解し始めることができます。

　これを説明するために，親の遺伝子情報がどのようにして子供の目の色を決定するのかを検討してみましょう。ちょうど，緑色のエンドウ豆のさやを生み出す遺伝子が黄色のさやの遺伝子より優性であるのと同様に，茶色の目は青色の目に対して優性であることを遺伝学者たちは発見しました。そして，親はそれぞれ，目の色に関する2つの遺伝子を持っています。例えば，目の色に関する遺伝子が2つとも茶色である親は，同型接合体優性遺伝子型を持っていると言われています。同型接合体という語は，2つの遺伝子が同一のものであることを示しています。また，遺伝子型とは単に，親が持つ2つの遺伝子の実際の型を示す用語で，この場合は優性である茶色です。反対に，偶然にも2つの青色遺伝子を持っている親は，同型接合体劣性遺伝子型を持っていると言われています。最後に，茶色の遺伝子を1つ，青色の遺伝子を1つ持っている親は，異型接合体優性遺伝子型を持っていると言われています。この場合，異型接合体という語は，それぞれの遺伝子が異なるものであることを表しています。それでもこの遺伝子型は劣性である青色遺伝子と共に茶色遺伝子も持つので優性に分類されます。

　これら3つの遺伝子型のことを頭に入れて，共に異型接合体を持った茶色い目の男性と茶色い目の女性について考えてみましょう。つまり，二人とも茶色い目の優性遺伝子型と青い目の劣性遺伝子型を持っているということです。

　当然，それぞれが目の色に関する2つの遺伝子のうちの1つ，すなわち，茶色か青色の遺伝子をこれから生まれる子供に伝えます。もちろん茶色の遺伝子を伝える可能性と，青色の遺伝子を伝える可能性は，それぞれ50%です。この情報から，メンデルの法則を用いて，彼らの子供が茶色い目になるか青い目になるかを予測してみましょう。これを説明するために，縦横2マスの格子図を黒板に書いてみます。いいですか，格子図の上の列に，茶色い目を1つ，青い目を1つ書き，男性の遺伝子型を示します。また格子図の横の欄に茶色い目を1つ，青い目を1つ書いて，女性の遺伝子型を示します。次に，親の目の色に関する遺伝子情報を使って，可能性のある子供の4つの遺伝子型を4つのマス目に埋めていきましょう。こうすることにより，子供は75%の確率で茶色い目，そして25%の確率で青い目になることが分かります。ご覧のとおり，子供は両方の親から青い目の遺伝子を受け取ったときにのみ青い目になり，つまり右下のマスに示されているように，同型接合体劣性遺伝子型になるわけです。右上と左下の場合は，両方とも異型接合体優性遺伝子型になるため，子供の目は茶色になります。そして，もちろん，左上の場合は同型接合体優性遺伝子型になるので，子供の目はやはり茶色になるのです。

	茶色	青
茶色	同型接合体優性遺伝子型	異型接合体優性遺伝子型
青	異型接合体優性遺伝子型	同型接合体劣性遺伝子型

12 正解 A

設問の訳 この講義は主に何について述べているか。

選択肢の訳
- A どのように特徴が遺伝するか
- B 地球上生命の多様性
- C グレゴール・メンデルの生涯
- D 人間と植物がどの程度類似しているか

教授は冒頭の下線部 12 で，「… 遺伝，すなわちある特定の特徴がどのようにして，親から子供に伝わるのかの研究について話す」と述べている。

13 正解 D

設問の訳 エンドウ豆のさやに関するメンデルの研究結果について正しいものはどれか。

選択肢の訳
- A エンドウ豆のすべての特徴が次世代に受け継がれることを発見した。
- B エンドウ豆の緑色と黄色のさやの遺伝子の型は同一であることを発見した。
- C エンドウ豆のさやは，片方の親株が緑色に変異する遺伝子を持っている場合に黄色になることを発見した。
- D 黄色いエンドウ豆のさやを生み出す遺伝子の型は劣性であることを発見した。

教授はメンデルの実験結果を説明し，下線部 13 で「緑色のさやを生み出す遺伝子型を優性と呼び，それに対して黄色のさやを生み出す原因となる遺伝子型を劣性と呼ぶ」と述べている。

14 正解 C

設問の訳 目の色に関して，異型接合体優性遺伝子型は同型接合体優性遺伝子型とどのように異なるか。

選択肢の訳
- A 異型優性は茶色の目になる遺伝子を2つ持っているが，同型優性はそれを1つ持っている。
- B 異型優性は青い目になる遺伝子を2つ持っているが，同型優性はそれを1つ持っている。
- C 異型優性は茶色の目になる遺伝子を1つ持っているが，同型優性はそれを2つ持っている。
- D 異型優性は青い目になる遺伝子を1つ持っているが，同型優性はそれを2つ持っている。

下線部 14-1 で「茶色の目は青色の目に対して優性である」，下線部 14-2 で「目の色に関する遺伝子が2つとも茶色（すなわち優性遺伝子）である親は，同型接合体優性遺伝子型を持っている」と言っているので，同型接合体優性遺伝子型とは2つの優性遺伝子を持っていることだと分かる。また，下線部 14-3 で「茶色の遺伝子を1つ，青色の遺伝子を1つ持っている親は，異型接合体優性遺伝子型を持っている」と言っているので，異型接合体優性遺伝子型とは茶色の遺伝子を1つ持っているということになる。

15 正解 B

設問の訳 異型接合体を持っている人が劣性遺伝子を子供に遺伝する可能性はどのくらいか。

Final Test 1 Answers

選択肢の訳 Ⓐ 25%　Ⓑ 50%　Ⓒ 75%　Ⓓ 100%

下線部⓯参照。教授は、「共に異型接合体を持った茶色い目の男性と茶色い目の女性」というカップルの例を挙げ、「それぞれが目の色に関する２つの遺伝子のうちの１つ、すなわち、茶色か青色の遺伝子をこれから生まれる子供に伝える。茶色の遺伝子を伝える可能性と青色の遺伝子を伝える可能性は、それぞれ 50% である」と言っている。茶色が優性、青色が劣性ということなので、劣性を遺伝する確率は 50% であるということになる。

16 正解 Ⓓ

設問の訳 共に異型接合体優性遺伝子型を持ち、茶色の目である両親から、青い目の子供が生まれる可能性はどのくらいか。

選択肢の訳
Ⓐ 子供が青い目になることはあり得ない。
Ⓑ 子供は確実に青い目になる。
Ⓒ 子供が青い目になる確率は 50% だ。
Ⓓ 子供が青い目になる確率は 1/4 だ。

共に異型接合体を持った茶色い目の男性と茶色い目の女性から生まれる子どもが持つ遺伝子について、教授は格子図を描いて説明している。下線部⓰で「75% の確率で茶色い目、25% の確率で青い目になることがわかる」と述べている。

講義の一部をもう一度聞き、質問に答えなさい。（スクリプト太字部分参照）

17 正解 Ⓑ

設問の訳 ここで教授が言おうとしていることは何か。

選択肢の訳
Ⓐ 遺伝を理解するのに専門家は必要ない。
Ⓑ 長年の間、人々は遺伝について考えてきた。
Ⓒ 髪と目の色は常に予測するのが容易であった。
Ⓓ 過去を知らずして遺伝を十分に理解することはできない。

教授は下線部⓱で、「遺伝の仕組みが解明されるはるか前に、人々は、ある特徴が他の特徴より優位に立っているという傾向が存在すると感じていた」と述べている。遺伝について解明される前の段階からすでに関心を持っていたということなので、Ⓑ が正解。

Passage ● 4　CD 3-22〜27　　●問題 p.200〜201
　　　　　　　　　　　　　　　　　●解答一覧 p.206

Script

Listen to part of a conversation between a student and a professor.

Student: Before you go to lunch, Professor Cane, could I just ask you about something?

Professor: Sure, Naomi. Let me guess — [19-1] you want to know about the presentation that you all have to do, right?

Student: Um, yeah, right — how did you know that?

Professor: Well, as I was explaining it to the class, you were pulling a strange face, which was signaling to me that you weren't too happy about doing this presentation.

Student: Oh, no! Sorry! I wasn't complaining or anything. [18] I just, you know, I'm just not sure about the presentation itself. Of course I wasn't...

Professor: That's OK, Naomi. I'm only pulling your leg. [19-2] I knew it was a look of confusion. So, what are you unsure about?

Student: Well, um, [21-1] this is a business class and we're supposed to do a business presentation, right? And, like, well, I don't have a job, or anything like that.

Professor: I see what you mean, but as I said to you in class, it doesn't necessarily have to be completely business-related.

Student: Well, what do you mean?

Professor: As I was saying, this presentation is to practice the terminology related to business-type presentations, like you saw in the video in class today.

Student: [21-2] But that guy was a businessman doing a business presentation at work.

Professor: Again, true, but what I'm trying to stress to you is that the layout and format of a presentation should conform to expected business standards. Look at the handout again.

Student: Yeah, right — hang on. Yeah, here. Yeah.

Professor: All presentations need to start with some form of polite greeting expression, like ah "I'm delighted to be here today," you know, etcetera, etcetera. Then down here, look, er, we have language and terminology related to summarizing and finishing the presentation.

Student: So, as long as we stick to this sheet, we can choose a topic other than business if we'd like.

Professor: Right. Then in the future when you do have to do a presentation at work, at least you'll know the correct terminology that's expected for presentations. Do you see?

Student: Uh-huh. You said it could be a hobby or part of an experience we've had, right?

Professor: Yeah, again, [20] if you're not sure, go to the library and ask to look at the video labelled "Professor Cane's presentation class." I usually keep tapes of presentation sessions for student reference purposes.

Student: What!? You're going to record, like, on film?

Professor: Well, video, yeah — some, not all, but you shouldn't panic about that right now. Just try to find an appropriate topic, and then we'll take it from there.

Student: Oh, just one more thing — how long should the presentation be?

Professor: Well, that's all up to you, but you should aim for about, um, 15 minutes total. That should include time for questions as well.

訳　学生と教授の会話の一部を聞きなさい。

学生：ケイン教授，昼食に行かれる前に質問してもよろしいでしょうか。

教授：いいよ，ナオミ。あ，当てようか。君たち全員がやることになったプレゼンについて知りたいんだろう。

学生：ええ，そうです。どうしてわかったんですか。

教授：いやー，プレゼンについて授業で説明していたとき，君がおかしな顔をしていたからさ。このプレゼンをやるのは嫌だなっていう合図だったね。

学生：いえ，そんなこと。すみません，私，不満だとか思っていたんじゃないんです。ただ，プレゼンというものについてはっきり分からないものですから。もちろん，私はそんなこと…。

教授：いいんだよ，ナオミ。ちょっとからかっただけさ。当惑していた様子はわかっていたよ。で，何について分からないのかな。

学生：ええと，これはビジネスのクラスなので，ビジネスに関するプレゼンをしなければならないんですよね。でも，その〜，私，仕事とかそのようなものをしていません。

教授：言わんとすることはわかったよ。しかし，授業でも言ったように，必ずしも完全にビジネスに関係している内容でなくてもいいんだよ。

学生：えっ，どういうことですか。

教授：前に言ったように，このプレゼンは今日，授業のビデオで見たようなビジネス分野のプレゼンに関係する専門用語を練習するためのものなんだ。

学生：でも，あの人はビジネスマンで，会社でビジネスのプレゼンをやっていましたが。

教授：そうだけど，私が言いたいことは，プレゼンの組み立てや様式はビジネスで期待される標準に合わせる必要があるということだよ。もう１度配布資料を見てごらん。

学生：ええ，はい。ちょっと待ってください。はい，ありました。はい。

教授：どのプレゼンも初めに何かしら丁寧なあいさつが必要なんだ。例えば，「今日，ここに出席させていただき，大変うれしく存じます」とかね。そして下の方，ここを見てごらん。えー，プレゼンの要約と締めに関する言葉と用語があるだろう。

学生：ということは，この資料に書いてあるとおりにやるのであれば，ビジネス以外のトピックでも構わないということですね。

教授：そのとおり。そうしたら，将来，君が仕事でプレゼンをしなくてはならなくなったとき，少なくともプレゼンに期待される正しい用語は知っているということになる。わかったかい。

学生：ええ。趣味とか，自分たちの経験したことでもいいのですね。

教授：そうだよ。もう一度言うが，分からなくなったら図書館へ行き，「ケイン教授のプレ

ゼン・クラス」というタイトルのビデオを見たいと言いなさい。私は通常，学生が参照できるよう各プレゼンテーションの授業をテープに撮っているんだ。
学生：えーっ！？　記録する，そのー，フィルムにですか。
教授：いや，ビデオだよ。一部分であって，全部ではないよ。だけど，今うろたえなくてもいい。まずは目的にかなったトピックを見つけるようにしなさい。そして，そこから話を進めよう。
学生：あ，それからもう1つ。プレゼンの時間はどのくらいがいいですか。
教授：それは君に任せるが，全体で，えー，約15分を目標にしたらどうかね。質問の時間も含めてだよ。

18 正解 C

設問の訳 学生はなぜ残っているのか。

選択肢の訳
- A 選んだトピックとビデオに誤りがないかを教授に見てもらうため
- B ビジネスとプレゼンのための正しい用語を知るため
- C プレゼンの適切なトピックと長さを知るため
- D 自分の趣味と経験について話すため

下線部18に「プレゼンについてはっきり分からない」とあるように，プレゼンの概要について質問するためである。A，B のような細かい内容の相談や質問は出てきていない。

19 正解 B

設問の訳 教授は学生が授業中に見せたしかめっ面について，本当はどう思っているか。

選択肢の訳
- A 学生が授業に失望していると思っている。
- B 学生が課題の本質を理解していないと思っている。
- C 学生がプレゼンを嫌がっているかもしれないと思っている。
- D 学生に早く仕事を見つけてほしいと思っている。

教授が，下線部 19-1 で学生の質問をプレゼンに関するものと予測していたこと，下線部 19-2 で学生の表情に当惑を読み取っていたことから，B が正解とわかる。

20 正解 A

設問の訳 学生は図書館で自分にとって役立つ何を見つけられるだろうか。

選択肢の訳
- A ケイン教授のクラスの過去のビデオ
- B ケイン教授が受け持つ学生のビジネス経験についてのフィルム
- C 彼女の学習に役立つ書籍
- D 参考文献のセクションにある目的にかなったトピック

下線部20を参照。

会話の一部をもう一度聞き，質問に答えなさい。（スクリプト１つ目の太字部分参照）

21 正解 C

設問の訳 学生はなぜ次のように言っているか。（スクリプト破線部参照）

選択肢の訳
- A　きまりの悪さを表すため
- B　十分に努力していないことを謝罪するため
- C　彼女のビジネス経験のなさを伝えるため
- D　適切なトピックを早く見つけることを約束するため

この発言の前に学生は下線部 **21-1** で，「これはビジネスのクラスなので，ビジネスに関するプレゼンをしなければならないんですよね」と言っており，また下線部 **21-2** では，授業で見たビデオについて「あの人はビジネスマンで，会社でビジネスのプレゼンをやっていましたが」と言っているなど，ビジネスについて話さなければならないと思い込んでいる。

会話の一部をもう一度聞き，質問に答えなさい。（スクリプト２つ目の太字部分参照）

22 正解 D

設問の訳 教授について何が推測できるか。

選択肢の訳
- A　学生に，ビデオに関してうろたえるのは後にしてほしいと思っている。
- B　プレゼンを行うことについて心配する人もいると確信している。
- C　学生に今すぐビデオを撮るようにせかしている。
- D　学生が適切なトピックを選ぶことが必要不可欠だと思っている。

教授はこの発言の中で，うろたえた学生に対し，まずはトピックを見つけるよう説得している。したがって **D** が正解。

Passage 5　Linguistics　CD 3-28〜34

●問題　p.202〜203
●解答一覧　p.206

Script

Listen to part of a talk in a linguistics class.

Professor: Good afternoon, class. ㉓Today's lecture is on pidgins.

Student A: Pigeons? I'm confused. Why are we studying about birds in a linguistics class?

Professor: Um, no need to be confused … I'm *not* referring to birds. Actually, um, the type of language called pidgin, I mean, has nothing in common with the type of bird called pigeon other than the same pronunciation. You see, ㉔a pidgin language serves as a basic means of communication between two or more groups of people who do not share a language. Um, for example, pidgins have often developed in situations that require people who speak different mother tongues to trade with one another. And because pidgins provide a basic means of communication, they usually, um, contain rather simple words, sounds, and grammar borrowed from various languages and cultures. In essence, pidgins help people whose first languages differ to communicate with each other.

Student B: Professor, so you're saying a pidgin language is *not* actually a native language, right?

Professor: Well. [25] [28] Instead of being acquired natively, a pidgin is learned as ...um... a type of second language. So, the term pidgin tells us that the language in question was not learned natively. But, you see, [28] this is not true about the children of pidgin speakers who grow up using the pidgin as a first language. To distinguish these children from pidgin speakers, linguists instead call their language a creole. This distinction is important because, um, linguists have found that creoles change considerably from their initial pidgin forms.

Student B: Um, could you please explain how creoles differ from pidgins?

Professor: Well you see, creoles develop more complex words and grammatical structures than pidgins. And, what's more, their rules of grammar become more systematic. Basically, creoles contain more fully developed and sophisticated grammatical features than do pidgins. All right then, um, we know that pidgins develop through contact between peoples not sharing a language. And furthermore, most linguists mention two other conditions needed for a pidgin to develop. First of all, the contact between the peoples must be regular and last for a long period of time. And secondly, there must be a real need for them to communicate together.

Student B: I now understand. But could you give some examples?

Professor: Of course. Um, let's start with Jamaican Patois, which is mainly spoken in Jamaica, where it developed in the 17th century. You see, at that time, many slaves were frequently transported to Jamaica from West and Central Africa. And, um, [27] those slaves came into contact with the English language of their owners as well as various other African languages. Besides English and African languages, Jamaican Patois also contains loanwords from Spanish, Portuguese, and Hindi. Next, another well-known example is Hawaiian Pidgin. This pidgin was primarily formed from English, but also includes elements of Portuguese, Hawaiian, and Japanese.

Student B: Professor, did Hawaiian Pidgin also develop due to slavery?

Professor: Um, no, it didn't. You see, in the 19th century, a large number of non-English speaking immigrants arrived in Hawaii looking for jobs. Many of them eventually found work on plantations and found it necessary to communicate with the English-speaking residents there. Later, um, Hawaiian Pidgin spread from the plantations throughout all of Hawaii. In fact, nowadays most Hawaiians can speak Pidgin. Yet another well-known pidgin is Singlish, which is colloquial Singaporean English.

Student B: Colloquial? What does that mean?

Professor: Um, it basically means a casual form of spoken English rather than a formal style. In the case of Singlish, it developed from English and several other languages such as Malay, Cantonese, and Tamil. Um, actually, during their 146-year period of colonial rule in Singapore, the British established a number of English-language schools. And from these schools, you see, English spread into the broader society where it was learned as a pidgin by non-English speakers. In my opinion, pidgin languages, um, such as those I have mentioned, have provided a necessary means for people from different languages and cultural backgrounds to communicate. But, unfortunately, these languages are often viewed negatively compared with other languages. For example, in Singapore the government promotes the use of standard English over Singlish, which they consider inferior, and even hold a yearly 'speak good English movement' to discourage the use of Singlish.

訳 言語学の講義の一部を聞きなさい。

教授：みなさん，こんにちは。今日の講義はピジンについてです。

学生Ａ：鳩ですか。混乱しちゃうなあ。言語学の授業でどうして鳥について学ぶのですか。

教授：あー，混乱することはないですよ。鳥のことを言っているのではありません。実は，私の言うピジンと呼ばれる言語は，ピジョン（鳩）と呼ばれる鳥とは，同じ発音だということ以外に，共通することは何もないんです。えー，ピジンは共通言語を持たない２つないしそれ以上の人々の集団の間で，基本的なコミュニケーション手段として機能しています。あー，例えば，ピジンは異なる母語を話す人々が，互いに交易をしなければならないという状況の中でしばしば発達してきました。そして，ピジンはコミュニケーションの基本的な手段ですから，えー，いろいろな言語から借りてきた比較的簡単な単語や音，そして文法を持っています。要するに，ピジンは母語が異なる人々が意思疎通を図るのに役立ちます。

学生Ｂ：先生は，ピジンという言語は母語のように習得する言語ではないとおっしゃっているのですね。

教授：そうですね。母語のように習得されるのではなく，ピジンは，えー，ある種の第二言語として習得されるのです。ですから，ピジンという表現は，当該言語が母語のように習得されたものではないということを言っているのです。しかし，えー，ピジンを第一言語として話して育ったピジン話者の子供たちについては違います。この子供たちとピジン話者を区別するために，言語学者はこの子供たちの言語をクレオールと呼んでいます。この区別は重要です，なぜなら言語学者は，クレオールは初めのピジンの形から大きく変化していることを発見しているからです。

学生B：あー，クレオールはピジンとどのように違うのか説明していただけませんか。

教授：そうですね，クレオールはピジンより，より複雑な語や文法構造を発達させています。そしてさらに，その文法規則はより体系的になっているのです。基本的にクレオールは，ピジンよりも，より完全に発達し，洗練された文法的特徴を持っています。えー，いいですね，我々は，ピジンは共通言語を話さない人々同士が接触することで発達してきたことは分かっていますよね。そしてさらに，多くの言語学者は，ピジンが発達するにはもう2つの条件が必要だと言っています。最初に，その人々同士の接触が恒常的で，長い期間続くということです。そして2番目に，彼らには実際に意思疎通する必要性があるということです。

学生B：分かりました。でも，いくつか例を挙げていただけませんか。

教授：もちろん。えー，それでは，ジャマイカン・パトワから始めましょう。これはジャマイカで話されていて，17世紀に発達したものです。お分かりですよね，当時，多くの奴隷たちが西アフリカや中央アフリカからジャマイカに頻繁に運ばれてきました。そして，えー，その奴隷たちは，さまざまなアフリカの言語はもちろん，主人の使う英語にも接触したのです。ジャマイカン・パトワは，英語や複数のアフリカ言語に加え，スペイン語，ポルトガル語，ヒンディー語からの借用語も含んでいます。次に，もう一つよく知られている例はハワイアン・ピジンです。このピジンは主に英語から形成されましたが，ポルトガル語，ハワイ語，日本語の要素も含んでいます。

学生B：先生，ハワイアン・ピジンもまた，奴隷制度によって発達したのですか。

教授：えー，いえ，それは違います。えー，19世紀に，英語を話さない移民たちが大勢，仕事を求めてハワイにやって来ました。結局，彼らの多くがプランテーションで仕事を見つけ，そこに住む英語話者との意思疎通が必要となったのです。後に，えー，ハワイアン・ピジンはプランテーションからハワイ全土に広がっていきました。事実，今日ではハワイのほとんどの人がピジンを話すことができます。それから他によく知られているピジンはシングリッシュで，これはシンガポール口語英語のことです。

学生B：Colloquial？　それはどのような意味ですか。

教授：えー，それは，基本的にはフォーマルな形式の英語というよりは，話し言葉のカジュアルな形式の英語という意味です。シングリッシュの場合，英語と，そしてマレー語，広東語，タミール語といったいくつかの言語から発達してきました。えー，実際に，イギリスは，シンガポールにおける146年間におよぶ植民地支配時代に，数多くの英語の学校を建てました。そして，これらの学校から英語は広く社会に広まり，そこで非英語話者にピジンとして習得されました。私の見解では，私が述べてきたようなピジン言語は，えー，違う言語や文化的背景を持つ人々が意思疎通を図るために必要な手段を提供しているのです。しかし，不幸にも，これらの言語は他の言語に比べて，しばしば否定的にとらえられています。例えば，シンガポールにおいては，政府がシングリッシュを劣ったものと考えていて，シングリッシュより標準英語を使うように促したり，シングリッシュの使用をやめさせるため，毎年"正しい英語を話す運動"をしたりしているのです。

23 正解 D

設問の訳 この講義の主な目的は何か。

選択肢の訳
- A ピジンがどのようにクレオールになったか説明するため
- B 標準言語をピジンと比較するため
- C 言語学者がどのようにピジンを研究するか理解するため
- D ピジンに関する背景知識を提供するため

冒頭の下線部23で，教授は「今日の講義はピジンについてである」と言っている。

24 正解 A

設問の訳 どの記述がピジンに関する教授の見解をもっともよく表しているか。

選択肢の訳
- A その意思疎通における役割で価値が認められるべきだ。
- B 標準言語と同じように考えられるべきだ。
- C それぞれの国で必要言語であるべきだ。
- D それらは必要な場合に限り，使われないようにすべきだ。

下線部24で，「ピジンは共通言語を持たない2ないしそれ以上の人々の集団の間で，基本的なコミュニケーション手段として機能している」と述べられているので，意思疎通の役割を果たしていることが分かる。

25 正解 B

設問の訳 ジャマイカン・パトワ，ハワイアン・ピジン，シングリッシュに関して，以下のどの記述が正しいか。

選択肢の訳
- A すべて，ポルトガル語と英語の影響を受けている。
- B すべて，そもそも第二言語として話された。
- C すべて，奴隷制度と関係がある。
- D すべて，名誉ある言語になった。

ジャマイカン・パトワ，ハワイアン・ピジン，シングリッシュは後半に出てくる。下線部25より B が正解。A，C はいずれも教授の説明と異なる。会話の最後で「政府がシングリッシュを劣った言語と考えている」と分かるので D も不正解。

26 正解 C

設問の訳 教授によれば，クレオールはピジンとどのように異なるか。

選択肢の訳
- A クレオールは，第二言語として習得される。
- B クレオールは，話者が少ない。
- C クレオールは，母語として習得される。
- D クレオールは，文法規則が少ない。

下線部26で，クレオールについて「ピジンを第一言語として話して育ったピジン話者の子供たちの言語をクレオールと呼んでいる」とある。第一言語を母語と置き換えた C が正解。 A ， D はピジンの特徴である。

27 正解 B

設問の訳 ジャマイカン・パトワに関して次に挙げる事柄で，正しくないのはどれか。

選択肢の訳
- A スペイン語の単語を含んでいる。
- B アフリカの一つの言語の影響を受けた。
- C それは1600年代に発達した。
- D 奴隷が互いに意思疎通するために使用した。

下線部27で「奴隷たちはさまざまなアフリカの言語はもちろん，主人の使う英語にも接触」と言っている。よって，影響を受けたのはアフリカの一つの言語だけではないので， B が正しくない。

講義の一部を聞いて質問に答えなさい。（スクリプト太字部分参照）

28 正解 B

設問の訳 なぜ教授はこう言っているのか。

選択肢の訳
- A 学生の推測に反論するため
- B ピジン言語とは正確に何であるかを明らかにするため
- C 言語を母語のように学ぶ重要性を説明するため
- D 異なるタイプのピジンを区別するため

「ピジンは母語のように習得する言語ではないのか」という学生の質問を受けての発言である。下線部28で，教授は「ピジンは母語のように習得されるのでなく，第二言語として習得されるもの」と定義している。よって B が正解。

Passage 6 History CD 3-35~41

Script

Listen to part of a talk in a history class.

Manifest Destiny was an idea promoted by the United States government in the 19th century, which claimed that Americans should settle all lands between the Atlantic and Pacific Oceans. 29 Inspired by this philosophy the number of American pioneers leaving their homes to head westward for Oregon and California increased in the early 1840s. Although most followed well-known routes to their destinations, they often faced hardships and dangers along the way, which sometimes claimed their lives. One group of pioneers, whose story I will tell, experienced perhaps the worst tragedy during this time. 30-1 This group of approximately 80 pioneers was called the Donner Party. [30-2] The Donner Party began its wagon train journey to California from Springfield, Illinois in April, 1846. Of course, back then wagon trains were pulled by horses and oxen.

These pioneers were led by the Donner and Reed families, together with their employees. In addition, several other families joined the party.

[31-D] After leaving Illinois the Donner Party eventually reached Independence, Missouri, where the trail to California started. Leaving for California at just the right time of year was very important. You see, leaving too early would likely cause their wagons to get stuck in the mud from the spring rains, while leaving too late would cause them to get trapped in snow in the mountains. The Donner Party's wagon train left Missouri in the middle of May [31-F] and arrived near Wyoming a month later. In Wyoming, the Reeds met an old friend returning from California, who warned them not to take a route to California now called the *Hastings' Cutoff*. The Hastings' Cutoff was rumored to be a shortcut to California, but their friend advised that their wagons would be unable to traverse the long stretches of desert followed by the rough Sierra Mountains.

So, the Donner Party left Wyoming at the end of June intending to take the traditional route to California. However, on July 12, a rider delivered [31-A] a letter from Lansford Hastings, who declared that he had found a better route to California via the Hasting's Cutoff and promised to meet them at Fort Bridger to guide them there. [30-3] Persuaded by this, Donner and Reed led their party to Fort Bridger. However, when they got there, Mr. Hastings had already left for California with another party. **Nevertheless, they still eventually took the Hastings' Cutoff at the encouragement of Jim Bridger, the trading post owner at Fort Bridger, who assured them that the shortcut was mostly smooth with ample drinking water.** [34] Some historians believe Mr. **Bridger intentionally misinformed them because he had hoped for an increase in business to his trading post.**

Taking the Hastings' Cutoff proved disastrous for the Donner Party. Within days, [31-C] they faced the Wasatch Mountains, with a passage that was extremely difficult. Their wagon train came to a slow grind as men busily cut down trees and moved heavy rocks. They spent two full weeks traveling over the mountains and their food supply dwindled. Next, their plight worsened as [31-E] they encountered the Great Salt Lake Desert, with a crossing that took another six days, although Mr. Bridger had promised it would only take two. Many wagons broke down in the desert sands and many oxen died of thirst.

Near the end of September the Donner Party finally rejoined the traditional route, so the so-called shortcut had delayed them by one month. Moreover, the lack of food and harsh conditions had made the pioneers distrustful of one another. To make matters worse, there was little grass to feed their animals, which Indians had begun to steal. At last, the pioneers reached the Truckee River before the Sierra Mountains, their last barrier to California. However, it was already late October, so they trudged onward without rest for fear that the arrival of snow might make the mountains impassable.

Unfortunately, that was their fate. You see, as they climbed the Sierra Mountains, snow fell so heavily that 31-B they had to retreat to Truckee Lake for the winter. Eventually, many pioneers perished due to hunger and disease. To survive, some ate leather and boiled animal bones to make soup. 32 Later, some pioneers took desperate actions, which historians believe is why their story continues to fascinate people today. You see, due to the absence of food and the presence of death, some pioneers engaged in cannibalism. That is, they ate human flesh to feed themselves and their children.

Incredibly half of the group were rescued after the harsh winter and finally reached California. From 1847 to 1848, pioneers heading to California decreased, 33 though I believe this was due to the Mexican-American War rather than to news about the Donner Party. But in 1849, the number of pioneers skyrocketed owing to the discovery of gold, which led to the California Gold Rush.

訳　歴史の講義の一部を聞きなさい。

マニフェスト・デスティニー（明白な運命）とは、19世紀に合衆国政府が促進した標語です。これは、アメリカ国民はそもそも、大西洋と太平洋の間にあるすべての土地に住んで当然なのだと主張するものでした。この信条に触発され、1840年代初頭には、故郷を離れオレゴンやカリフォルニアを目指して西部へ向かうアメリカ人開拓者の数が増加しました。多くの人は良く知られたルートを辿って目的地へ向かったのですが、道中でしばしば苦難や危険に遭遇し、時として命を奪われることもありました。おそらくこの時代に最も悲惨な経験をしたある開拓団の話をこれからしたいと思います。この約80名から成る開拓団はドナー隊と呼ばれていました。1846年4月にドナー隊は、イリノイ州スプリングフィールドからカリフォルニアに向けて幌馬車での旅を始めました。もちろん、当時の幌馬車は馬と牛によって引かれていました。

この開拓団はドナー家とリード家がその雇用人たちと共に率いていました。さらに他の数家族がこの一行に加わっていました。

ドナー隊はイリノイを出発し、やがて、カリフォルニアへの道が始まる場所であるミズーリ州のインディペンデンスに到着しました。1年のうちの最もふさわしい時期にカリフォルニアに向けて出発するというのが、大変重要なことでした。いいですか、出発が早すぎると春の雨によるぬかるみで幌馬車が動けなくなる可能性が高かったでしょうし、また遅すぎると山脈の雪にはまってしまっていたでしょう。ドナー隊の幌馬車は5月半ばにミズーリを出発し、1か月後にワイオミングの近くに到達しました。ワイオミングでリード家は、カリフォルニアから戻ってきていた旧友に会いましたが、その旧友に、現在「ヘイスティングス・カットオフ」と呼ばれているカリフォルニアへのルートは取らないようにと警告されました。ヘ

イスティングス・カットオフはカリフォルニアへの近道だと噂されていましたが，友人は，荒涼としたシエラ山脈が後ろに控える長く広がった砂漠地帯を彼らの幌馬車で横断することはできないであろう，と助言したのです。

　そこでドナー隊は，カリフォルニアへの従来のルートを取るつもりで，6月の末にワイオミングを出発しました。しかし，7月12日に馬に乗った配達人がランスフォード・ヘイスティングスからの手紙を届けました。彼は，ヘイスティングス・カットオフ経由カリフォルニア行きのもっと良いルートを見つけたと断言し，そこへ案内するためにフォート・ブリッジャーで彼らと会おうと約束したのです。この手紙で説得されたドナーとリードは，一行をフォート・ブリッジャーに連れて行きました。しかし，彼らがそこに着いた時には，ヘイスティングスは他の一団とともにすでにその場を出発してしまっていました。それにもかかわらず，フォート・ブリッジャーの交易所のオーナーであるジム・ブリッジャーが，ヘイスティングス・カットオフ沿いには水が豊富にあり，ほとんど平坦であると彼らに保証したことに促されて，結局彼らはヘイスティングス・カットオフを選んでしまったのです。歴史家の中には，ブリッジャーは自分の交易所の売り上げを増やすために，わざと彼らに間違ったことを吹き込んだのだと信じている人もいます。

　ヘイスティングス・カットオフを選んだことは，ドナー隊にとって悲惨な結果を招くことになりました。数日のうちに非常に道が険しいワサッチ山脈に直面することになったのです。男たちは木を切り倒したり，重い岩をどけたりするのに忙しかったため，幌馬車は遅々として進まなくなりました。彼らは山脈越えに丸2週間を費やし，食料は少なくなってしまいました。次に，グレートソルトレーク砂漠に直面し，彼らの窮状はさらに悪化しました。ブリッジャーは2日しかかからないと言っていたのですが，ここを横断するのにさらに6日間かかってしまいました。砂漠の砂の中で多くの幌馬車が壊れ，多くの牛が渇きのせいで死んでいきました。

　9月末近くになって，ドナー隊はようやく従来のルートに合流しました。つまり，近道と言われていた道によって1か月間遅れてしまったということです。さらに，食料不足と過酷な条件が原因で，開拓者たちは互いに不信感を抱くようになりました。さらに悪いことに，自分たちの家畜に与える草がほとんどなく，その家畜を先住民たちが盗み始めたのでした。ついに，開拓者たちはカリフォルニアへの最後の障害である，シエラ山脈の前のトラッキー川に到達しました。しかし，すでに10月下旬でしたので，雪が降り始めると山脈の道が通れなくなることを懸念し，休むことなく，とぼとぼと進んでいきました。

　不運なことに，それが彼らの運命を決めたのです。実は，彼らがシエラ山脈を登っていく時に雪があまりに激しく降ったので，冬を過ごすためにトラッキー湖まで後戻りせざるをえなくなりました。結局，多くの開拓者が飢えと病気のせいで死んでいきました。生き残るために，ある者は革を食べたり動物の骨を茹でてスープを作って食べました。後に，何人かの開拓者は必死の行動をとりましたが，これこそが彼らの物語が今日も人々の心を捉え続ける理由だと歴史家たちは考えています。というのは，食料不足と死者の存在によって，何人かの開拓者がカニバリズムを行ったのです。すなわち彼らは，自分自身や子供たちが栄養を取るために人肉を食べたということです。

　信じがたいことに，厳しい冬の後，グループの半数が救助され，やっとのことでカリフォルニアに到着しました。1847年から1848年にかけては，カリフォルニアに向かう開拓者の数は減少しましたが，これはドナー隊についてのニュースというよりも，むしろアメリカ

> メキシコ戦争が原因であったと私は考えています。しかし1849年には，カリフォルニアのゴールドラッシュの発端となった金の発見により，開拓者の数が急増しました。

29 正解 D

設問の訳 この講義の主な目的は何か。

選択肢の訳
- A アメリカ合衆国のマニフェスト・デスティニー政策の結果を説明すること
- B すべての開拓者が直面した危機について説明すること
- C カリフォルニアへの新ルートが発見された経緯についての逸話を語ること
- D アメリカ合衆国発展の歴史における悲劇的事件を詳細に述べること

> 冒頭の下線部29で教授は，「マニフェスト・デスティニー（明白な運命）」と呼ばれるアメリカの領土拡張政策に従って多くの開拓者が西部に向かい，道中で多くの危険や苦難に遭遇したと話し，「おそらくこの時代に最も悲惨な経験をした，ある開拓団の話をする」と言っている。

30 正解 B

設問の訳 ドナー隊について，次の記述のうち正しくないものはどれか。

選択肢の訳
- A ドナー隊は春に旅を始めた。
- B ドナー隊には100人を超える人がいた。
- C ドナー隊はヘイスティングス氏とブリッジャー氏の両方の助言を受け入れた。
- D ドナー隊はカリフォルニアへの従来のルートを選ばなかった。

> 下線部 30-1 より，正しくないのは B 。A は下線部 30-2 参照。C，D については下線部 30-3 に根拠がある。「ランスフォード・ヘイスティングスからの手紙で説得されたドナーとリードは，一行をフォート・ブリッジャーに連れて行った」と言っているので，まずはヘイスティングス氏の助言に従ったことになる。さらに，「ヘイスティングスはすでにその場を出発してしまっていたが，ヘイスティングス・カットオフ沿いには水が豊富にあり，ほとんど平坦であるとブリッジャーが保証したことに促されて，結局ヘイスティングス・カットオフを選んでしまった」と述べられており，ブリッジャーの助言も聞き入れたことが分かる。

31 正解 D → F → A → C → E → B

設問の訳 ドナー隊の旅の道程について，次の出来事を時系列順に並べなさい。
文をクリックし，適切な欄へドラッグしなさい。

選択肢の訳
- A ドナー隊はヘイスティングス・カットオフを選んだ。
- B ドナー隊はトラッキー湖に留まった。
- C ドナー隊はワサッチ山脈を登った。
- D ドナー隊はミズーリ州に到着した。
- E ドナー隊はグレートソルトレーク砂漠を横断した。

Ⓕ　ドナー隊はワイオミングに到着した。

下線部 31-D － 31-F － 31-A － 31-C － 31-E － 31-B 参照。

32　正解　Ⓓ

設問の訳　教授によれば，なぜ人々は今でもドナー隊の話に関心を持っているのか。

選択肢の訳
- Ⓐ　彼らの険しいルートのため
- Ⓑ　彼らの勇気と強さのため
- Ⓒ　彼らが自然と闘ったため
- Ⓓ　彼らがカニバリズムを行ったため

下線部32参照。教授は，「これこそが彼らの物語が今日も人々の心を捉え続ける理由だと歴史家たちは考えている。…食料不足と死者の存在によって，何人かの開拓者がカニバリズムを行った」と述べている。

33　正解　Ⓒ

設問の訳　ドナー隊の物語はその後，1847年から1848年にかけてカリフォルニアに行くことを望んでいた開拓者たちに対して，どの程度の影響を与えたと教授は考えているか。

選択肢の訳
- Ⓐ　実際に，開拓者がそこへ行きたいという関心を増大させたと考えている。
- Ⓑ　多くの開拓者を怖気づかせたと考えている。
- Ⓒ　開拓者がそこへ行くという決断にはほとんど影響を与えなかったと考えている。
- Ⓓ　金が発見されたため，全く影響がなかったと考えている。

下線部33で教授は「…開拓者の数は減少したが，これはドナー隊についてのニュースというよりも，むしろアメリカメキシコ戦争が原因であったと考えている」と言っており，ドナー隊の影響はあまりなかったという意見を持っていることが分かる。

講義の一部をもう一度聞き，質問に答えなさい。（スクリプト太字部分参照）

34　正解　Ⓐ

設問の訳　教授はジム・ブリッジャーに関して，基本的にどう説明しているか。

選択肢の訳
- Ⓐ　ブリッジャー氏はお金のことだけを気にしていた。
- Ⓑ　ブリッジャー氏はドナー隊を助けるため全力を尽くした。
- Ⓒ　ブリッジャー氏は自分が勧めたルートについて十分に知らなかった。
- Ⓓ　ブリッジャー氏は自分の仕事に情熱を持っていた。

下線部34参照。教授は，「ブリッジャーは自分の交易所の売り上げを増やすために，わざと彼らに間違ったことを吹き込んだ」と言っており，彼はお金のことしか考えていない人物だったと考えられていることが分かる。

Final Test ②

Passage ● 1　CD 3-42〜47

●解答一覧 p.248
●解答・解説 p.249〜253

Now get ready to answer the questions.
You may use your notes to help you answer.

1 Why has the student come to see the professor?
- Ⓐ To learn the difference between expository and creative writing
- Ⓑ To show the professor the first draft of his essay
- Ⓒ To discuss some important events in his life
- Ⓓ To request clarification regarding an assignment

2 What is true about expository writing based on the conversation? Choose 2 answers.
- Ⓐ It requires students to write from a personal viewpoint.
- Ⓑ Almost all college writing assignments require it.
- Ⓒ The use of the first person is discouraged.
- Ⓓ It emphasizes the importance of students' experiences.

3 According to the professor, what was wrong with the first essay topic the student proposed?
- Ⓐ It was too wide in its scope of time.
- Ⓑ It was unrelated to the assignment.
- Ⓒ It was too specific.
- Ⓓ It was not interesting enough.

4 Which one of the following did the professor NOT say about the body of the essay?
- Ⓐ It should include a description of a problem.
- Ⓑ It should include a variety of details.
- Ⓒ It should include a sentence that connects to the introduction.
- Ⓓ It should include a narration of events in chronological order.

Listen again to part of the conversation.
Then answer the question.

5 What can be inferred about the student?
- Ⓐ The student only has a few friends now.
- Ⓑ The student has had positive friendships on campus.
- Ⓒ The student is easily influenced by his friends.
- Ⓓ The student had hardly any friends in high school.

Passage 2   CD 3-48~54

Biology

Now get ready to answer the questions.
You may use your notes to help you answer.

6 What is the lecture mainly about?
- (A) What fossils can tell us about dinosaurs' lives
- (B) How the dinosaurs lived before they disappeared
- (C) Good and bad points of all the main theories on dinosaur extinction
- (D) The most plausible theory on dinosaur extinction

7 Which of the following facts about dinosaurs are mentioned at the beginning of the lecture?
Choose 2 answers.
- (A) Some dinosaurs were powerful and could run well.
- (B) Dinosaur fossils have been found all around the world.
- (C) Dinosaurs were the main predators of their period.
- (D) The birthrate of small dinosaurs slowed down gradually.

8 Why is it unlikely that dinosaurs became extinct because their eggs were eaten by smaller dinosaurs?
- (A) Marine dinosaurs died, too, and smaller dinosaurs couldn't swim.
- (B) The smaller dinosaurs died as well as the bigger ones.
- (C) Other species killed smaller dinosaurs.
- (D) The birthrate didn't affect small dinosaurs as much as larger ones.

9 According to the professor, how is the discovery of stishovite important in proving the prevailing theory?
   - (A) This mineral came from space with the asteroid.
   - (B) It is produced under large, high-speed impact conditions.
   - (C) There was no stishovite around before 65 million years ago.
   - (D) Stishovite was found in layers of rock at the impact area.

10 In the lecture, the professor describes the effects of the asteroid's collision. Indicate whether each of the following is an effect of the collision. Click in the correct box for each phrase.

	Yes	No
(A) The production of large tidal waves		
(B) A deadly layer of sulfuric acid in the atmosphere		
(C) Water and smoke blocking out the sun		

Listen again to part of the lecture.
Then answer the question.

11 What does the professor mean when she says this:
   - (A) Small dinosaurs and mammals had nothing to eat so they died out.
   - (B) Plants were the main diet of dinosaurs.
   - (C) The only thing meat-eating dinosaurs could eat were other dinosaurs.
   - (D) With no heat and light from the sun, the dinosaurs couldn't find their food.

Passage 3
Physics

Now get ready to answer the questions.
You may use your notes to help you answer.

12 What is the lecture mainly about?
- (A) The merits and types of maglevs
- (B) Changes in transportation over time
- (C) The history and future of trains
- (D) The various uses of magnets

13 Which of the following statements about maglevs is NOT correct?
- (A) They are not yet used all over the world.
- (B) They were first thought of over 100 years ago.
- (C) Some maglevs occasionally run on wheels.
- (D) Building them is less costly than conventional trains.

14 What is one difference between EMS maglev systems and EDS maglev systems?
- (A) EMS maglevs are stable unlike EDS maglevs.
- (B) EMS maglevs use super-cooled electromagnets unlike EDS maglevs.
- (C) EDS maglevs always have access to electricity unlike EMS maglevs.
- (D) EDS maglevs use standard electromagnets unlike EMS maglevs.

15 Which issue makes the operation of some maglevs more challenging?
- Ⓐ Guideway friction
- Ⓑ Lack of electricity
- Ⓒ Poor weather
- Ⓓ Loud noise

16 Which statement best describes the professor's opinion about continuing to develop maglevs?
- Ⓐ It can positively impact people someday.
- Ⓑ It is wasteful, but should be continued.
- Ⓒ We should start worrying about its costs.
- Ⓓ It is wasteful and too dangerous to be continued.

Listen again to part of the lecture.
Then answer the question.

17 Why does the professor say this?
- Ⓐ To recommend using electrodynamic systems
- Ⓑ To advise against using electrodynamic systems
- Ⓒ To contrast two maglev suspension systems
- Ⓓ To explain the merits of standard electromagnets

Passage ●4 CD 3-62~67

Now get ready to answer the questions.
You may use your notes to help you answer.

18 Why has the student come to see the professor?
- (A) To get advice on nutrition
- (B) To criticize fast food in society
- (C) To observe a sedentary job
- (D) To ask about a previous class

19 According to the professor, what percent of people eat fast food every day?
- (A) Four percent
- (B) Ten percent
- (C) Twenty-five percent
- (D) Over thirty percent

20 Based on the conversation, what are the benefits of fast food?
Choose 2 answers.
- (A) It is a convenient food option for some families.
- (B) One meal easily supplies a whole day's calories.
- (C) It can be consumed at a low price.
- (D) It provides us with enough energy to walk six hours.

21 Which statement best describes the professor's opinion regarding obesity?
- (A) Its main cause is the increase in sedentary jobs.
- (B) It can largely be blamed on fast food.
- (C) Computers cause obesity.
- (D) It is difficult to say what the main cause is.

Listen again to part of the conversation.
Then answer the question.

22 In other words, what is the professor saying about fast food?
- (A) Its effects on health are similar to desserts like pie.
- (B) It is the biggest reason for obesity in society.
- (C) It is one big reason for obesity.
- (D) It alone helps us understand why people become obese.

Passage ●5　CD3-68~74

Art

Now get ready to answer the questions.
You may use your notes to help you answer.

23 What is the main purpose of the lecture?
- (A) To detail stages of Picasso's work
- (B) To compare Picasso's art from Spain with his art from France
- (C) To explain how colors affected Picasso's emotions
- (D) To describe Picasso's preferences for colors

24 Picasso painted *The Frugal Repast* and *The Family of Saltimbanques*. What do these two works of art have in common?
- (A) Both were painted in the same year.
- (B) Both were painted in France.
- (C) Both conveyed a sense of suffering.
- (D) Both depicted a scene with people in it.

25 Which of the following statements is NOT true concerning Picasso?
- (A) He produced art using various kinds of mediums.
- (B) He stayed in Spain during the Blue Period.
- (C) He experienced new kinds of art while in Africa.
- (D) He helped invent a new style of painting.

26 What was the theme of the two paintings, mentioned by the professor, from the African-influenced Period and the Cubism Period?
- (A) War
- (B) Social activity
- (C) Women
- (D) Nature

27 Which statement best describes the professor's opinion regarding Picasso's early years?
- (A) His most important work was in developing a new style of art.
- (B) All of Picasso's work was equally important.
- (C) His most interesting work happened during the Blue and Rose periods.
- (D) The African-influenced Period forever changed his art style.

Listen again to part of the lecture.
Then answer the question.

28 In other words, what is the professor saying here?
- (A) Picasso did not really like to do other types of art besides painting.
- (B) Picasso cared more about the quality than the quantity of his paintings.
- (C) Picasso was capable of doing many kinds of artwork other than painting.
- (D) Picasso should have done other kinds of art more often.

Passage ● 6   CD3-75~81

Business

Now get ready to answer the questions.
You may use your notes to help you answer.

29 What is the lecture mainly about?
- (A) The advantages and disadvantages of outsourcing for a company
- (B) The importance of price and country selection for outsourcing
- (C) An explanation of outsourcing and how to implement it
- (D) How major companies have used outsourcing successfully

30 In the lecture, the professor describes out-tasking as well as outsourcing. Indicate whether each sentence below describes outsourcing or out-tasking. **Place a checkmark in the correct box.**

	Outsourcing	Out-tasking
(A) It involves a larger part of the business.		
(B) The client has most of the control.		
(C) It is usually shorter time-wise.		
(D) A smaller section of the business is turned over.		
(E) It requires expertise that is not found in the client company.		
(F) A cost-benefit analysis is important.		

31 According to the professor, why do large IT companies carry out outsourcing in countries like India?
- (A) Most people in India have internet access.
- (B) Support and education are cheap.
- (C) They were forced to by subcontractors.
- (D) English is common and costs are low.

32 According to the professor, what are the cost steps a company should follow before considering outsourcing?
- Ⓐ A cost-benefit analysis followed by an assessment of the outsourcing company's proposal
- Ⓑ Investments in capital followed by delivery of the service
- Ⓒ Making a cost base followed by analysis of all company costs
- Ⓓ Looking at the outsourcing company's experience and price followed by a cost-benefit analysis

Listen again to part of the lecture.
Then answer the question.

33 Why does the professor make this statement?
- Ⓐ Stakeholders are important when doing a cost-benefit analysis.
- Ⓑ Without consulting stakeholders, bad feelings could arise.
- Ⓒ It is illegal not to include the wishes of stakeholders.
- Ⓓ Opinions and ideas of stakeholders could improve gross profits.

Listen again to part of the lecture.
Then answer the question.

34 What does the professor mean when she says this:
- Ⓐ Some companies have made mistakes in the past while outsourcing.
- Ⓑ Even if examples of other outsourcing companies can't be found, they may still be helpful.
- Ⓒ The more information you have, the easier it is to avoid problems.
- Ⓓ Different situations cause more problems.

Answer Keys

● Final Test 2   ▶問題 p.236-247

● Passage 1
1. D
2. B C
3. A
4. C
5. B

● Passage 2
6. D
7. B C
8. B
9. B
10. Yes: A B
    No: C
11. C

● Passage 3
12. A
13. D
14. C
15. B
16. A
17. C

● Passage 4
18. D
19. C
20. A C
21. D
22. C

● Passage 5
23. A
24. D
25. C
26. C
27. A
28. C

● Passage 6
29. C
30. Outsourcing: A E F
    Out-tasking: B C D
31. D
32. A
33. B
34. C

Final Test ② ANSWERS

Passage ● 1   CD 3-42~47

●問題 p.236～237
●解答一覧 p.248

Script

Listen to a conversation between a student and a professor.

Professor: Ah, good afternoon, Pedro. Please come on in and have a seat.

Student: Thank you, Professor Schaeffer.

Professor: So, what can I help you with, Pedro?

Student: **1** I have some questions about our essay assignment, which is due in two weeks. I'm afraid that I don't understand the instructions very well.

Professor: I see. Well then, tell me what you find hard to understand about the assignment so I can help clear things up for you.

Student: Um, first of all, it says that we should write the essay *in the first person*. I don't get the meaning of this.

Professor: This simply means that you should write your essay from a personal point of view using the words *I*, *my*, and *me*.

Student: Oh, really? That's surprising to me because I was taught that I should avoid using those words when I write papers in college.

Professor: You're right, Pedro. That's usually the case. **2-1** Most college writing assignments require students to do expository writing. **2-2** With this type of writing, students are expected to explain and analyze information without using the first person. But, um, this particular course emphasizes creative writing, which allows students to write from a more personal perspective.

Student: So, then, um … do you mean I should write this essay about myself?

Professor: Yes, exactly. This is a personal narrative essay in which you must choose an important experience from your own life to write about.

Student: I see. Hmm … I wonder what kind of topic I should choose. Could you please give me some examples?

Professor: Well, for example, you could …um…write about an important childhood event of yours or about a goal that you achieved or even failed to achieve. Another idea would be to write about some kind of important change in your life.

Student: Oh, I see. In that case, maybe I could write about how I changed during my first two years as an exchange student at this college?

Professor: You have the right idea, Pedro. But **3** that topic is too broad for this essay. You see, two years is quite a long time. Try to limit your topic to a more specific event or change that you experienced at this college. For example, um, you might write

249

about your first day of classes at this college or about an experience that was especially difficult, surprising, or happy for you.

Student: Okay. I think I understand more clearly now. Um, what if I wrote about [5] the first time I made new friends at this college and how it influenced my way of thinking and helped me adjust to life on campus?

Professor: Now that sounds like a good topic. It's more specific and clearly important to you.

Student: Professor, um, could you please briefly explain again how I should structure this paper? I want to make sure I understand that.

Professor: Sure, Pedro. First of all, in the introduction you need to state your topic and focus on getting the reader's attention. And, um, the last sentence of the introduction needs to tell what was important about this experience to you. Next, uh, [4-1] in the body you need to describe a problem you were facing and how you felt.

Student: So, maybe I could write about how meeting new friends was difficult for me and how nervous I felt at that time?

Professor: Um, yes, that would work well. [4-2] And be sure to explain the scene with many details and write your narrative in chronological order.

Student: Chronological order? What do you mean?

Professor: In other words, [4-3] you need to write the narrative in the order in which the events of this situation happened. Okay?

Student: Oh, I see.

Professor: Lastly, in the conclusion you must emphasize what you learned from this experience. That is, explain why it was so important to you. Also, um, [4-4] please remember to connect the conclusion to the last sentence of the introduction. Have you got that?

Student: Yes, Professor Schaeffer. Thank you so much for your time and help. I really appreciate it.

> 訳　学生と教授との会話を聞きなさい。
> 教授：こんにちは，ペドロ。入っておかけなさい。
> 学生：ありがとうございます，シェファー教授。
> 教授：それで，どんな用件かな，ペドロ。
> 学生：作文の宿題について質問があるんですが…，2週間後に締め切りのものです。指示があまりよく分からないのが心配で。
> 教授：なるほど。じゃあ，あなたがはっきり分かるようにするため，宿題についてどこが分かりにくいのか言ってみなさい。
> 学生：うーん，まず，作文は in the first person で書かないといけないと言っていますが，

この意味が分かりません。

教授：これは単に，作文は，I, my, me といった言葉を使って，個人的な観点から書かないといけないという意味ですよ。

学生：ああ，そうなんですか。それは私にとっては驚きです。というのは，大学でレポートを書くときはそういった言葉を使うのは避けるべきだと教えられたからです。

教授：そのとおりですよ，ペドロ。通常の場合はそうです。大学でのほとんどの作文の宿題は，学生に解説的な文章を書くように要求しています。この種の文章では学生は一人称を使わないで，情報を説明したり分析したりするよう期待されています。しかし，えー，この講座では，創作的な作文を重視していて，学生はより個人的見解から書くことが認められているのです。

学生：そうですか，では，えー，このレポートでは私は自分自身のことについて書かなければいけないという意味ですか。

教授：ええ，そのとおりです。これは個人的なことを語る作文で，自分自身の人生の中から重要な経験を選んで書かなければいけないのです。

学生：なるほど，えー，どのようなテーマを選んだらいいのかな。例をいくつか挙げていただけませんか。

教授：そうですね，例えば，えー，自分自身の子供時代の重要な出来事についてとか，あなたが達成した，あるいはむしろ達成できなかった目標についてとか。君の人生における何か重要な変化について書くのも，またいい考えでしょうね。

学生：ああ，分かりました。それなら，この大学の交換留学生としての最初の2年間でどう自分が変わったかについて書くことができるかと思います。

教授：それはいい考えね，ペドロ。だけど，そのテーマだと，今回の作文ではあまりに範囲が広過ぎますね。いいですか，2年は相当長い時間ですよ。あなたがこの大学で経験したもっと特定の出来事とか変化に，テーマを限定していくようにしなさい。例えば，あなたはこの大学での最初の授業の日について書けるだろうし，あなたにとって特に難しかったとか，驚いたとか，あるいはうれしかった経験などについて書くこともできるでしょう。

学生：分かりました。もうはっきり理解できてきたと思います。えー，では，この大学で初めて新しい友達ができたときのことや，そのことがいかに私の考え方に影響を与え，大学生活に順応する上で助けとなってくれたかについて書けばどうでしょう。

教授：そう，それは良さそうなテーマですね。より具体的で，あなたにとって明らかに重要ですよね。

学生：教授，あー，この作文をどのように構成したらいいか，もう一度簡単に説明していただけますか。しっかり理解しておきたいんです。

教授：もちろんですよ，ペドロ。まず，導入部でテーマを述べて，読み手の注意を引き付けることに意識を向けなくてはいけません。そして，えー，導入部の最後の文では，この経験で何があなたにとって重要だったのかを述べる必要があります。次に，えー，本論では，直面した問題とどのように感じたかを説明することが必要です。

学生：では，新しい友達に出会うのは私にとっていかに難しく，当時いかに緊張したかについて書けるのではないかと思うのですが。

教授：ええ，それはうまくいくでしょう。で，その場面については具体的な事柄をたくさん

挙げて説明し，あなたの話を時系列で書くようにしなさい。
学生：時系列？　それはどういう意味ですか。
教授：言い換えれば，この状況の出来事が起きた順番に話を書いていく必要があるということです。いいですか。
学生：分かりました。
教授：最後に，結論では，この経験から何を学んだかを強調しなければいけません。すなわち，なぜそれがあなたにとってそんなに重要だったのかを説明するんですよ。それと，結論を導入部の最後の文につなげるのを忘れないようにしなさい。分かりましたか。
学生：はい，シェファー教授。お時間をとって助けていただきまして，ありがとうございました。本当に感謝しています。

1 正解 Ⓓ

設問の訳 学生はなぜ教授に会いに来たか。

選択肢の訳
- Ⓐ 解説的な作文と創作的な作文の違いを知るため
- Ⓑ 教授に彼の作文の初稿を見せるため
- Ⓒ 彼の人生におけるいくつかの重要な出来事について話すため
- Ⓓ 宿題に関して明確な説明を求めるため

下線部❶で学生は「作文の宿題について質問がある。指示があまりよく分からない」と言っている。

2 正解 Ⓑ Ⓒ

設問の訳 この会話に基づくと，解説的な文章について正しいものはどれか。
答えを2つ選びなさい。

選択肢の訳
- Ⓐ 学生は個人的観点から書く必要がある。
- Ⓑ ほとんど全ての大学の作文課題はそれを要求する。
- Ⓒ 一人称の使用は勧められていない。
- Ⓓ 学生自身の経験の重要性を強調している。

Ⓑ については下線部 2-1 に「大学でのほとんどの作文の宿題は，学生に解説的な文章を書くように要求している」とある。Ⓒ については下線部 2-2 で「この種の作文では学生は一人称を使わないで…」と説明されている。

3 正解 Ⓐ

設問の訳 教授によると，学生が提案した最初の作文のテーマは何が悪かったのか。

選択肢の訳
- Ⓐ その時間の範囲があまりに広過ぎた。
- Ⓑ 宿題とは関係がなかった。
- Ⓒ あまりに具体的過ぎた。
- Ⓓ 十分に面白くなかった。

「大学の交換留学生としての最初の2年間の変化について書ける」と提案したペドロに対し，教授は下線部❸で「そのテーマだと範囲が広過ぎる。2年は相当長い時間だ」と言っている。

4 正解 Ⓒ

設問の訳 作文の本論について教授が述べていないのは，以下のうちどれか。

選択肢の訳
Ⓐ 問題について説明しなければならない。
Ⓑ さまざまな具体的情報が含まれていなければならない。
Ⓒ 導入部につながる文が含まれていなければならない。
Ⓓ 出来事を時系列に書かなければならない。

Ⓐ については下線部 **4-1** に「本論で，直面した問題とどのように感じたかを説明する必要がある」とある。Ⓑ は下線部 **4-2** の前半に「場面については具体的な事柄をたくさん挙げて説明」とある。Ⓓ は下線部 **4-2** 後半で「話を時系列で書きなさい」と言った後で，さらに下線部 **4-3** で言い換えて「この状況の出来事が起きた順番に話を書いていく必要がある」と続けている。Ⓒ については下線部 **4-4** から，導入部の最後の文につなげるのは結論であり，本論ではないことが分かる。よって正解は Ⓒ。

会話の一部をもう一度聞き，質問に答えなさい。（スクリプト太字部分参照）

5 正解 Ⓑ

設問の訳 学生について，何が推測できるか。

選択肢の訳
Ⓐ 今は友達がほんの少ししかいない。
Ⓑ 大学でいい友人関係を築いてきた。
Ⓒ 友達に影響されやすい。
Ⓓ 高校ではほとんど友達がいなかった。

学生は下線部❺で「この大学で新しい友達ができたこと」，そして「そのことが自分の考え方に影響を与え，大学生活に順応する助けとなってくれたか」について書けばどうかと言っていることから，学生は大学で友達といい関係を築いてきたことがうかがえる。

Passage ● 2 Biology CD 3-48~54

●問題 p.238~239
●解答一覧 p.248

Script

Listen to part of a lecture in a biology class.

Professor: Just transport yourself back in time to 230 million years ago when dinosaurs first began to walk the earth. Within the first five million years, **7-1** dinosaurs reached the, ah, top of the food chain due to their size and power.

Some, as you know, were as big as houses, and others even bigger, and 7-2 the thing is, they spread out across all five continents. We know this, of course, from fossils that have been found. Yeah, the dinosaurs had a pretty good run of things until about, eh, 65 million years ago, when these huge creatures, bigger than all land mammals we have today, suddenly disappeared and became extinct. Paleontologists are, um, scientists who study old periods by looking at fossils, well, they thought at some point that the sudden cause of the disappearance of dinosaurs was due to larger dinosaur eggs that were being continually eaten by smaller dinosaurs.

Student A: Professor, do you think that such a situation would actually mean that, like, all of the dinosaurs, would have died out from this?

Professor: That's a really good point and that's why I have my doubts about this type of theory. The birthrate could indeed have been slowed down, but extinction, um, not really. I think because the thing you should also consider is that 8-1 it was not only the dinosaurs that died out, but lots of other species expired, too. Let's see now...well, for starters, you had groups of marine reptiles — sea crocodiles, plesiosaurs, which were long-necked aquatic creatures, and even things like sponges and snails, and so on. 8-2 Even the little dinosaurs that were supposed to have eaten those eggs went as well. We're looking for a different answer, aren't we? So, who would like to venture a reason why a whole planet full of animals vanished into thin air?

Student B: I hear people saying that a drop in the average temperature of the planet could put us in another ice age or...or something, and that would kill off lots of dinosaurs, right?

Professor: Yes, that could be part of the answer. We know that the earth has had a number of ice ages, most noticeably the last one which finished with man becoming the main predator on the planet. But there has to be something else. Something more devastating than small dinosaurs or weather. Well, the prevailing theory was put forward by scientists who believe that it was something from outside our world.

Student A: What do you mean? Like ah...aliens or something?

Professor: Not quite, no, but alien as in not from Earth. What I'm referring to was a collision of a giant asteroid into the earth 65 million years ago. That's what wiped out life on earth at that time. According to this theory, the asteroid would have had to have been about, oh, 5 miles across. I know it sounds like the stuff of science-fiction writers, but there is evidence to back up this theory, being that an unusual element, iridium, was found in layers of rock that date back to the same period in places as wide apart as Denmark and New Zealand. This meant that space rock brought the iridium.

Furthermore, [9] further investigation found something called, um, stishovite, which is a mineral created under intense heat and pressure — the kind of pressure that arises from a huge high-speed impact. And to top off the evidence, there is a great crater in the Yucatan Peninsula of Mexico that could have been the result of the impact, and guess what? That dates back about 65 million years. Well, [10-1] what would have happened to the earth immediately after the impact of something so big moving at phenomenal speeds?

Student B: I would imagine that there was like a great, you know, tsunami that just drowned everything.

Professor: Well, first, naturally, it would have destroyed everything in its path, sending up millions of tons of rock and smoke into the atmosphere, and also, as you say, [10-2] causing um, giant tidal waves. The killer would have been something else. In fact, around the Yucatan area, [10-3] sulfur was found, which would have mixed with water on the earth to form a deadly barrier of sulfuric acid to...to block out the sun's heat and light. **Without these basic things, plants can't grow, and marine and small land life would cease to exist,** leaving nothing on the menu, so to speak, for carnivorous dinosaurs, except for each other, **leading to the end of the dinosaurs.**

訳 生物学の講義の一部を聞きなさい。

教授：恐竜が地上を歩き始めた2億3000万年前に戻ったと想像してください。最初の500万年の間に，大きさやパワーによって恐竜は食物連鎖の頂点に立ちました。
中にはご存じのとおり，家と同じくらい，あるいはそれより大きいものもいました。そしてポイントは，恐竜が5大陸すべてに分布していたことです。もちろんこれは，見つかった化石から分かります。そうです，今日のどの陸生哺乳類よりも大きな生物である恐竜は，大いに繁栄していましたが，えー，6500万年位前に突然姿を消し，絶滅しました。古生物学者は，えー，化石を調べて古代を研究する科学者のことですが，彼らは一時期，恐竜が突然消えた原因は，小型恐竜によって大型恐竜の卵が継続的に捕食されたためだ，と考えていました。

学生A：先生，そのような状況がそれを，つまりすべての恐竜が絶滅した原因を本当に説明しているとお考えですか。

教授：良いところを突いていますね。ですから私は，この種の理論に疑問を持っているのです。出生率は確かに下がったかもしれませんが，絶滅にまでは至らなかったでしょう。私がこのように考えるのは，恐竜だけでなく，ほかの多くの種の生物も絶滅したということもまた，考慮に入れなければならないからです。そうですね，まず初めに海生爬虫類のシークロコダイル，水生首長竜のプレシオサウルス，そしてそのほかに，海綿動物やカタツムリのようなものも挙げられます。卵を食べたとされる小型恐竜さえ絶滅してしまったのです。何か別の原因があるようですね。地球上のあらゆる動物が跡形もなく消え去った理由を思い切って述べてみたい人はいませんか。

学生B：地球上の平均気温が下がると，氷河期か，そのようなものに入ると聞いたのですが，そうしたことで多くの恐竜が死に絶えるというのは違いますか。

教授：そう，それは答えの一部でしょうね。地球には何回もの氷河期があったことが分かっています。最も顕著なのは，人類が地上の主要な捕食者となって終わった最後の氷河期です。しかしそれ以外の何かがあるはずです。小型恐竜や気候以上の，より破壊的なものが。えー，有力とされている理論は地球外のものが原因だったと考えている科学者たちが提唱したものです。

学生A：どういう意味ですか。エイリアン（宇宙人）か何か，ということですか。

教授：いいえ，そうではありませんが，地球上のものではないという意味ではエイリアン（地球外のもの）ですね。私が言っているのは，6500万年前，巨大な小惑星が地球に衝突したことです。それが当時の地球上の生命を全滅させたというのです。この理論によれば，その小惑星は，えー，直径がおよそ5マイルほどあったということです。まるでSF作家の話みたいだとは分かっていますが，この理論を裏付ける証拠があります。というのは，珍しい元素であるイリジウムが，デンマークとニュージーランドのように遠く離れた場所で，同時代の岩石層から発見されたのです。これはつまり，隕石がイリジウムをもたらしたということです。そのうえ，さらなる調査でスティショバイトと呼ばれるもの，えー，これは高温かつ高圧下で，例えば巨大なものが高速で衝突して発生するような高圧下で作られる鉱物なんですが，それが発見されたのです。そして決定的な証拠は，衝突でできたであろう巨大なクレーターがメキシコのユカタン半島にあることです。それがどういうものか分かりますか。6500万年前のものなのです。では，それほど巨大なものが驚くべきスピードで衝突した直後，地球では一体何が起こったでしょうか。

学生B：何か巨大な，そう，すべてを飲み込む津波のようなものを想像します。

教授：えー，最初に，大量の岩石と煙を大気中に巻き上げながら，当然，その通り道にあるすべてのものを破壊したことでしょう。そしてあなたの言うように，巨大津波を引き起こしたことでしょう。（しかし）絶滅の決定的な原因は何かほかのものだったでしょう。事実，ユカタン半島の周りでは硫黄が見つかっており，それが地球上の水と混ざり合って恐ろしい硫酸の層を形成し，太陽の熱と光を遮断してしまったのでしょう。このような基本的なものがなければ，植物は育ちませんし，海洋や陸上の小さな生物は死に絶えます。いうなれば，肉食恐竜に共食い以外，何も食べるものはなかったのです。したがって，これが恐竜を絶滅に導いたのでしょう。

6 正解 **D**

設問の訳　この講義は主に何について述べているか。

選択肢の訳
- **A** 恐竜の生活について化石から分かること
- **B** 絶滅以前の恐竜はどのように生きていたか
- **C** 主要な恐竜絶滅説全ての長所と短所
- **D** 最も説得力のある恐竜絶滅説

小型恐竜による大型恐竜の卵の捕食説→氷河期説→隕石衝突説という流れで，恐竜絶滅の最も有力とされる原因について主に論じられている。

7 正解 Ⓑ Ⓒ

設問の訳 講義の初めに述べられた恐竜についての事実は，次のうちどれか。答えを2つ選びなさい。

選択肢の訳
Ⓐ 一部の恐竜は強力で，速く走ることができた。
Ⓑ 恐竜の化石は世界中で見つかっている。
Ⓒ 恐竜はその時代，第一の捕食者だった。
Ⓓ 小型恐竜の出生率は徐々に落ちていった。

下線部 7-1 top of the food chain「食物連鎖の頂点」から Ⓒ が正解。また，下線部 7-2 の they spread out across all five continents から恐竜が5大陸全てに分布していたことが分かるので，Ⓑ についても述べられている。

8 正解 Ⓑ

設問の訳 恐竜が小型恐竜に卵を捕食されて絶滅したという説は，なぜありそうもないのか。

選択肢の訳
Ⓐ 海洋恐竜も死に絶え，小型恐竜は泳げなかった。
Ⓑ 小型恐竜も，大型恐竜と同じく死に絶えた。
Ⓒ ほかの動物が小型恐竜を殺した。
Ⓓ 出生率が小型恐竜に与えた影響は，大型恐竜への影響ほど大きくはなかった。

下線部 8-1 に，ほかの種類の生物も絶滅したとあり，下線部 8-2 から，そこには小型恐竜も含まれていたことが分かる。

9 正解 Ⓑ

設問の訳 教授によれば，スティショバイトの発見は有力な説を証明する上でどのように重要か。

選択肢の訳
Ⓐ この鉱物は小惑星とともに宇宙からやってきた。
Ⓑ それは巨大で高速の衝突条件によって作り出される。
Ⓒ 6500万年前より以前にはスティショバイトは存在しなかった。
Ⓓ スティショバイトは衝突の起きた地域の岩石層で見つかっている。

有力な説とは隕石衝突説のことである。下線部9からスティショバイトが高温かつ，巨大なものの高速衝突で生じるような高圧下で作られるものだと分かる。つまり，スティショバイトが存在するということは，隕石衝突があったという事実を証明しているということになる。

10 正解 Yes: Ⓐ Ⓑ　No: Ⓒ

設問の訳　講義の中で，教授は小惑星衝突の影響について述べている。次のものが衝突の影響であるかどうかを示しなさい。
正しい方のボックスをクリックしなさい。

選択肢の訳
Ⓐ　大津波の発生
Ⓑ　大気中の恐ろしい硫酸層
Ⓒ　太陽光線を遮断する水と煙

教授は下線部 **10-1** で巨大なものの高速衝突，つまり小惑星衝突の影響について尋ねているので，それ以降の流れに注意する。Ⓒ は水と煙ではなく，水と硫黄。Ⓐ，Ⓑ は，それぞれ下線部 **10-2** **10-3** 参照。

講義の一部をもう一度聞き，質問に答えなさい。（スクリプト太字部分参照）

11 正解 Ⓒ

設問の訳　教授の次の発言は何を意味しているか。（スクリプト破線部参照）

選択肢の訳
Ⓐ　小型恐竜と哺乳類は食べるものが何もなかったので死に絶えた。
Ⓑ　植物は恐竜の主食であった。
Ⓒ　肉食恐竜が唯一食べることができたのは他の恐竜であった。
Ⓓ　太陽からの熱と光がなくて，恐竜は食物を探すことができなかった。

引用箇所の leaving nothing on the menu...for carnivorous dinosaurs, except for each other「肉食恐竜に共食い以外，何も食べるものはなかった」から，Ⓒ が正解。on the menu は直訳すると「（食事の）メニューにのっている」となり，生きるための食物を意味する。

Passage ●3　Physics　　CD **3-55〜61**　　●問題　p.240〜241
●解答一覧　p.248

Script

Listen to part of a talk in a physics class.

　Traditionally, trains have been powered by engines and equipped with wheels that run along rails. But **12-1** there is a newer type of train without an engine that can travel faster than conventional trains. This type of train is called maglev, which stands for magnetic levitation. You see, these trains are powered by magnets, which first make them float above the ground, that is, levitate in the air, and then propel them forward over a guideway. Because maglevs and conventional trains rely on different mechanisms to move forward, they cannot use the same transportation infrastructure.

　Although maglevs are a new type of train, their technology has been around for some time. In fact, maglev transportation was first conceived of over a century ago. Despite this, there are only two major maglevs currently in commercial operation. In 2004, the Chinese began operating the Shanghai Maglev, which was built by German engineers. The Shanghai Maglev is both fast and reliable, traveling up to 431 kilometers per hour while going back and forth between two stations numerous times a day, and completing each 30-kilometer trip in just seven minutes. In 2005, the Japanese commenced operations of their Linimo Maglev in Aichi for the World Expo. This maglev travels a much shorter distance per trip, about 9 kilometers, and runs at a much slower speed, about 100 kilometers per hour, compared with the Shanghai Maglev.

Currently, additional maglevs are being developed around the world. And some transportation experts predict that maglevs will become increasingly popular due to their advantages over conventional trains. For example, 12-2 these experts emphasize that maglevs not only travel faster but also produce less noise than conventional trains. Furthermore, they claim that maglevs require much less maintenance than conventional trains, which suffer damage due to the friction generated by the constant pounding of the wheels and rails. Moreover, they assert that maglevs are easier to operate because they are controlled by computers and can run in most kinds of inclement weather. 13-1 They acknowledge, though, that maglevs are much more expensive to construct than conventional trains, but argue that their lower maintenance costs ultimately save money.

Well, then, let's imagine that we have decided to build a maglev train. We would first have to choose which type of maglev to build. 12-3 You see, there are two major types of maglev systems: those using electromagnetic suspension, or EMS, and those using electrodynamic suspension, or EDS.

First, I'd like to briefly talk about each type of system and then describe their pros and cons. All right, then, let's look at the electromagnetic suspension system. In this system, electromagnets are attached underneath the train and directed towards the train's guideway, which is a steel rail. This causes the train to levitate about 1 centimeter above the guideway and continue to float in this manner even when the train is stopped. In addition, several other magnets are inside the body of the train and help guide the train as it travels to maintain its stability.

17 Next, let's look at the electrodynamic suspension system. The big difference between this system and the previous one is the type of magnets used. You see, whereas the electromagnetic system uses standard electromagnets, 14 this system uses super-cooled electromagnets, which can provide electricity even when the power supply goes off such as during an emergency. Now, of course, EMS and EDS systems both have good and bad points.

Electromagnetic systems enable maglevs to travel very fast, but require much effort to keep these trains stable. Problems with stability may cause these trains to vibrate excessively as they increase speed.

As for maglevs with electrodynamic systems, these trains can also travel at great speeds but are also capable of carrying quite heavy loads. In addition, they run very stably unlike EMS systems. On the other hand, the magnetic field created by their super-cooled electromagnets is too strong for passengers with pacemakers and can also interfere with credit cards and computer devices. But 15 the biggest disadvantage of EDS systems is that they do not generate enough electricity at low speeds to support the weight of the train. So, 13-2 maglevs with electrodynamic suspensions must use wheels for support until they gather enough speed to enable levitation.

In the future, we can expect to see more developments for both EMS and EDS systems. Some people have claimed that maglevs are a waste of money. For example, after an experimental maglev caught on fire in Japan in 1991, several politicians argued against funding maglev projects. However, because maglev technology is still relatively new, such setbacks should be expected. 16 By overcoming these hurdles, we can eventually increase the number of maglevs in commercial operation, which will bring economic benefits to many communities.

訳 物理学の講義の一部を聞きなさい。

昔から，列車はエンジンによって動力が供給され，レールに沿って走る車輪が備えられています。しかし，エンジンは付いていませんが，従来型の列車より速く走れる新しい形式の列車があります。この形式の列車は maglev（リニアモーターカー）と呼ばれていますが，これは magnetic levitation（磁気浮上）が省略されたものです。えー，これらの列車は磁気により動力が供給されるのですが，まずこの磁気が列車を地上から浮き上がらせ，すなわち空中に浮上させて，それからガイドウェイ（走行路）の上を前方に推進させるのです。リニアモーターカーと従来型の列車は異なるメカニズムを使って前に進むので，同じ輸送インフラは使えません。

リニアモーターカーは新しい形式の列車ですが，その技術は以前からずっとあったものです。事実，リニアモーターカー輸送が考え出されたのはもう1世紀も前のことです。それにもかかわらず，現在，商用運行されている主なリニアモーターカーはわずか2路線しかありません。2004年に中国は，上海リニアモーターカーの運行を始めました。これはドイツの技術者によって作られたものです。上海リニアモーターカーは速くて，しかも信頼のおけるもので，最高時速431kmで2駅間を日に何度も往復し，片道30kmをわずか7分で走ります。2005年に日本は，愛知万博でリニアモーターカー「リニモ」の運行を始めました。このリニアモーターカーは，上海リニアモーターカーと比べると，ずっと短い約9kmの距離を，はるかに遅いスピードの時速約100kmで走ります。

現在，世界中でさらにいくつかのリニアモーターカーが開発されています。専門家の中に

は，リニアモーターカーは従来型の列車よりも優れているのでますます人気が出ると予測する人もいます。例えば，これらの専門家たちは，リニアモーターカーは従来型の列車より速く走れるだけではなく，騒音も少ないことを強調しています。さらに，リニアモーターカーは，従来型の列車より保守が少なくて済むと主張しています。というのも従来型は車輪とレールが常に打ち付け合うことで起こる摩擦による損傷を受けるからです。その上，リニアモーターカーはコンピューター制御されていて，どんな荒れ模様の天気でも走れるので，運行がより簡単であると断言しています。とはいうものの彼らは，リニアモーターカーの建設には従来型より費用が掛かることは認めています。が，それも保守費用がより安いことで結局は節約になると主張しています。

　では，我々がリニアモーターカー建設を決定したと想像してみましょう。まず，どの形式のものを建設するかを選ばなければならないでしょう。いいですか，リニアモーターカーには2つの主要な形式があります，すなわち，電磁気サスペンション，すなわちEMS（電磁吸引支持方式）と，電気力学サスペンション，すなわちEDS（電磁誘導浮上方式）です。

　最初に，それぞれのシステムの形式について簡単に述べ，それからそれぞれの良い点と悪い点を説明します。では，EMSを見てみましょう。この方式では，電磁石は車両の下部に取り付けられ，鉄のレールでできたガイドウェイに電磁が向けられています。これにより，列車をガイドウェイから約1cm浮上させて，たとえ列車が停止しても，この方法で列車を浮上したままにしておくのです。さらに，列車の内部には他にいくつかの磁石があり，これは安定性を保って走行するよう列車を誘導する補助の役割をしています。

　次に，EDSを見てみましょう。この方式と先ほどの方式との大きな違いは，使用する磁石のタイプです。EMS方式では通常の電磁石を使用していますが，この方式では超低温の電磁石を使用します。この磁石なら，緊急時などに電力が切れた場合でも電気を供給することができます。さて，もちろん，EMSにもEDSにも長所と短所があります。EMS方式はリニアモーターカーを非常に高速で走らせることができますが，列車の安定性を保つにはより多くの取り組みが必要となります。安定性について問題があるゆえ，列車はスピードを増すにしたがい，過度な振動を起こしてしまいます。

　EDS方式のリニアモーターカーに関して言いますと，この列車もかなり高速で走ることができるのみならず，積載重量も大きいのです。さらに，EMSと違って，非常に安定した走行をします。その一方で，超低温の電磁石によって発生する磁場がペースメーカーを使用している乗客には強力すぎたり，またクレジットカードやコンピューター機器に干渉したりします。しかしEDS方式の最大の欠点は，低速走行中には車重を支えられる十分な電気を生み出さないことです。したがって，EDS方式のリニアモーターカーでは浮上を可能にする十分なスピードに達するまでは，補助として車輪を使用しなければならないのです。

　将来は，EMS，EDSのどちらの方式に対しても，より発展が期待できると思います。リニアモーターカーはお金の無駄遣いだと言ってきた人もいます。例えば，1991年に日本の実験用リニアモーターカーで火災が発生した後，何人かの政治家たちはリニアモーターカー計画への資金提供に反対しました。しかしながら，リニアモーターカーの技術はまだ比較的新しいものなので，そのようなつまずきは当然想定されるものです。これらの障害を乗り越えることによって，ゆくゆくはリニアモーターカーの商用運行の数を増やすことができるのです。そうなれば，多くの地域社会に経済的恩恵をもたらすことでしょう。

12 正解 Ⓐ

設問の訳 この講義は主に何について述べているか。

選択肢の訳
- Ⓐ リニアモーターカーの利点と種類
- Ⓑ 輸送機関の経時的な変化
- Ⓒ 列車の歴史と未来
- Ⓓ 磁石のいろいろな使い方

冒頭の下線部 12-1 で,教授は「従来型の列車より速く走れる新しい形式の列車,リニアモーターカーがある」と切り出し,これが講義のテーマではないかと推測される。下線部 12-2 では「速く走れて,騒音も少ない」という専門家による指摘が示され,その後にもさまざまな利点が列挙されている。また下線部 12-3 では,教授が「EMS と EDS の 2 つの主要な形式がある」と述べ,それぞれの種類についての長所短所の説明を続けている。

13 正解 Ⓓ

設問の訳 リニアモーターカーについて次の記述のうち,正しくないのはどれか。

選択肢の訳
- Ⓐ それはまだ世界中では利用されていない。
- Ⓑ それは 100 年以上も前に初めて考えられた。
- Ⓒ 時々車輪で走ることのあるリニアモーターカーもある。
- Ⓓ それの建設費用は従来の列車より安く上がる。

下線部 13-1 に「彼らは,リニアモーターカーの建設には従来型より費用が掛かることは認めている」とあるので,Ⓓ の記述が正しくない。また Ⓒ については,下線部 13-2 で「EDS 方式では浮上を可能にする十分なスピードに達するまでは車輪を使用する」と述べられている。

14 正解 Ⓒ

設問の訳 EMS 方式と EDS 方式のリニアモーターカーとの違いは何か。

選択肢の訳
- Ⓐ EMS リニアは EDS リニアと異なり,安定している。
- Ⓑ EMS リニアは EDS リニアと異なり,超低温の電磁石を使用する。
- Ⓒ EDS リニアは EMS リニアと異なり,常に電力が利用できる。
- Ⓓ EDS リニアは EMS リニアと異なり,通常の電磁石を使用する。

下線部14参照。「この方式（EDS）では,超低温の電磁石を使い,緊急時などに電力が切れた場合でも電気を供給することができる」とあり,EDS リニアでは電力が常に利用できることを示している。

15 正解 Ⓑ

設問の訳 どの問題が,一部のリニアモーターカーの運行をより困難にするか。

選択肢の訳
- Ⓐ ガイドウェイの摩擦
- Ⓑ 電力の欠如
- Ⓒ 悪天候
- Ⓓ ひどい騒音

下線部15で教授は「EDS 方式のリニアモーターカーは低速走行では車重を支えられる十分な電気を生み出さない」と述べている。

16 正解 A

設問の訳 どの記述が，教授のリニアモーターカー開発続行に関する意見をもっとも良く説明しているか。

選択肢の訳
- A いつか人々にプラスの影響を与えることができる。
- B 無駄ではあるが，続行すべきだ。
- C 費用について心配し始めるべきである。
- D それは無駄で，続行するのはあまりにも危険だ。

将来のリニアモーターカーの開発については，最後のパラグラフで述べられている。下線部16で，教授は「これらの障害を乗り越えることによって，ゆくゆくはリニアモーターカーの商用運行の数を増やせるだろう。そうなれば多くの地域社会に経済的恩恵をもたらすことになる」と述べている。

講義の一部をもう一度聞き，質問に答えなさい。（スクリプト太字部分参照）

17 正解 C

設問の訳 なぜ教授はこう言っているのか。

選択肢の訳
- A EDS方式の使用を勧めるため
- B EDS方式を使用しないように助言するため
- C リニアモーターカーの2つの浮上方式を比較するため
- D 通常の電磁石の利点を説明するため

下線部17参照。教授は「次にEDS方式を見てみよう」と言い，以降，前に説明したEMS方式との違いの説明を始めている。

Passage 4　CD 3-62〜67

●問題 p.242〜243
●解答一覧 p.248

Script

Listen to part of a conversation between a student and a sociology professor.

Student: Excuse me, professor. 18 I have a question or two about yesterday's lecture on fast food in society. Do you have a minute?

Professor: Of course, Maria. Why don't you come in and have a seat?

Student: Thank you, professor. Um, yesterday you described the way people consume fast food nowadays as a kind of *societal addiction*. In other words, did you mean that it's hard for them to give up fast food just as it is for some people to quit smoking?

Professor: Yes, that's a pretty good analogy. As you know, these restaurants are located seemingly everywhere throughout our cities. When driving along any fairly busy street, um, I'm sure that you see one every minute or two. So, the fact that we as a society consume so much fast food is why some experts consider it a kind of societal addiction.

Um, do you happen to know what percent of people eat fast food at least once a day?

Student: Hmm, I'd say maybe 10%?

Professor: Actually, [19] 1 out of every 4 people in this country eat fast food every day. What's more, according to research, only 4% of people never eat fast food at all. What's interesting is that most of us realize that it's quite bad for our health but we choose to consume it anyway. Um, any idea why so many people eat fast food in spite of the health risks?

Student: Well, you know, um ... [20-1] in many homes nowadays, both parents work, so they have little time to prepare proper meals. And, um, [20-2] I think many people like fast food simply because it's cheap, tasty, and convenient.

Professor: Ah, yes. Cheap, tasty, and convenient — these three benefits do indeed seem to explain why so many of us are willing to consume fast food even if it's unhealthy. Do you know what kinds of health problems are associated with fast food?

Student: Um, eating too much fast food tends to cause obesity, right?

Professor: Yes, it certainly does. In fact, it generally contains a substantial number of calories. For example, are you aware that one fast food meal at some restaurants provides enough calories for the average person for one whole day? And, um, if that statistic isn't shocking enough, one health expert calculated that people would have to walk non-stop for six hours to burn off the calories gained by eating one large-sized set meal at some restaurants.

Student: Wow! That's shocking! [22] But is fast food the major cause of obesity in society nowadays?

Professor: Good question. Um, let's just say that it's a rather large slice of the pie, so to speak, among the major causes of obesity. Indeed, fast food alone cannot account for why 31% of adults are very overweight in this country. The fact that many people exercise less nowadays, as well as other factors, contributes to the obesity problem.

Student: Professor, in yesterday's lecture, you said that another reason why more people are overweight nowadays is because they have *sedentary* jobs. I couldn't understand what you meant by 'sedentary' jobs.

Professor: Um, in other words, their jobs do not require them to be active. You know, like most offices where workers sit down in front of computers all day.

Student: Oh, now I get it. So, you're basically saying that obesity is caused by a variety of different factors — not just by fast food — right?

Professor: Yes, exactly. It's not only what we eat but also our lifestyles that determine whether or not we become obese. It's easy, you know, to place all of the blame for obesity in society on the fast food industry but ②it's important to remember that many other factors may contribute to it.

> **訳** 学生と社会学の教授の会話の一部を聞きなさい。
> 学生：すみません，先生。社会のファーストフードに関する昨日の講義について少し質問があるのですが，お時間はよろしいでしょうか。
> 教授：もちろん良いですよ，マリア。入っておかけなさい。
> 学生：ありがとうございます，先生。あのー，昨日先生は，最近の人々のファーストフードの消費の仕方は一種の「社会的中毒」だとおっしゃいました。言い換えれば，一部の人にとって煙草をやめるのが難しいのと同じように，ファーストフードをやめるのも難しいということですか。
> 教授：ええ，それは非常に良いたとえですね。知っての通り，このような飲食店は町の至るところにあるように見えます。かなり交通量の多い道路をドライブすると，そうですね，1，2分に一度は間違いなく目に入ると思います。ですから，社会としての我々があまりにも多くのファーストフードを消費しているという事実が，一部の専門家がこれを一種の社会的中毒と見なす理由なのです。えー，ところで，何％の人が毎日少なくとも一度はファーストフードを食べているか知っていますか。
> 学生：えーと，10％くらいですか。
> 教授：実は，この国では4人に1人がファーストフードを毎日食べているんですよ。さらに，調査によると，ファーストフードを絶対に食べないという人はわずか4％にすぎません。面白いことには，ほとんどの人が健康に良くないことを知っているのに，とにかくファーストフードを食べるという選択をしています。えー，健康上のリスクがあるにもかかわらず，なぜ人々はファーストフードを食べると思いますか。
> 学生：そうですね，えーと，最近は多くの家庭で両親ともに仕事を持っているので，まともな食事の用意をする時間がほとんどないからです。それから，えー，ファーストフードを好きな人が多いのは，とにかく安くて，おいしくて，便利だからだと私は思います。
> 教授：ええ，そうですね。安くて，おいしくて，便利。実際にこの3つの利点こそが，たとえ健康に良くなくても，多くの人がファーストフードを喜んで消費する理由を説明しているようですね。どのような健康問題がファーストフードによって引き起こされるか知っていますか。
> 学生：あのぉ，ファーストフードを食べ過ぎると肥満の原因になりますよね？
> 教授：ええ，間違いなく。事実，一般的にファーストフードには相当なカロリーが含まれています。例えば，あるファーストフード店で出している一回分の食事は，平均的な人の一日分相当のカロリーを含んでいることを知っていますか。それに，そうですね，この統計データがそれほど驚くべきものでないというなら，ある健康専門家は，飲食店でLサイズのセット一食分を食べて摂取したカロリーを消費するには，止まることなく6時間歩き続けなければならない，と計算しているんですよ。
> 学生：わー！　それはひどいですね！　でも，ファーストフードは今日の社会における肥満の主な原因なのでしょうか。
> 教授：良い質問です。えー，それはむしろ，肥満の主な原因の中の，いわば，パイの大き

なー切れと言えばいいのでしょうか。実際，ファーストフードだけでは，この国の 31％もの成人が超肥満である理由を説明できません。最近では多くの人の運動量が減っているという事実も，他の要因と並んで肥満問題の一因となっていますよ。
学生：先生，昨日の講義で先生は，最近さらに多くの人々が肥満になっているもうひとつの理由は，仕事が「座業」だからだとおっしゃいました。「座業」がどういう意味なのか分かりません。
教授：えー，言い換えれば，体を動かす必要があまりない仕事ということです。つまり，一日中コンピューターの前に座って働く，多くの会社での仕事のようなものですね。
学生：あー，分かりました。ですから先生は要するに，肥満は，ファーストフードだけではなく，いろいろな要因によって引き起こされているとおっしゃっているのですね。
教授：その通りです。何を食べているかだけではなく，我々の生活習慣もまた，肥満になるかどうかを左右するのです。いいですか，社会の肥満に関する非難をすべてファーストフード産業のみに押し付けるのは簡単ですが，他の多くの要因にも起因していることを覚えておくことは重要ですよ。

18 正解 D

設問の訳 なぜ学生は教授に会いに来たか。

選択肢の訳
- A 栄養に関するアドバイスを得るため
- B 社会におけるファーストフードを非難するため
- C 座業を観察するため
- D 前回の授業について質問するため

下線部18で学生が「社会のファーストフードに関する昨日の講義について少し質問がある」と言っている。

19 正解 C

設問の訳 教授によれば，何％の人がファーストフードを毎日食べているか。

選択肢の訳
- A 4％
- B 10％
- C 25％
- D 30％超

下線部19で，教授が「この国では4人に1人がファーストフードを毎日食べている」と述べているので，答えは C の25％になる。

20 正解 A C

設問の訳 会話によれば，ファーストフードの利点は何か。
答えを2つ選びなさい。

選択肢の訳
- A 一部の家庭にとって便利な食事の選択肢である。
- B 一回の食事で一日分の全カロリーを容易に供給する。
- C 廉価で食べられる。
- D 6時間の歩行に十分なエネルギーを供給する。

● ● ● Final Test 2 Answers

教授の「なぜ人々はファーストフードを食べると思うか」という質問に対して，学生が，下線部 20-1 で「多くの家庭では両親ともに仕事を持っていて，食事の用意をする時間がほとんどない」ことを，また，20-2 で「ファーストフードは安くて，おいしくて，便利」であることを挙げている。

21 正解 D

設問の訳 肥満について，教授の意見をもっともよく表しているものはどれか。
選択肢の訳
- A 座業が増えたことが主な要因である。
- B ファーストフードに大きな責任がある。
- C コンピューターによって肥満が起きている。
- D 何が主な原因だというのは難しい。

下線部21で教授が「(ファーストフードだけでなく，) 他の多くの要因にも起因していることを覚えておくべきだ」と言っている。

会話の一部をもう一度聞き，質問に答えなさい。（スクリプト太字部分参照）

22 正解 C

設問の訳 言い換えれば，教授はファーストフードについて何と言っているか。
選択肢の訳
- A ファーストフードが健康に与える影響は，パイのようなデザートが与える影響と同様のものである。
- B ファーストフードは社会における肥満の最大の理由である。
- C ファーストフードは肥満の大きな理由の一つである。
- D ファーストフードのみによって，人々が肥満になる理由を理解できる。

下線部22の「ファーストフードは今日の社会における肥満の主な原因なのか」という学生の問いに対し，教授が「肥満の主な原因の中の，いわば，パイの大きな一切れである」と述べている。すなわち，肥満の大きな理由のうちの一つであるということである。

Passage ● 5 Art CD 3-68~74

●問題 p.244～245
●解答一覧 p.248

Script

Listen to part of a talk in an art class.

Professor: Today, I'll be talking about the most influential artist of the 20th century. Can anyone tell me who that would be?

Student A: Um, surely that would be Pablo Picasso, right?

Professor: Bingo! Well, Pablo Picasso was born in Spain in 1881 and learned to paint as a child from his father, who was an art teacher. And, um, 23 during his lifetime, he produced tens of thousands of works of art such as sculptures, ceramics, drawings, and paintings until his death in France in 1973. **Picasso's preferred medium was painting, but** [27-1] **his artistic works were diverse and included a broad range of different styles.** [23] Today, um, I'd like to focus on Picasso's paintings during the early years of his career from 1901 until about 1912. You see, art historians have divided Picasso's work during this time into four different periods. And, um, the first period is now referred to as the Blue Period, which lasted from 1901 to 1904.

Student A: Blue Period? Hmm ... was that because Picasso became ill or something during this time?

Professor: Um, not physically ill. But it seemed that he was somewhat depressed during this time. So, um, most of his paintings were done in a blue tone, which conveyed a sense of gloominess, sadness, and despair. This period, by the way, occurred before Picasso moved from Spain to France. For example, one of his works from this period is called [24-1] *The Frugal Repast*, which he completed in 1904. In this painting, you can see, um, a blind man and a woman seated together at a table, who are both suffering from hunger. Blindness was, um, a frequent theme in his works during this period as well as the plight of poor people. On the opposite end, um, Picasso's work, from 1904 to 1906, is now referred to as the Rose Period.

Student B: Ah, I think I read something about this period. Wasn't it a time when Picasso seemed happier as an artist?

Professor: Yes, that's correct. Um, during this time, his paintings conveyed a more cheerful and upbeat tone in both color and content. He used a lot of pinks and oranges in his work, and often depicted characters and scenes of circus life. The painting titled [24-2] *The Family of Saltimbanques* from 1905 is, um, a good example of his works from this period. It shows six 'saltimbanques,' a kind of circus worker on an empty space of land. So, in this way, Picasso's paintings conveyed a warmer and lighter feeling during this period. After the Rose Period came Picasso's African-influenced Period from 1907 to 1909. Um, you see, his works during this time were inspired by his exposure to African artworks.

Student B: Oh, really? [25-1] I never knew that Picasso had spent part of his life in Africa.

Professor: [25-2] Actually, he didn't. You see, due to the spread of the French Empire into Africa in the early 20th century, many African artworks started arriving in Paris, where Picasso was living at the time. [26-1] These artworks later influenced several of Picasso's paintings during this period such as, um, *Bust of a Woman* in 1907. Okay, next, following the African Period, um, came the period known as Cubism.

Student A: Hmm ... is that because Picasso traveled to Cuba or something?

Professor: No, not quite. Um, Picasso pioneered Cubism along with another painter named Georges Braque. They created their works by analyzing objects, breaking them apart, and reconstructing them. And this resulted in content, shown from many perspectives, in rich detail. The name, Cubism, actually originated from critics who, um, said that these paintings appeared to be composed of many cubes. 26-2 The painting titled *Standing Female Nude* from 1910 is one of Picasso's Cubist works. Well then, um, that concludes my introduction of the four major periods of Picasso's early years.

Student B: Professor, in your opinion, which of these periods was the most important?

Professor: Good question. Hmm, let me see ... 27-2 Although Picasso's work during all four periods was highly influential, I would say Cubism was the most significant due to its revolutionary style. Next class, um, we'll discuss one of Picasso's most famous paintings titled *Guernica*, which was a Spanish city destroyed by the Nazis in 1937.

訳　芸術の授業の一部を聞きなさい。
教授：今日は，20世紀でもっとも影響力の大きい芸術家について話します。それが誰だか言える人はいますか。
学生A：えー，間違いなくパブロ・ピカソですよね？
教授：その通り！　えー，パブロ・ピカソは1881年にスペインで生まれ，幼少の頃には美術教師であった父親から絵を学びました。そして，あー，1973年にフランスで亡くなるまで，生涯を通じて彫刻，陶器，デッサン，絵画など大変多くの芸術作品を生み出しました。ピカソが好んだ表現手段は絵画でしたが，彼の芸術作品は多様で，幅広く異なった様式が含まれています。今日は，えー，1901年から1912年ぐらいまでの彼のキャリアの初期の絵画に焦点を当てたいと思います。えー，美術史家はこの時期のピカソの業績を4期に分けました。そして，あー，第1期は現在，青の時代と呼ばれており，1901年から1904年まで続きました。
学生A：青の時代？　うーん…それはピカソがこの時期に病気か何かになったからですか。
教授：えー，身体的な病気ではありません。しかしこの時期，彼はややうつ状態にあったようです。それで，えー，彼のほとんどの絵は青を基調に描かれており，陰気さ，悲しみ，絶望を感じさせるものでした。ところで，これは，ピカソがスペインからフランスに移り住む前の時期にあたります。例えば，「貧しき食事」と呼ばれるこの時期の彼の作品の一つは，1904年に完成しました。この絵の中では，盲目の男女が一緒にテーブルにつき，ともに飢えに苦しんでいます。盲目は，えー，貧しい人々の苦境とともに，しばしばこの時期の彼の作品に登場するテーマでした。それに対して，1904年から1906年のピカソの作品は今日，バラ色の時代と呼ばれています。
学生B：あー，この時代に関することを読んだことがあります。ピカソが芸術家としてより幸せであるように見えた時代ですよね。
教授：ええ，その通りです。あー，この時期，彼の絵は色彩的にも内容的にも，より快活で陽気なトーンを伝えています。作品にピンクとオレンジ色を多用しており，しばしば

サーカス生活の人々や場面を描写しています。1905年の「サルタンバンクの家族」と名付けられた絵は，えー，この時期の彼の作品の良い例です。それは虚空の地に6人のサルタンバンク（サーカスで働く人の一種）を描写しています。ですから，こんな風に，この時期のピカソの絵は，比較的温かくて軽い感情を伝えています。バラ色の時代の後，1907年から1909年までのピカソのアフリカ彫刻の時代がきます。えー，みなさんも知っているでしょうが，この時期の彼の作品は，アフリカの美術工芸品との出会いによる影響を受けています。

学生B：あー，そうなのですか。ピカソがアフリカで暮らした時期があることは知りませんでした。

教授：実際には住んでいたことはありません。えー，20世紀初頭にフランス帝国がアフリカにまで広がったため，当時ピカソが住んでいたパリに，多くのアフリカ美術工芸品がもたらされ始めました。これらの美術工芸品が後に，この時期のいくつかのピカソの絵画，例えば，1907年の「女の胸像」のような作品に影響を与えました。では，次はアフリカ彫刻の時代に続いて，キュビズムとして知られている時代です。

学生A：うーん，それはピカソがキューバへ旅行したからとか何かですか。

教授：いいえ，そうではありません。ピカソはジョルジュ・ブラックというもう一人の画家とともに，キュビズムの先駆者となりました。彼らは対象を分析し，ばらばらにし，それを再構築して作品を生み出しました。そしてこれが，様々な視点から細部を詳細に描写し内容を表すという手法に帰着しました。実はキュビズムという名前は，これらの絵が多くの立方体で構成されているように見える，と言った批評家たちの言葉に由来します。1910年の「立つ裸婦」と名付けられた絵はキュビストとしてのピカソの作品の一つです。はい，これでピカソの初期の時代の4大期の紹介はおしまいです。

学生B：先生の見解では，これらの時代で最も重要なものはどれですか。

教授：良い質問ですね。えー，そうですね…。この4つの時代全てにおけるピカソの作品は非常に影響力がありましたが，キュビズムはその革命的様式ゆえに，最も重要であると言えるでしょう。次の時間は，えー，ピカソのもっとも有名な絵の一つ，1937年にナチスによって破壊されたスペインの都市を題名とした「ゲルニカ」について話します。

23 正解 Ⓐ

設問の訳 この講義の主な目的は何か。

選択肢の訳
- Ⓐ ピカソの業績の段階を説明すること
- Ⓑ スペイン時代とフランス時代のピカソの芸術を比較すること
- Ⓒ 色彩がどのようにピカソの情緒に影響を与えたかを説明すること
- Ⓓ ピカソの色彩の好みの特徴を述べること

下線部23で，教授は今日の講義の目的と範囲について「1901年から1912年ぐらいまでの彼のキャリアの初期の絵画に焦点を当てる」，「この時期のピカソの業績を4期に分ける」と言っている。

24 正解 D

設問の訳 ピカソは「貧しき食事」と「サルタンバンクの家族」を描いた。この2つの作品に共通しているものは何か。

選択肢の訳
- A 両作品とも同じ年に描かれた。
- B 両作品ともフランスで描かれた。
- C 両作品とも苦痛感を伝えている。
- D 両作品とも人々のいる場面を描写した。

「貧しき食事」は下線部 24-1 に,「サルタンバンクの家族」は下線部 24-2 で説明されている。「貧しき食事」は盲目の男性と女性が一緒にテーブルについている場面,「サルタンバンクの家族」はサーカスで働くサルタンバンクが登場しているので, D が正解。

25 正解 C

設問の訳 ピカソに関する次の記述で,正しくないのはどれか。

選択肢の訳
- A 彼はいろいろな表現手段を用いて芸術作品を創作した。
- B 彼は青の時代にはスペインに滞在していた。
- C アフリカにいた時,彼は新しい種類の芸術を経験した。
- D 彼は絵画の新しい様式の創作を促進した。

下線部 25-1 で学生が「ピカソがアフリカで暮らした時期があることは知らなかった」と言っているのに対し,教授は下線部 25-2 で「実際には彼は住んでいたことはなかった」と答えている。よって C が正解。

26 正解 C

設問の訳 教授が言及したアフリカ彫刻の時代とキュビズムの時代の二つの絵画のテーマとは何か。

選択肢の訳 A 戦争 B 社会活動 C 女性 D 自然

下線部 26-1 で,アフリカ彫刻の時代の作品例として「女の胸像」,下線部 26-2 で,キュビズムの時代の作品例として「立つ裸婦」が挙げられている。タイトルから,どちらも女性がテーマと考えられる。

27 正解 A

設問の訳 ピカソの初期の時代に関して,教授の見解を最もよく表しているのはどれか。

選択肢の訳
- A 彼の最も重要な創作活動は,新たな様式の芸術を発展させたことにあった。
- B ピカソの全ての創作活動は等しく重要であった。
- C 最も関心を引く創作活動は青の時代とバラ色の時代に起きていた。
- D アフリカ彫刻の時代が彼の芸術様式を永久に変えた。

下線部 27-1 で、ピカソの芸術作品は多様で、幅広く異なった様式が含まれていることを評価し、講義の最後の下線部 27-2 では「4つの時代全てにおけるピカソの作品は非常に影響力があったが、キュビズムはその革命的様式ゆえに、最も重要である」と言っている。新たな様式の芸術の先駆者的活動を評価しているので正解は Ⓐ。Ⓑ〜Ⓓ はすべて教授の発言とは異なる。

講義の一部をもう一度聞き、質問に答えなさい。（スクリプト太字部分参照）

28 正解 Ⓒ

設問の訳 言い換えれば、教授はここで、何と言っているか。

選択肢の訳
Ⓐ ピカソは、絵画以外の他の形式の芸術活動は行いたがらなかった。
Ⓑ ピカソは、絵画の作品の数よりも質にこだわった。
Ⓒ ピカソは、絵画以外にも多種類の芸術の能力を持っていた。
Ⓓ ピカソは、もっと他の種類の芸術活動も行うべきであった。

下線部28 で、ピカソが彫刻、陶器、デッサン、絵画などを生み出したことを説明した後で「彼の芸術作品は多様で、幅広く異なった様式が含まれる」と説明している。よって、絵画以外にもさまざまな芸術の能力があったと言っているⒸ が正解。

Passage 6 Business CD 3-75〜81

●問題 p.246〜247
●解答一覧 p.248

Script

Listen to part of a lecture in a business class.

The business word of the last few years has to be outsourcing, which I'm sure all of you, um, have heard or read about at some point. It's basically when a, uh, third-party company takes over the management of another company. You see, people sometimes confuse outsourcing with out-tasking, 30-1 in which a smaller section of the business is turned over to the third party on a shorter contractual basis and the client still keeps the majority of control in such a relationship. Anyway, back to outsourcing. It started to become a popular financial or, or quality decision back in the 90s, when many companies used the skills of foreign countries, usually in a place with cheaper labor like, oh...um...South East Asia.

Nowadays, the rise of globalization and the internet has driven major IT firms 31 to find subcontractors in India where support and development can be provided at low cost and English is, is already mainly spoken by educated Indian nationals. Makes sense, yeah?

OK, then. 30-2 So the outsourcing company will have, you know, expertise that is not found in the client organization, but it's a lot more than simply a vendor relationship. Ah, by that I mean, buying or selling of products or services from A to B. Let's just say that the outsourcing relationship requires much more information exchange, coordination, and trust that moves backwards and forwards between both parties.

30-3 **32-1** So, what do you need to think about before deciding whether to, ah, outsource, or not? First, price. The client company will need to do a cost-benefit analysis of all internal and external costs. Internal might include wages and overhead and, well, external pretty much includes capital investment and the commitment of time and resources. **32-2** Once a cost base has been made, an organization can assess the...the outsourcing company's proposal and whether the outsourcing company's service, experience, skills, and, oh...um, delivery of product or service are shown in a...a competitive price.

In the end, the competitive price should be passed on to the customer in terms of a lower price. Which we all want, don't we? In China and Taiwan, companies have set up long established outsourcing businesses to take advantage of cheap labor costs. However, sometimes the reputation of some of the, um, East Asian nations has become, how shall I put it, low in quality and price. Another important thing to consider could be how outsourcing fits into the, um, the long-term strategic goals of the company — so, what will the conditions of the company and its market look like in, say, five to ten years time, and can the core business of a client company be kept if the company decides to outsource?

Stakeholders will also need to be consulted in the outsourcing process. These people could include, um, staff and customers, existing suppliers and possible union members. **33** It's important to remember that without the continued support of related parties, any deal or relationship can go bad through a mixture of non-communication or maybe even resentment of those parties.

Finally, as we can see, things don't always go to plan when a company does decide to undertake outsourcing. **Much information can be gained from companies that have successfully or unsuccessfully used outsourcing. Although each situation is different, any information that can be found could be a way of, you know, reducing problems.** Some of the problems that companies have experienced range from communication barriers and high foreign worker turnover in the outsourcing companies' countries, as well as misunderstanding of what was required, and finally, what was provided by the outsourcing company. It's obvious that the trust and coordination I mentioned earlier should be maintained between the two parties right from the start.

訳 ビジネスの講義の一部を聞きなさい。

　ここ数年のビジネスのキーワードはアウトソーシング（外部委託）でしょう。えー，これについてはみなさん，どこかで聞いたり読んだりしたことがあるでしょう。基本的には，えー，第三者の企業が，ほかの企業の事業管理を引き受けることです。時々，アウトソーシングとアウトタスキング（外注）を混同している人がいますが，アウトタスキングでは，事業のより小さな部分が短期契約ベースで第三者の企業に託され，そのような関係においては，主導権は顧客（発注元）が握っているのです。それはともかく，アウトソーシングの話に戻りましょう。アウトソーシングは，90年代にビジネス上の…，つまり，一般的な良い決定になり始めました。当時，多くの企業が，えー，たいていは東南アジアのような労働力の安い外国の技術を利用するようになったのです。

　今日では，グローバリゼーションとインターネットの台頭によって，主要IT企業がインドで委託業者を確保するようになっています。そこでは，低費用でのサポートや開発が可能で，教育を受けたインド国民はすでに大半が主として英語を話します。理にかなっていますよね。

　さて。ですから，アウトソーシングを受ける企業は，えー，顧客企業（発注企業）にはない専門技術を持っています。しかしそれは，単なる売買関係をはるかに超えたものです。あー，売買関係というのは，AからBへの商品やサービスの売買のことです。アウトソーシング関係には，当事者間でより多くの情報交換や協調，信頼が必要とされるのだと言っておきましょう。

　それでは，アウトソーシングをするかどうかを決める前に，何について考える必要があるでしょうか。それはまず，価格です。発注企業は，内外すべてのコストの費用便益分析を行う必要があるでしょう。内部コストには，賃金，諸経費が含まれます。そして，えー，外部コストには，資本投資，そして時間と資源の投入が含まれるでしょう。コスト・ベースが決まると，企業はアウトソーシング企業の提案と，それからその会社のサービス，経験，技術，それに，あー，商品やサービスの提供などが競争力のある価格で示されているかどうかを検討することができるようになります。

　結局，競争力のある価格は，低価格という形で消費者に還元されることになります。これは私たちの望むことですよね。中国や台湾において，企業は安い労働力を利用するために多くの定評あるアウトソーシングビジネスを始めました。しかし，時に，えー，いくつかの東アジアの国に対する世評は，何と言うか，低品質，低価格となっていました。もうひとつ考慮しなければならない重要なことは，どのようにしてアウトソーシングを企業の長期戦略目標に合わせるか，ということでしょう。ですから，その企業の状況や市場が，そうですね，5年から10年後にどのようなものになっているのか，そして発注企業がアウトソーシングを決定した場合，その企業の中核事業は維持できるのかということです。利害関係者たちにもまた，アウトソーシングの過程において話を聞く必要があります。この人々には，企業の職員，顧客，既存の納入業者，そしてあれば労働組合などが含まれるでしょう。これら関係者の継続的なサポートがなければ，どのような取引や関係も，意思疎通の欠如やこれらの人々同士の敵意さえもが交錯して，うまくいかなくなるかもしれない，ということを覚えておくのは重要です。

　最後に，分かりきったことですが，企業がアウトソーシングを行うことを決定しても，物事が計画通りにいくとは限りません。アウトソーシングの利用をうまくできた企業，できな

かった企業から多くの情報が入手できます。個々の状況は異なりますが，得られるどのような情報も，えー，問題を減らす手段となるでしょう。企業が経験したいくつかの問題は，意思疎通の障壁に始まり，アウトソーシング企業のある国における外国人労働者の高い離職率，加えて委託されたことに対する誤解，そして最終的にはアウトソーシング企業が何を提供したのかにまでわたります。話の初めの方で述べた信頼と協調を，両者の間において最初から維持すべきなのは明らかです。

29 正解 C

設問の訳 この講義は主に何について述べているか。

選択肢の訳
- A 企業にとってのアウトソーシングのメリットとデメリット
- B アウトソーシングする際の価格と国の選別の重要性
- C アウトソーシングの説明とその実行方法
- D 主要企業がどのようにしてうまくアウトソーシングを活用してきたか

アウトソーシングを利用する際の注意点については触れられているが，デメリットではないので A は不適切。B，D もアウトソーシングを行う上で考慮に入れなければならないことで，講義の主題ではない。

30 正解 アウトソーシング：A E F　アウトタスキング：B C D

設問の訳 講義の中で教授はアウトソーシングとともにアウトタスキングについても説明している。下の文がアウトソーシングとアウトタスキングのどちらを説明しているかを示しなさい。
チェックマーク（✓）を適切な欄に入れなさい。

選択肢の訳
- A それは事業のより大きな部分に関係している。
- B 顧客が主導権を握っている。
- C それは通常，より短期間である。
- D 事業の比較的小さな部門が引き継がれる。
- E 顧客企業（発注企業）にはない専門技術が必要である。
- F 費用便益分析が必要である。

下線部 30-1 より，B C D がアウトタスキング，A がアウトソーシングと分かる。E は下線部 30-2 より，F は下線部 30-3 よりアウトソーシング。

31 正解 D

設問の訳 教授の説明によると，なぜIT関連の大企業は，インドのような国でアウトソーシングを行うのか。

選択肢の訳
- A インドにいるほとんどの人がインターネットにアクセスできる。
- B サポート費用と教育費が安い。

- Ⓒ 委託業者により強制された。
- Ⓓ 英語が一般的で，コストが低い。

> 下線部㉛から，安い費用でサポートや開発が可能であること，教育を受けた国民はすでに主として英語を話していることが分かる。

32 正解 Ⓐ

設問の訳 教授の説明によると，企業がアウトソーシングを考える前に行わなければならないコスト段階は何か。

選択肢の訳
- Ⓐ 費用便益分析，それに続くアウトソーシング企業の価格評価
- Ⓑ 資本投資，それに続くサービスの提供
- Ⓒ コスト・ベースの作成，それに続く企業コスト全ての分析
- Ⓓ アウトソーシング企業の経験と価格の調査，それに続く費用便益分析

> 下線部 32-1 に，価格について「全てのコストの費用便益分析を行う必要がある」とある。これに基づいて，下線部 32-2 にあるように，企業はアウトソーシング企業から提示された価格が競争力のある価格なのかの評価を行う。

講義の一部をもう一度聞き，質問に答えなさい。（スクリプト1つ目の太字部分参照）

33 正解 Ⓑ

設問の訳 なぜ教授はこの発言をしているのか。

選択肢の訳
- Ⓐ 利害関係者は費用便益分析を行う際に重要である。
- Ⓑ 利害関係者の話を聞かないと，悪感情が起こりうる。
- Ⓒ 利害関係者の希望を聞き入れないのは違法である。
- Ⓓ 利害関係者の意見と着想が粗利益を向上させうる。

> 下線部㉝で，利害関係者との関係を良好に保つ必要があることに触れられている。

講義の一部をもう一度聞き，質問に答えなさい。（スクリプト2つ目の太字部分参照）

34 正解 Ⓒ

設問の訳 教授の次の発言は何を意味しているか。（スクリプト破線部参照）

選択肢の訳
- Ⓐ 一部の企業はアウトソーシングで過去に失敗している。
- Ⓑ たとえ，ほかのアウトソーシング企業の例が見つからなくても，それは役に立つ。
- Ⓒ より多くの情報があれば，より容易に問題を避けられる。
- Ⓓ さまざまな状況がより多くの問題を引き起こしている。

> 得ることができたどのような情報も問題を減らす手段となる，つまり問題を避けることができると言っているので Ⓒ が正解。

Final Test 2 Answers

重要単熟語

TOEFLのリスニング問題で出題される可能性があり，また，留学時の大学生活でも役に立つと思われる単熟語を選び，例文をつけました。（ ）内にはリスニング時に覚えておくと便利な類義語も取り上げています。

🎧 CD 1-88

☐ **assignment**
[əsáinmənt]

名 宿題（homework, task）

I have an assignment in linguistics due on Friday.
金曜日までに仕上げなければならない言語学の宿題がある。

☐ **register**
[rédʒɪstər]

動 〜を登録する（enroll）
名 登録

You have to register for two psychology classes this semester.
今学期は心理学2クラスに履修登録しなければならない。

☐ **semester**
[səméstər]

名 学期（session, term）

John got straight A's for all classes last semester.
ジョンは先学期オールAを取った。

☐ **faculty**
[fǽkəlti]

名 大学の教員（professoriate），学部，
能力（talent）

A faculty meeting will be held on Monday.
教授会は月曜日に開かれるだろう。

☐ **research**
[ríːsəːrtʃ]

名 研究，調査（investigation, inquiry）
動 研究する

We are required to turn in our research papers by Monday.
月曜日までに研究論文を提出しなければならない。

☐ **dean**
[diːn]

名 学部長，学生部長

You should see the dean of students as soon as possible.
できるだけ早く学生部長に会った方がいいですよ。

重要単熟語

☐ submit [səbmít]
動 〜を提出する（hand in, turn in）

She couldn't submit her thesis before the deadline.
彼女は提出期限までに論文を提出することができなかった。

☐ comprehensive [kà(:)mprɪhénsɪv]
形 包括的な（inclusive），広範囲な，理解力のある

What we need is more comprehensive information on the plan.
われわれに必要なのは，その計画に関するもっと包括的な情報だ。

☐ transcript [trænskrɪ̀pt]
名 成績証明書，写し（counterpart）

All your transcripts should be submitted by this Friday.
成績証明書はすべて今度の金曜日までに提出しなければならない。

☐ application [æ̀plɪkéɪʃən]
名 願書，申請（request），応募

Applications for the spring semester are now being accepted.
春学期の願書は現在受け付けている。

☐ tuition [tjuíʃən]
名 授業料（school fee），教えること（instruction）

Tuition is the same for resident and nonresident students.
授業料は寄宿生，非寄宿生ともに同じです。

☐ procedure [prəsí:dʒər]
名 手続き，方法（method），処置（measure）

I will see the dean about graduate application procedures.
大学院の入学手続きについて学生部長に相談するつもりだ。

☐ discipline [dísəplɪn]
名 研究分野，教科（subject），修養，訓練

All the faculty members have doctorates from a wide range of biological disciplines.
すべての教員たちは生物学の幅広い研究分野で博士号を取得している。

prerequisite
[priːrékwəzɪt]
- 名 必修科目，前提条件（precondition）
- 形 （…に）あらかじめ必要な，不可欠の

Prerequisites should be completed before entering the graduate program. 大学院課程に入る前に**必修科目**を履修しておかなければならない。

course
[kɔːrs]
- 名 科目

This **course** will focus on major dramatic trends.
この**科目**は主な演劇の傾向に焦点を当てる。

reference
[réfərəns]
- 名 参照（source），言及，（人物・身元などの）照会

You should have made a copy of the article for **reference**.
参照用にその記事のコピーを取っておけばよかったのに。

credit
[krédət]
- 名 （科目の）単位（unit），信用（trust）
- 動 ～を認める（acknowledge）

A **credit** represents one hour of class work per week for one semester.
1**単位**は，1週間あたり1時間のクラスを1学期間ということを表す。

dissertation
[dìsərtéɪʃən]
- 名 （博士）論文

Has Professor Nelson reviewed your **dissertation** yet?
ネルソン教授はあなたの**論文**をまだ査読していないのですか。

species
[spíːʃiːz]
- 名 種，種類（sort, kind）

Many **species** have evolved over time.
多くの**種**は時間とともに進化してきた。

pharmacy
[fáːrməsi]
- 名 薬局（drugstore），薬学

The chief pharmacist dispensed medicine to students at the campus **pharmacy**. 学内**薬局**で主任薬剤師は学生たちに薬を調合した。

重要単熟語

prescription
[prɪskrípʃən]
名 処方薬，処方せん，指示書（instruction）

Prescription medicine are also available at the campus pharmacy.
処方薬は学内薬局でも手に入る。

antibiotic
[æntibaiá(:)tɪk]
名 抗生物質

Could you get this prescription for an **antibiotic** filled?
この処方せんの抗生物質を調合していただけますか。

immune
[ɪmjúːn]
形 免疫の，免除された（exempt）

Once you recover from a disease, you may henceforth be **immune** to it.
一度病気から回復すれば，それ以後その病気に対して免疫ができるだろう。

beneficial
[bènɪfíʃəl]
形 有益な（favorable），利益となる（profitable）

Campus housing is quite **beneficial** to international students.
学生寮は留学生たちにはとても有益だ。

revenue
[révənjùː]
名 収入（finance），歳入

The team raises almost half of its **revenue** from commercial sponsorships. チームは収入のほぼ半分を企業スポンサーから集めている。

proofread
[prúːfrìːd]
動 （〜を）校正する（correct），校正のために読む

We should **proofread** our book reports by spring break.
私たちは春休みまでにブック・レポートの校正をしなければならない。

perspective
[pərspéktɪv]
名 見地，見通し（outlook, foresight），遠近画法

It is unfair from a foreign student's **perspective**.
外国人学生の見地からすればそれは公平ではない。

☐ precaution
[prɪkɔ́ːʃən]

名 用心，予防策（preventive）

You have to take precautions when you drive on a winding road.
曲がりくねった道路を運転するときには用心しなければならない。

☐ evaluate
[ɪvǽljuèɪt]

動 ～を評価する（judge）

How do you evaluate our term papers?
私たちの学期末レポートをどのように評価しますか。

☐ impractical
[ɪmprǽktɪkəl]

形 実際的でない，実用的でない（not sensible）

Your plan is totally impractical.
あなたの計画はまったく実際的ではない。

☐ prehistoric
[prìːhɪstɔ́(ː)rɪk]

形 有史以前の（primeval）

They are derived from organic materials originating in prehistoric periods. それらは有史以前の有機物質に由来するものだ。

☐ hypothesis
[haɪpɑ́(ː)θəsɪs]

名 仮説（supposition）

This is the most widely accepted hypothesis for the theory of evolution.
これがもっとも一般的に受け入れられている進化論の仮説だ。

☐ sensory
[sénsəri]

形 感覚に関する，知覚に関する（perceptional）

The nerve cells carry sensory messages throughout the body.
神経細胞は体中に感覚の情報を伝達する。

☐ formula
[fɔ́ːrmjulə]

名 公式（rule）

After collecting data from an experiment, you should make formulas.
実験でデータを集めたら，公式を作らなければならない。

molecular
[məlékjulər]
形 分子の

This course covers the laws and principles of atomic and molecular structure. このコースでは原子，分子構造の法則と原理を取り扱う。

corrosion
[kəróʊʒən]
名 腐食（作用）

Wax protects the car body against corrosion.
ワックスは車体の腐食を防いでいる。

microbe
[máɪkroʊb]
名 微生物（bacterium）

We need filters that strain harmful microbes from water.
水から有害な微生物をろ過するフィルターが必要だ。

carbohydrate
[kàːrboʊháɪdreɪt]
名 炭水化物

In most animals, carbohydrates provide a quickly accessible reservoir of energy. 多くの動物において，炭水化物はすぐに利用できるエネルギーの貯蔵庫だ。

ratify
[rǽṭəfàɪ]
動 （条約など）を批准する（approve）

The United States Constitution was ratified and became law.
米国憲法は批准され，法律となった。

expel
[ɪkspél]
動 ～を追い出す（eject, force out），
～を除名する（remove）

He was expelled from the university because of his poor grades.
彼は成績が悪いために大学から除籍された。

primarily
[praɪmérəli]
副 主として，第一に（mainly）

Early guitars were primarily used to accompany singers of ballads.
初期のギターは主にバラードを歌う歌手の伴奏に使われた。

☐ **sporadic** [spərǽdɪk]	形 散発的な,時折の (occasional),点在する

The sound of sporadic shooting could be heard through the night.
一晩中,散発的な銃声が聞こえた。

☐ **attribute** [ətríbjùːt]	動 ～を(…の)せいと考える
	名 属性 (feature)

She tends to attribute her success to her luck.
彼女は成功を自分自身の運にあると考えがちだ。

☐ **combustible** [kəmbʌ́stəbl]	形 可燃性の (flammable)
	名 (～s) 可燃物

These dead organisms were gradually converted to combustible materials. これらの死骸は徐々に可燃物に変化した。

☐ **infection** [ɪnfékʃən]	名 感染(部) (contagion),伝染病

The infection seems to be clearing up.
感染部はきれいになりつつあるようだ。

☐ **arduous** [ɑ́ːrdʒuəs]	形 困難な (difficult),努力を要する

The work was arduous and dirty.
その仕事は困難で汚れを伴うものである。

☐ **eligible** [élɪdʒəbl]	形 資格のある (qualified)

Current students are eligible for free tutorial assistance.
現在在学中の学生は,無料の学習指導を受ける資格がある。

☐ **deposit** [dɪpɑ́(ː)zət]	動 ～を預ける (entrust)

I would like to deposit $1,000 into my savings and checking account.
1,000ドルを預金口座と当座預金へ入金したいのですが。

● ● 重要単熟語

☐ expenditure
[ɪkspéndɪtʃər]
名 支出，費用（expense）

These **expenditures** include an estimate of travel and food costs.
これらの**支出**には旅費や食費の概算が含まれている。

☐ budget
[bʌ́dʒət]
名 予算（allocation, expenditure）
動 ～の予算を組む

The **budget** of Japan focuses mainly on expenditures.
日本の国家**予算**は主に歳出に重点を置いている。

☐ legislative
[lédʒəslèɪṭɪv]
形 立法の，立法上の（enactive）

From 1932, the U.S. Congress exercised a so-called **legislative** veto.
1932年より合衆国議会はいわゆる**議会**拒否権を行使した。

☐ retrospect
[rétrəspèkt]
名 回想（review）

In **retrospect**, it was one of the best moments I ever had.
振り返ってみれば，あのときが絶頂だった。

☐ invalid
[ɪnvǽlɪd]
形 無効の（void, null），説得力のない

He was fined for driving with an **invalid** license.
彼は**無効の**免許証で運転して罰金を科せられた。

☐ predict
[prɪdíkt]
動 ～を予測する，予言する（foretell, forecast）

We cannot begin to **predict** how much money will be spent on this project. この事業にどのくらいお金がかかるかとうてい**予測**できない。

☐ proficient
[prəfíʃənt]
形 堪能な（adept），熟練した（skillful）

I asked one of the more **proficient** students to help John with his Japanese. **堪能な**学生の1人にジョンの日本語の手助けを頼んだ。

| ☐ **enervate**　[énərvèɪt] | 動 ～を疲れ果てさせる（exhaust）、～の力を弱める（weaken） |

After walking under the blazing sun, all of us were **enervated** by the heat. 炎天下を歩いたので，私たちはみんな暑さで疲れ果ててしまった。

| ☐ **conventional**　[kənvénʃənəl] | 形 従来の（traditional）、通常の（ordinary）、型にはまった |

We will not adopt **conventional** methods of teaching language in this course. この科目では，従来の語学教授法は採用しない。

| ☐ **exasperate**　[ɪgzǽspərèɪt] | 動 ～をいら立たせる（annoy）、～を怒らせる（provoke） |

Tom sometimes **exasperates** his teachers.
トムは時々先生たちをいら立たせる。

| ☐ **ultimately**　[ʌ́ltɪmətli] | 副 結局（finally）、究極的に |

Ultimately, language students rely on dictionaries to learn new words.
結局は，言語を勉強している学生は新しい単語を学ぶのに辞書に頼る。

| ☐ **couldn't agree with ～ more** | まったく～に同感だ |

I **couldn't agree with** you **more**.
まったくあなたの言うとおりだ。

| ☐ **hold off** | 待つ（wait）、～を延ばす（postpone）、遅らせる（delay） |

I'd **hold off** till I cooled off, if I were you.
私があなたなら冷静になるまで待ちますが。

| ☐ **straight A's** | オール A |

I got **straight A's** for the first time.
私は初めてオール A を取りました。

● ● 重要単熟語

| ☑ **get rid of** | ～を取り除く（throw away） |

I wish you'd **get rid of** that garbage.
そのごみ**の始末を**してくれますか。

| ☑ **out of the question** | 不可能な（impossible） |

It's **out of the question** at this time.
この時期にそれはもう**不可能**だ。

| ☑ **figure out** | 理解する（understand, find an answer by thinking about） |

I can't **figure out** how to operate this new computer.
私はこの新しいコンピューターの操作方法が**わから**ない。

| ☑ **in charge** | 責任者の地位にある，責任のある（responsible） |

Ask Pat. She is **in charge** of this group.
パットに聞いてください。彼女がこのグループの**責任者**ですから。

| ☑ **work out** | 解決する，答えを見つける（resolve, find out an answer） |

John and Mary **worked out** their marital problems all by themselves.
ジョンとメアリーは夫婦間の問題を自分たちだけで**解決し**た。

| ☑ **honor roll** | 成績優秀賞 |

I couldn't make the **honor roll** this semester.
今学期は**成績優秀賞**を取れなかった。

| ☑ **grading procedure** | 評価方法（the scoring method） |

I'd like to explain the **grading procedure** I'll be using in this course.
この授業で用いる**評価方法**を説明したいと思います。

TOEFL®テスト大戦略シリーズ

自分に合った参考書を選んで，目標スコアを獲得しよう！

試験形式を知りたい，模試を受けたいなら

インターネットで受験できる！ Web模試
＋ダウンロードコンテンツ特典付

❶ **はじめてのTOEFL®テスト完全対策** 改訂版
Paul Wadden, Robert Hilke, 松谷偉弘 著
定価：本体 2,200円＋税
CD 1枚付

ボキャブラリー対策をしたいなら

ダウンロードコンテンツ特典付

❷ **TOEFL®テスト 英単語3800** 4訂版
神部 孝 著
定価：本体 2,300円＋税
CD 3枚付

❸ **TOEFL®テスト 英熟語700** 4訂版
神部 孝 著
定価：本体 1,800円＋税
CD 2枚付

セクションごとに試験対策したいなら

インターネットで受験できる！ Web模試特典付

❹ **TOEFL®テスト リーディング問題270** 4訂版
田中真紀子 著
定価：本体 2,100円＋税

❺ **TOEFL®テスト リスニング問題190** 4訂版
喜田慶文 著
定価：本体 2,400円＋税
CD 3枚付

❻ **TOEFL®テスト スピーキング問題110** 改訂版
島崎美登里, Paul Wadden, Robert Hilke 著
定価：本体 2,200円＋税
CD 2枚付

❼ **TOEFL®テスト ライティング問題100** 改訂版
Paul Wadden, Robert Hilke, 早川幸治 著
定価：本体 2,100円＋税
CD 1枚付

こちらには, Disc 2とDisc 3が入っています。→